U0141998

朱培庚著

古事今鑑

上冊

古隸集自漢碑

平裝定價新臺幣八四〇元
精裝定價新臺幣一〇〇〇元

文史哲出版社印行

古事今鑑 / 朱培庚著. -- 初版.-- 臺北市 :
文史哲, 民８２
面 ;　　公分
ISBN 957-547-795-2(平裝三冊)
ISBN 957-547-794-4(精裝三冊)

610.8

古事今鑑（全三冊）

著者：朱培庚
出版者：文史哲出版社
登記證字號：行政院新聞局局版臺業字五三三七號
發行人：彭正雄
發行所：文史哲出版社
台北市羅斯福路一段七十二巷四號
郵撥〇五一二八八一二彭正雄帳戶
電話：三五一一〇二八
印刷者：文史哲出版社
精裝定價新臺幣一五〇〇元
平裝定價新臺幣一二〇〇元
國八十一年六月初版

ISBN 957-547-794-4（精裝）
ISBN 957-547-795-2（平裝）

古事今鑑卷頭語

一、中華典籍，浩如煙海，嘉言逸事，代不絕書；隨興輯蒐，漸成卷帙。法參先古，信可鑑今；敬掬芹獻私忱，奉陳同好公賞。

二、今人時間寶貴，奪秒爭分；長文雖佳，無暇畢讀。故本書全選短篇，大幅宏文，割愛不取。

三、正面勸忠訓孝，道理人人都懂。此類說教文章，枯燥免錄。德行貴在實踐，毋須喋喋煩辭。本書寧採生動寫實之篇，省察昔賢音容笑貌之餘，既可怡情，復兼益智。

四、我國古文深奧，標點段落均無，茲試譯爲白話淺言，俾助大衆之瀏覽。同時附錄原文，並詳註出處；兩相參看，以示並非杜撰。淺嚐時請閱語體，深探時請究原篇，期收雙效。

五、每篇之末，略綴短言；靦腆塗鴉，聊申巴俚。姑曰「私語」，非贊非評；自愧續貂，盼能引玉。

六、坊間不乏古事今譯之書。或整冊通譯，瑜瑕不揜；或僅有語體，原文未附。本書則祇摘精華，汰其糟粕，以節讀者書海困索之勞。

七、本書各篇，一一獨立。任翻一頁，任選一題，三五分鐘，即可閱畢。既可善用餘暇以嚐臠，尤宜抉拾片鱗而礪志。

八、原擬分類彙聚，以利檢讀。唯同一篇每兼有敦品勵學、處事待人之多項內涵，難於單屬。故暫按題目之筆劃及字數以定次序。

九、華人佔世界五分之一，文化璀璨。但外人因中文難讀，了解不深。敢請碩學高賢，廣爲譯介，使皇皇漢學，煥耀全球。

十、編者識淺，譯述麤疏，錯謬良多，敬祈教正。

中華民國八十一年（一九九二）歲次壬申秋十月湘潭朱培庚識於台北

古事今鑑總目錄

上冊

中冊

下冊

古事今鑑　上册

一　一筆勾（識斷）

北宋眞宗、仁宗時代，有位范仲淹（公元九八九—一〇五二），字希文，吳縣人。進士出身。做過樞密副使，後任參知政事（宋代以同平章事爲宰相，參知政事爲副相）。他以天下國家爲己任，「先天下之憂而憂，後天下之樂而樂」一語，便是他的名言。

范仲淹作參政時，很注意官員的政績優劣，對任職者有自己的考評。那時外地各「路」（宋代的行政區域，分天下爲若干路，管轄府、州、縣，約當現今之省）的監司（宋置諸路轉運使，兼司按察，謂之監司），權大責重，人數也不少。他每次取來官員名冊，查閱那不稱職的監司，見到某人正是那才德欠缺的，就一筆勾銷，表示要換人接替。

同朝有位大臣富弼（公元一〇〇四—一〇八三，字彥回。仲淹死後三年爲相），官任制誥（替皇帝撰寫詔書之職）。很欽仰范仲淹的爲人，常以長輩之禮敬事他。看到他一筆劃過，忍不住委婉進言說道：「大人倒只是輕鬆地用筆一勾，哪知道這珠砂大筆一勾，卻要使一家大哭了。」

范仲淹答道：「我也考慮過了呀。但只讓一家大哭，比起那一『路』（此路應作一省解，非一條道路也）大哭，其輕重又如何呢？」於是凡勾掉姓名的，都一一撤換了。

【原文附參】：范仲淹爲參政，患諸路監司不才，乃取班簿，視不才監司，每見一人姓名，一筆勾之。富弼素以丈事仲淹，謂曰：六丈則遺一筆，焉知一家哭矣。仲淹曰：一家哭、何如一路哭耶？遂悉罷之。（見：宋、朱熹：《五朝名臣言行錄》、第七卷、七之一、范文正公仲淹）

【編者私語】：監司一家，不過數口；他按察的一「路」百姓，卻有萬千人口。如因監司一人之不肖，致萬千人口受害，不能謂平，不能不處置。范仲淹一筆勾，雖令一人一家遭不幸，卻廣替萬千人解倒懸，仍是仁心仁術也。《論語．子路篇》子曰：「有人說：『我做首長，他無所樂，只有我說的話沒有誰敢反對，這才是樂處』。假如他的話說錯了，決定偏了，又無人敢於反對，不就幾乎一言而邦國喪亡了嗎？」（譯意）監司按察一省之政，如果舉措乖戾，影響就很重大。倘若因才具欠缺而不稱其職，自應另換賢能。若因品德鄙劣而作惡營私，更應撤職查辦。再者、監司是方面大員了，下臺後想不致於餓飯；比起那萬千平民，因當政者措施失當而啼饑號寒，其重輕薄厚，自不可以道里計。豈可爲免一家哭，忍教萬家遭殃？成語所云「一筆勾」「一家哭」「一路哭」，同是出自本篇典故。

二　一擊碎　（果決）

戰國時代，秦昭王（名稷，在位五十六年）派使者送來一個精巧的玉連環給君王后（《說文·后部》注：后君也，后言後也。開創之君在先，繼體之君在後。此處乃指齊君）。使者說：「齊國人的智慧很高，有誰能夠解開這個玉連環不？」那玉連環是用玉做的一串圈環，諸環互相連扣，必須反覆穿套，才可一環一環解脫，是一種益智兼遊戲之具。分解時要運用智慧，還要有高度的耐性。

君王后將玉連環傳給朝臣們看，問有誰能夠解得？群臣都不知曉，無人可以解開。玉連環又傳回到君王后的御案上。她拿起鐵鎚，向玉連環一擊，應聲而碎，對秦國使者說：「請回謝你們秦王，玉連環已經解了。」

【原文附參】：秦昭王嘗遣使者遺君王后以玉連環。曰：齊人多智，能解此環不？君王后以示群臣，群臣不知解。君王后引鎚擊破之，謝秦使曰：謹已解矣。（見：《戰國策》、卷十三、齊策六）

【編者私語】：一個連環玩具，共有九個圓圈。圈圈相扣，串成一列，故又名九連環，還有一個窄而長的圈環貫穿在九環之內。要一個一個地解脫出來，又可重行串套在長環上。玩的時候，要耗時很長，要耐心很大，要重複許多次套穿的動作。說它有益智之功是可以的，猶如現代的魔術方塊（MAGIC SQUARE）一般，都可鍛鍊思考力。但是，解得了吧，肯定了甚麼呢?解不了吧，又否定了甚麼呢?小技雖精，非關大用，可不能拿它來斷定智愚的呀!鍛鍊智力的方法很多，解連環只是百中之一而已。閒暇之際，拿來消磨時日自無可厚非，若在朝殿上當正經事來幹，就無此必要。但秦王特意送環求解，怎樣了斷?唯有當機立決，一鎚把它擊碎，豈不就解了?君王后有此過人之舉，可讚!我們今日公私事務紛繁，必要時也當學這種果斷方法。本書第三九四篇的「亂絲必斬」，可以同觀。

三　一言九鼎（善說）

秦昭王十九年，秦國的大軍圍住了趙國都城邯鄲，趙王（趙惠文王九年）派平原君趙勝（公元前？—前二五一）出國求救，專程往見楚王，請締合縱條約，一同抗秦以解圍。平原君要挑選門下允文允武的賓客二十人隨行。卻只選出十九人，其餘的都無可取。這時門客中有位毛遂出來說：「主君選士，現在還缺一人，請讓我湊湊數跟去吧。」

平原君問道：「先生在我門下有多少年了？」

毛遂說：「已經三年了。」

平原君道：「大凡賢能的人處世，好比將一支錐子放在口袋裡一樣，錐尖馬上會戳穿口袋冒出來。如今先生在我門下三年，我沒有聽過你的名字，可知你並無特長，你還是留下吧。」

毛遂說：「我是今天才請你把我放入口袋裡，如果早就放進去，那整個錐身全會露出來，豈止尖端而已。」由於無人可選，於是讓他湊數隨行，但那十九人都覺得毛遂自不量力，互相用眼色譏笑他。

平原君到了楚國，向楚王提議合縱抗秦，陳述締盟的利益。早晨談起，到中午還沒有結論。毛遂登上殿階，問平原君說：「合縱的利害，兩句話就可決定。今天早上談起，到中午還未決定，癥結在哪裡呢？」

楚王不認識毛遂，問平原君道：「這位客人幹甚麼來的？」

平原君說：「他是隨我而來的舍下客人。」

既然只是個舍人，怎有資格上殿來插話？楚王對毛遂吼道：「還不趕快退下！我在和你主人談話，你敢擅自跑上來幹嘛？」

毛遂按著寶劍，走近楚王，義正辭嚴的說道：「貴邦楚國，國土廣達五千里，執戈帶甲的武士多達百萬人，這已經具備稱帝王稱霸主的資格了。但是、那秦國的白起，不過是個無能小子，也只帶領幾萬士兵，與你百萬雄師對陣，居然一戰就拿下了你楚國的鄢郷和安郢兩都，再戰就燒掉了你楚國先王的陵墓，這都是一百輩子的深仇大怨，我趙國都連帶感到羞慚，而你卻忘記了對秦國的仇恨。今天我主人來商請合縱結盟，也是爲楚國著想，並非單是爲我趙國。大王可要搞清楚呀！」

楚王聽了這番讜論，有似醍醐灌頂，頓然猛醒，馬上說道：「毛先生這才說到了問題的核心。此事已明白不過了，毋須再談。我就傾全國的力量，爲合縱而效力吧！」

毛遂問道：「那麼合縱之約就說定了？」

楚王說：「說定了。」

毛遂當即吩咐道：「請拿牛血馬血上臺來！」

毛遂高捧盛血的銅盤，跪著向楚王說：「請大王帶頭歃血，依次輪到我方，表示兩國定盟，合縱約成，互爲信誓。」縱約就圓滿達成了。

定約後，平原君回到趙國，說道：「我趙勝觀察別人的智愚賢劣，多到千位以上，自認眼光準確，不會錯過才德之士，如今乃失之於毛遂先生。毛先生一言，而使趙國的聲望，比那禹鑄九鼎更珍寶，比那周廟大鐘還貴重。毛先生三寸之舌，比那百萬雄獅還強大。我趙勝自今以後，不敢再輕率的觀察別人而妄加評斷了。」即日起，奉毛遂爲上賓。

【原文附參】：秦圍邯鄲，趙使平原君求救，合從於楚。約與門下文武具備者二十人偕。得十九人，餘無可取。門下有毛遂者前，自贊曰：今少一人，願以遂備員而行。平原君曰：先生處門下幾年矣？遂曰：三年矣。平原君曰：夫賢士之處世，若錐處囊中，其末立見。今先生處門下三年，勝未有所聞，是先生無所有也，先生留。遂曰：臣乃今日請處囊中耳。使蚤得處囊中，乃脫穎而出，豈特末見而已？竟偕。十九人相與目笑之。平原君與楚合從，言其利害。日出而言之，日中不決。毛遂歷階而上，謂平原君曰：從之利害，兩言而決也。今日出言從，日中不決，何也？楚王謂平原君曰：客何爲者也？平原君曰：是勝之舍人也。楚王叱曰：胡不下！吾與而君言，汝何爲者也？毛遂按劍而前曰：今楚地方五千里，持戟百萬，此霸王之資也。白起、小豎子耳，率數萬之衆，以與楚戰。一戰而舉鄢郢，再戰而燒夷陵，此百世之怨，而趙之所羞，而王弗知惡焉。合從者爲楚，非爲趙也。楚王曰：

誠若先生之言，謹奉社稷以從。毛遂曰：從定乎？楚王曰：定矣。毛遂曰：取牛馬之血來，跪而進之楚王曰：王當歃血而從定。平原君已定從而歸趙，曰：勝相士，多者千人，自以爲不失士，今乃失之於毛先生。毛先生一言，而使趙重於九鼎大呂。毛先生以三寸之舌，強於百萬之師。勝不敢復相士矣。遂以爲上客。（見：《史記》、卷七十六、列傳第十六。又見：《資治通鑑》、卷五、周紀五）

【編者私語】：見事要透徹，才會抓住重心。說理須扼要，乃可不涉枝蔓。毛遂一番高論，明白而又順暢：楚國強大、一也；兩戰連敗、二也；合縱報仇、三也；盟約利楚、四也。一與二是賓，三與四是主。所謂「兩言而決」，乃是「合縱爲楚，非爲趙也」。要語不煩，有如春雷驚蟄；楚王頓然醒悟，縱約即刻成盟。此蓋胸蘊珠璣，必要時顯露錐尖，就會一針見血。若非平時之潛觀宏察，何能九鼎一言。鑑古以觀今，現代社會尤增複雜化與多元化；舊學不容荒廢，新知更待追求，一方面宜博採廣收，一方面要抽絲剝繭，條理既明，自可發爲讜論。

四　一寒至此（念舊）

范雎是魏國人，替魏中大夫（官名）須賈（姓須名賈）做事。須賈誤認他將魏國的機密暗地裏告訴齊國，竟向魏國宰相魏齊告發。魏齊大怒，當場叫人用竹板子重撻，肋骨打斷了。牙齒也打落了，一動也不動，都以爲已經死了，便把他丟到廁所裡，大家還對著他屎尿，羞辱到了極點。

范雎命大，從死中悠悠活轉來，請求守衛救了他出去。他改名換姓，變爲張祿，西走秦國，得見秦王，由於他才氣本高，竟然作了宰相。在秦國，上下都叫他張祿，連魏國也不知他就是范雎，以爲早已死了。

魏國聽說秦國要東進出兵韓國魏國，就派須賈去秦國訪問結好。范雎知道了，便換穿破衣，假裝散步，到接待外國使節的賓館裡，去私訪須賈。

須賈一看，竟然是死掉的范雎出現了，大吃一驚，問道：「范叔（范雎字叔）一向過得還好吧？」

范雎說：「在混混日子罷了。」

須賈問道：「目前你在做甚麼呢？」

范睢說：「有人雇用我幫忙他做工。」

須賈覺得他怪可憐的，留他坐下談話，和他一道吃飯。一直同情他的潦倒狀況，說：「范叔竟然貧寒到這個地步嘛？」特地拿了一件綈袍（粗絲綢製的長袍）送給他。

須賈進一步問道：「秦國宰相張祿，你知道嗎？聽說秦王很寵信他。你這小子有沒有朋友和他熟呢？」

范睢說：「僱我的主人翁和他相熟。正巧我的運氣不壞，也常可以見到他。我能夠讓你和宰相張祿會面。」

須賈道：「如今我的馬生病了，馬車的輪軸也斷了。沒有四匹馬齊拉的寬大錦車，氣派不夠，我是不願去的。」

范睢說：「這個不難。我可以去借主人翁的高車駟馬，你就有大車可用了。」

范睢回到宰相府裡，駕著駟馬華車，去接須賈。自己充當須賈的車夫，同往宰相府。府裡的人望見宰相來了，都敬畏的讓避開來，須賈覺得奇怪。到了下車處，范睢低聲對須賈說：「你在此等候一下，我替你先進去通報宰相。」

須賈等了好久，不耐煩了，問那門衛說：「范先生好久不出來，不知是何緣故？」

門衛道：「我們府裡沒有范先生。」

須賈說：「就是剛才替我當車夫的這個人嘛。」

門衛道：「剛才這位是我們朝廷裡的張宰相呀。」

萬萬想不到范睢就是張祿，須賈大吃一驚，心想這一下麻煩可大了，恐怕性命難保。就解掉上衣，裸露肩背，這叫肉袒請罪；跪著用膝蓋走路，由門下人領著進去。只見范睢倨坐堂上，兩旁帷帳高張，侍立的人衆多，威儀赫赫。須賈俯伏在下，用頭撞地，聲言自己犯了死罪，請求處置。

范睢道：「你有大罪三：當初誣告我、一也。棄屍廁所、二也。便溺辱我、三也。都該處死。今天你能不死，是那件綈袍深含戀舊之情，具有照顧老朋友的摯意；所以既往免究，放你一條生路。回去替我轉告魏王，即刻斬下魏齊的頭顱送來。不然的話，我會將你們的魏都大梁殺個乾淨。」

須賈回國後，趕忙傳訊給魏齊。魏齊害怕極了，急急逃往趙國躲藏去了。（後段可續參本書第二二篇「了解人眞不容易」）

【原文附參】：范睢者，魏人也，事魏中大夫須賈。須賈以爲范睢持魏陰事告齊，言於魏相魏齊，笞睢，折脅折齒，以爲已死，置廁中，更溺睢。守者出之。范睢亡，更名姓曰張祿，去秦，爲秦相。秦號曰張祿，而魏不知，以爲范睢已死久矣。魏聞秦且東伐韓魏，魏使須賈於秦。范睢聞之，爲微行，敝衣閒步之邸，見須賈。須賈驚曰：范叔固無恙乎？范睢曰：然。須賈曰：今叔何事？范睢曰：臣爲人庸賃。須賈竟哀之，留與坐飲食，曰：范叔一寒如此哉！取一綈袍以賜之。須賈因問曰：秦相張君，爾知之乎？吾聞幸於上，孺子豈有客習於相君者哉？范睢曰：主人翁習之，范睢亦得謁。睢請見君於張君。須賈曰：吾馬病，車軸折，非大車駟馬，吾固不出。范睢曰：願爲君借大車駟馬於主人翁。范睢歸取大車駟馬，爲須賈御之，入秦相府。府中望見，皆避匿，須賈怪之。至相舍門，謂須賈曰：待我，我爲君先入通於相君。須賈待門下，持車良久，謂門下曰：范叔不出，何也？門下曰：無范叔。須賈曰：鄉者與我載而入者。門下曰：乃吾相張君也。須賈大驚，乃肉袒膝行，因門下人入。范睢盛帷帳，侍者甚衆，見之。須賈頓首言死罪。范睢曰：汝罪有三。然公之所以得無死者，以綈袍戀戀，有故人之意，故釋公。爲我告魏王，急持魏齊頭來，不然者，我且屠大梁。須賈歸，以告魏齊。恐，亡走趙。（見：《資治通鑑》、卷五、周紀五。又見：《史記》、卷七十九、列傳第十九）

【編者私語】：誣陷笞瀕死，逃生竟相秦；贈袍懷舊誼，一念釋仇臣。

五　一飛沖天（諷諫）

戰國時代，齊威王（名因齊）在位時，喜歡聽隱語（迂迴而言，不直接說明正意的話叫隱語），喜愛荒淫逸樂，喜好整夜飲酒，不理國事。政務交給衆卿大夫隨意處理，以致朝綱紊亂。諸侯都來侵略，國家危殆，覆亡幾乎是時間早晚而已。左右的人，都不敢進言勸阻。

齊國有位辯士淳于髡（淳于是複姓，讀爲純如昆），博聞強記，滑稽多智，便想用隱喻來說動他。

淳于髡問齊威王道：「我們國裡，有隻大鳥，棲息在朝廷上，三年了，既不飛，也不叫。大王可知道這鳥爲甚麼這樣嗎？」

齊威王聽懂了話裡的隱藏意義，也用隱語回答說：「這鳥不飛則已，一飛沖天；不鳴則已，一鳴驚人。」

於是他罷飲撤樂，上朝傳令，召見縣長郡守等七十二名官員，親自評審功過。獎了一個人（賞了那賢能的即墨大夫），殺了一個人（烹了那不肖的阿邑大夫），政治清明了。又帶兵出征奮戰，鄰國諸侯，都十分驚怕，把侵佔的土地都歸還了齊國。他的威名重振，震懾了三十六年。

【原文附參】：齊威王之時，喜隱，好爲淫樂長夜之飲。沉湎不治，委政卿大夫。百官荒亂，諸侯並侵，國且危亡，在於旦暮。左右莫敢諫。淳于髡説之以隱曰：國中有大鳥，止王之庭，三年不飛又不鳴，王知此鳥何也？王曰：此鳥不飛則已，一飛沖天；不鳴則已，一鳴驚人。於是乃朝諸縣令長七十二人。賞一人，誅一人。奮兵而出，諸侯振驚，皆還齊侵地，威行三十六年。（見：《史記》、卷一百二十六、滑稽列傳第六十六）

【另文錄參之一】：楚莊王蒞政，三年不治，而好隱戲。社稷危，國將亡。士慶問左右群臣曰：王蒞政三年不治，而好隱戲。社稷危，國將亡，胡不入諫？左右曰：子其入矣。士慶入，再拜而進曰：隱有大鳥，來止南山之陽，三年不飛不鳴，不審其故何也？王曰：子其去矣，寡人知之矣。士慶曰：願聞其説。王曰：此鳥不飛，以長羽翼；不鳴，以觀群臣之慝。是鳥雖不飛，飛必沖天。雖不鳴，鳴必驚人。士慶稽首曰：所願聞已。王大悦士慶之問，而拜之以爲令尹，授之相印。（見：漢、劉向：《新序》、卷二、雜事第二）

【另文錄參之二】：楚莊王即位，三年不出號令。日夜爲樂，令國中曰：有敢進諫者，死無赦。伍舉入諫，莊王左抱鄭姬，右擁越女，坐鐘鼓之間。伍舉曰：願有進隱。曰：有鳥在於阜，三年不飛不鳴，是何鳥也？莊王曰：三年不飛，飛將沖天；

三年不鳴，鳴將驚人。舉退矣，吾知之矣。居數月，淫益甚。大夫蘇從乃入諫。王曰：若不聞令乎？對曰：殺身以明君，臣之願也。於是乃罷淫樂，聽政。所誅者數百人，所進者數百人。任伍舉蘇從以政，國人大悅。（見：《史記》、卷四十、楚世家第十）

【編者私語】：本篇引述原文三段，人地相異而事例卻同。司馬遷是曠世史家，一飛沖天卻也兩見於《史記》，一在《滑稽列傳》，淳于髡勸齊威王；一列《楚世家》，士慶諫楚莊王。諒係一事而重複入書也。要須合而觀之，以知吾人都有潛能，只待如何適時激發而已。大凡能說隱語、能聽懂隱語、又能以隱語回應的人，其智商都高人一等，只是未遇到適當的時機吧了。齊楚之君，沉湎於逸樂，經過了三年，樂也樂煩了。收心來走正路，表現必然不錯，因爲他們本就不是糊塗人。今天社會上沉湎的人不少，湎於色、湎於酒、湎於賭、湎於權勢名利，都需要有適當的人來喚醒和點破。所難者：進言的人不容易找到，勸動的話不容易說對；固執的人不容易接受，墮落的人不容易警醒。淳于髡、士慶、伍舉之譬喻高矣；齊威王、楚莊王之氣量偉矣。

六　一說便俗（高潔）

元代末年，江蘇揚州張士誠（公元？—一三六七年），本是以駕船運鹽爲業，乘亂起兵，自稱誠王（公元一三五三年），與朱元璋（公元一三二八—一三九八年）、陳友諒（一三二〇—一三二〇）等人爭天下。

他的胞弟張士信，也倚勢囂浮。聽說倪瓚（一三〇一—一三七四，字元鎮）善畫，便派人捧了絹緞，及厚重金幣，去向倪瓚買畫。

這位倪瓚，字元鎮，無錫人。生性高潔，爲詩畫名家。但他不齒張士信所爲，尤其認爲絹緞金幣形同收買，心生忿怒，一口回絕道：「我倪元鎮不屑當一名王府的畫師。」隨手將絹緞都撕裂了，讓來人大受侮辱。

其後，有一天，張士信帶著友伴在太湖裡乘船遊湖（揚州無錫都距太湖不遠），偶然聞到一縷異香由鄰船飄送過來，士信說：「這鄰船中人，必是一位名流高士。」命船靠攏過去相認，一看卻正是倪瓚。

張士信記起上次買畫不成的前仇，一時怒起，便想親手殺了他，旁人極力勸救，最後仍被張士信狠狠地鞭打了一頓，才放走。

倪瓚從始到終，緊閉著嘴，未吐半個字。事後有人問他：「你被張士信如此窘辱，卻一句話也不說，是何原故？」

倪瓚答道：「處此俗世，我避俗還來不及，那知遇此俗人。我一開口，自己豈不也降格成爲俗人了。」

【原文附參】：張士誠弟士信，聞倪元鎭善畫，使人持絹，侑以重幣，欲求其筆。元鎭怒曰：倪元鎭不能爲王門畫師。即裂去其絹。一日，士信與諸文士遊太湖，聞小舟中有異香，士信曰：此必一勝流。急榜舟近之，乃元鎭也。士信大怒，即欲手刃之。諸人力爲營救，然猶鞭元鎭，元鎭竟不吐一語。後有人問之曰：君被士信窘辱，而一語不發，何也？元鎭曰：一說便俗。（見：淸、張宗橚：《詞林紀事》、卷二十二）

【編者私語】：雅人自有高致，不肯降低標格。鸞鳳不棲枳棘，孔子不飮盜泉，此無他，潔身自愛也。

七　一諾千金（信守）

季布是楚國人，他講道義，重然諾，有豪雄俠士之風，在楚國名聲很響亮。

起初，他投身項籍（公元前二三二—前二〇二，項羽、名籍，就是西楚霸王）軍中，與劉邦（公元前二四七—前一九五）爭天下。楚漢交鋒時，季布好幾次帶兵圍困了劉邦，幾乎使他脫身不得。

後來項羽敗了，劉邦稱帝爲漢高祖，就懸賞全國，緝拿季布，賞格高到千金。季布只好藏在朱家的府裡躲避。

那朱家是魯國人，也是位任俠好客的豪士，不但願意庇護季布，還要化解他的危難，因此專程前去洛陽，會見汝陰侯滕公（就是夏侯嬰，因爵封故號滕公）說：「季布犯了甚麼大罪？爲何高祖這樣急切的要抓他呢？」

滕公說：「季布從前替項羽效力，好幾次窘迫漢高祖，皇上記恨很深，所以必要抓來殺掉。」

朱家道：「作臣下的，各替自己一方的主帥盡力，這是必然的。季布爲項羽重用，他的所作所爲，乃是對本職盡忠，沒有不對呀。況且項羽手下的人還很多，難道一個個都抓來殺光嗎？如今劉邦已得天下，應當以萬民爲念，單獨因自己的私怨來抓季布一人，這豈不是向天下人表示自己的胸懷有欠寬大嗎？你何不找個機會對漢高祖說說，不必追究了，好嗎？」

滕公果然勸說漢高祖，取銷了追捕令。季布因朱家而重獲自由，以後竟至通顯。朱家卻終身避免與季布見面，當時人都讚美朱家。

楚國有位曹丘生（以善辯聞名，富於家財），想結交季布，請雙方的好友竇長君居中介紹，去拜訪季布。他一見面就對季布施禮長揖，說道：「我楚國有句諺語流傳很廣：『得到黃金一百斤，不如得到季布的一句承諾。』你何以獲得這樣崇高的名望？而且傳遍了梁國與楚國之間呢？可見你的確是一位高義之士，使我非常敬佩。」後來季布的名聲傳播更遠，得到曹丘生替他宣揚的助力很大。

【原文附參】：季布者，楚人也，爲氣任俠，有名於楚。項籍使將兵，數窘漢王。及項羽滅，高祖購求布千金。季布匿朱家之所。朱家之洛陽，謂汝陰侯滕公曰：季布何大罪？而上求之急也？滕公曰：布數爲項王窘上，上怨之，故必欲得之。朱家曰：臣各爲其主。季布爲項籍用，職爾。項氏臣可盡誅耶？今上得天下，獨以己之私怨求一人，何示天下之不廣也？君何不從容爲上言耶？滕公果言之上，上迺赦季布。楚人曹丘生，辯士，與竇長君善，欲得書請季布。曹丘至，揖季布曰：楚人諺曰：得黃金百金，不如得季布一諾。足下何以得此聲於梁楚之間哉？季布名所以益

聞者，曹丘揚之也。（見：《史記》、卷一百、列傳第四十）

【編者私語】：重然諾，則結友必多。我既助人，人必報我，急時就會解困。所謂善有善報，莫謂憑空儻來之幸也。《論語顏淵篇》孔子說：「子路無宿諾。」就是說答應的事，不會等到第二天才去辦。《左傳》載：小邾射以句繹奔魯，曰：「使子路要我，吾無盟矣。」是說千乘之國的盟約，反不如子路之一言。惜乎沒有太多事蹟記載下來，殊爲憾事。此爲重然諾之可貴也。至若本篇所記，亦不能無述焉：蓋成大事者，要能化敵爲友；爭天下者，要能轉怨爲恩也。

八　一千萬買鄰（擇居）

南北朝時代，宋季雅從南康（古南康郡，在今江西贛縣西南）辭官回來，買下了一棟住宅，地點選擇在呂僧珍家宅的旁邊，兩家成了鄰居。

那呂僧珍，字元瑜，梁武帝很器重他，時常在皇帝的寢宮內出入，死後謚爲忠敏（參閱本書第二一七「快回葱店去賣葱」篇）。呂僧珍問宋季雅買房子花了多少錢？宋季雅說：「一千一百萬。」

呂僧珍驚奇房價爲甚麼這樣貴？宋季雅含笑答道：「我只花了一百萬買下這棟房子，但花了一千萬買個好鄰居。」

【原文附參】：南北朝宋季雅罷南康，市宅，居呂僧珍宅側。僧珍問宅價，答曰：一千一百萬。呂怪其貴。曰：一百萬買宅，一千萬買鄰。（見清、朱綱正：《朱氏淘沙》、卷二）

【編者私語】：鄰居休戚相關，緩急可通。《荀子勸學篇》說：「故君子居必擇鄉，遊必就士。」俗諺曰：「遠親不如近鄰。」但好鄰少，惡鄰多，因距離太近，喧聲難免干擾，利害難免衝突。若意見相左，終將互詆成仇，因而有三遷之不憚煩。蓋好宅易求，而好鄰難擇也。時至今日，世界已日益縮小，變成了地球村（Global-village），不但要擇鄰，進而要擇國了。本書第一〇二篇「只爲一堵牆」，同是有關鄰居的故事，不妨對看。

九　一月吃二雞（廉儉）

明代胡壽安，安徽黟縣人。在永樂年間（明成祖時代），作過信陽知縣，後來又作新繁縣（在四川成都北面）縣長。那時政務清簡，他自己在縣府後園裡種菜，當時人戲稱他爲「菜縣長」。平日也不曾買肉佐餐，過著節儉的生活。

他的兒子思念父親，從安徽老家來到四川新繁縣省親。住了一個月，要廚子殺了兩隻雞吃了。

胡壽安大怒，責備兒子說：「講究美食的人，別人必會瞧不起。我作官二十多年了，常常以奢侈爲戒，只恐不能謹守到老。如今你來了，府中既沒有宴請賓客，也不是祭祀祖先，卻多次貪享肥鮮，以飽口腹之慾，這不是增添我的負累嗎？」

【原文附參】：胡壽安在官，未嘗食肉，其子自徽來省，居一月，烹二雞。公怒曰：飲食之人，則人賤之矣。吾居官位二十餘年，常以奢侈爲戒，猶恐不能令終。今不設賓，不祭先，而爲此甘鮮，詎不爲吾累乎。（見：《崇儉篇》）。又見：清、朱綱正：《朱氏淘沙》）

【編者私語】：古時物資不豐，大家在刻苦的環境中自勵，出了不少以天下爲己任的大人物。現代人固不必太嗇儉，但一夜豪賭輸了百萬台幣、一場宴會筵開一千桌，花三百萬台幣定一只勞力士鑲鑽手表多人買，花兩億台幣選一個立委多人競，似乎台灣人人多財，揮金如土。但我們不必為表象所迷，必須探求實況，放眼宏觀才對。今以一九九一年平均每人每年國民所得為例：台灣只有八、〇五〇美元，比起新加坡的一三、六〇〇美元，美國的二二、五五〇美元，日本的二六、八八九美元，台灣差了一大截；和全球第一名瑞士的三五、〇九六美元相較，台灣還不到他的四分之一。再以「經濟成長率」而論：台灣因投資萎縮，下降到百分之六，反看廣東一省，卻猛升到百分之廿六，我消彼長，還如此這般的爭相揮霍，有何可以炫耀和狂傲的呢？

十一把未熟稻（惜物）

晉代有位陶侃（公元二五九—三三四，是陶淵明的曾祖父），字士行，潯陽人（即今九江）。歷任五個州郡（江夏、武昌、荊州、江州、湘州）的太守或刺史（太守爲治郡之長，刺吏則考察州政）。乃是當代重臣，也是雄鎮交、廣、寧七州的名將。又提倡愛惜分陰（請參本書第三四〇篇「運甓與惜陰」）。

他既多處爲官，難免有人餽送禮物給他。每次都要問明禮物從何而來？如果是自己栽種的、或親手縫製的，即令是小東西，都很歡喜，嘉慰和回饋的常超過三倍。如果是來歷不明不正的禮物，則會嚴辭叱責，退回不受。

有一次，他外出巡視，看到一個行路人，手中握著一把沒有長熟的稻穗。陶侃問道：「你拿這把禾稻作甚麼用？」

那人說：「不爲甚麼。只是走過路邊無事，看到稻子長得不錯，就隨手扯下一把玩玩罷了。」

陶侃大怒，罵道：「你既不耕田，還要拔掉別人的禾稻，不體卹我治下的農戶，必是莠民！」抓起來打了一頓鞭子。由此百姓們都勤奮耕作，家給人足，社會欣欣向榮。

其時諸人都致力於收復中原（北方爲五胡十六國盤據），要建造大批船隻。陶侃將施工剩下的竹頭木屑，全都收存起來，僚屬們都不懂是何意義。

後來，新春時要舉行大規模的正會，四處積雪未消，而天已放晴，廳堂前廣場中雪融濕滑。陶侃命人將木屑舖在地上，行走穩便，使大會進行順利。

等到桓溫（公元三一二—三七三，晉明帝時，爲征西大將軍）要西伐蜀國（即後蜀，又稱成漢，都成都），陶侃又將儲存的大批竹頭，劈作竹釘造船（鐵釘生鏽，不能用）。當時東晉國庫空虛，也省掉一筆經費。他對物力的運用，考慮得細密週到。一生行事，都有像這類的遠見。

【原文附參】：陶侃既仕，有奉餽者，皆問其所由。若力作所致，雖微必喜，慰賜參倍。若非理得之，則切厲訶辱，還其所饋。嘗出遊，見人持一把未熟稻。侃問：用此何爲？人云：行道所見，聊取之耳。侃大怒曰：汝既不田，而戲賊人稻，執而鞭之。是以百姓勤於農殖，家給人足。時造船，木屑及竹頭悉令舉掌之，咸不解所以。後正會，積雪始晴，廳事前餘雪猶濕，於是以屑布地。及桓溫伐蜀，又以侃所貯竹頭作釘造船。其綜理微密，皆此類也。（見：《晉書》、卷六十六、列傳第三十六。又見：《資治通鑑》、卷九十三、晉紀十五）

【編者私語】：《孟子》曰：「民以食爲天。」唐宰相李紳（七七二—八四六）有《憫農》詩二首云：「春種一粒粟，秋收萬顆子，四海無閒田，農夫猶餓死。」

「鋤禾日當午，汗滴禾下土，誰知盤中飧（熟食曰飧），粒粒皆辛苦。」昔時人民生活單純，肚皮餵飽了，欲望即足。農人春耕夏耘，施肥除莠，半年力作，稻穀才熟。何物頑民，乃戲損稻禾盈把，遇到惜時惜物的陶侃，宜乎痛笞不貸也。至於竹頭木屑，雖是剩棄之物，他亦預見可作二度利用，何所慮之遠也？若令陶侃任今日之經濟部長，資源必無匱乏之憂。

十一　一里種一樹（高智）

南北朝時代的韋孝寬（五〇九—五八〇，名叔裕，字孝寬），十五歲便有大志，後來在西魏官封驃騎大將軍。

北朝的西魏（拓跋氏所建）大統五年（五四〇），韋孝寬任晉州刺史（在今山西臨汾），鎮守在玉壁。大統十二年（五四七），東魏和西魏交戰。東魏由丞相高歡（後來追封爲北齊神武帝，?—五四七）率領了全國精兵，進擊西魏。因玉壁地位衝要，便成爲首先奪取的目標。

東魏兵多，將整座玉壁城團團圍住，高歡在城外猛攻，既築起土山，又開鑿地道，更用戰車進攻，並將城牆炸壞；城外的戰術無所不用其極，城內的守備仍綽有裕如。每次攻勢湧來，都能化險爲夷，被韋孝寬一一破解了。

高歡無可奈何，便派參軍祖孝徵，在陣前對韋孝寬喊話道：「你孤城困守，又沒有救兵前來解圍，爲何不投降算了?」

孝寬說：「我的城池嚴密牢固，糧食儲存很多。你進攻得徒然勞苦，我防守得卻很輕鬆；哪會在十天一個月之間，就需要求救?再說，我韋孝寬也絕不可能做降將軍的。」

祖孝徵見此法不行，便寫下懸賞的宣傳單，綁在箭桿上，射進城裡。賞格說：「凡是能斬掉韋孝寬投降的，封賞一萬戶的食祿！」

韋孝寬拾回賞單，親自在背面也寫上賞格，反射出城。紙背寫的是：「如有斬掉高歡的，同樣照正面的賞格給獎！」

高歡苦戰了六十天，士兵死傷了十分之四五。心智窮盡了，兵力疲弱了，無計可施，只得收師回去了。由於他以丞相之尊，受此重挫，威名大損，怨恨難消，竟然鬱鬱而死。西魏文帝嘉獎韋孝寬立了大功，進爵爲公。

西魏時，本來在重要官道的路邊，每隔一里，築了一個土堡，作爲里程標誌（猶今之里程碑）。但一遇雨季，常有坍損，每年都要修整，勞民傷財。韋孝寬做了晉州刺史後，他便在土堡處改種大槐樹來代替。大樹既不要修理，行人還可在樹蔭下休息乘涼，比堆土作堡好多了。

北周篡西魏繼統，北周文帝（？——五五六，即宇文泰）見到路邊槐樹，問明了原因，說道：「哪會讓你晉州獨行此法，應該叫天下各州同時仿效。」

於是下令所有州郡，一律在大道兩邊，每隔一里，夾道各栽一株大樹，每隔十里，並排各種三株，每隔百里，便連種五株。任何人見了，就可知道里程了。

【原文附參】：韋孝寬，年十五，便有壯志。大統五年，爲晉州刺史，鎭玉壁。十二年，齊神武傾衆西入。以玉壁衝要，先命攻之。築土山，鑿地道，造攻車，崩城垣，城外盡其攻擊之術，孝寬咸拒破之，神武無如之何，乃遣參軍祖孝徵謂曰：未聞救兵，何不降也？韋孝寬報云：我城池嚴固，兵食有餘。攻者自勞，守者常逸。豈有旬朔之間，即須救援？孝寬必不爲降將軍也。祖乃射募格於城中云：能斬孝寬降者，邑萬户。孝寬手題書背，反射城外云：若有斬高歡者，一依此賞。神武苦戰六旬，死傷十四五，智力俱困，乃遁去。後因此忿恚，遂殂。西魏文帝嘉孝寬功，進爵爲公。先是、路側一里置一土候，經雨頹毀，每須修之。自孝寬臨州，乃令當候處植槐樹代之。既免修復，行旅又得庇蔭。周文後見，怪問之，曰：豈得一州獨爾，當令天下同之。於是令諸州夾道一里種一樹，十里種三樹，百里種五樹焉。

（見：《周書》、卷三十一、列傳第二十三）

【編者私語】：史載高歡用兵，變化若神。韋孝寬以一城之力，擋一國之兵，守者有餘，攻者無計，氣死高歡，理宜封爵也。植槐樹代替里程碑，省錢省工，惠而不費，增添綠意，蔭庇路人，足爲吾人任事之啓發也。

十二　一國盡穿紫衣（風氣）

【一】

齊桓公（公元前？—前六四三。名小白，爲春秋霸主）喜歡穿紫色衣裳，由於國君愛紫，全國都流行紫服。風氣昌盛之時，五匹白素的絹，還換不到一匹紫色的絹。掀起一股畸形的時尚。

桓公耽憂這種發展很不好，因問管仲（公元前？—前六四五，名夷吾，爲齊國宰相）說：「我喜歡穿紫色衣服，現在紫色的絹貴得太不合理，而全國百姓大家跟著穿紫，這股紫風一直停止不了，我該怎麼辦呢？」

管仲答道：「你何不試試先從自己做起，率先不穿紫衣。進一步你再對身邊的人說：『我很討厭紫衣的那股臭味。』如果身邊正好有穿紫衣的人接近你，就必須說：『你退後站遠一點，我討厭紫色的臭味！』就會把這股歪風改變了。」

桓公說：「就照你這樣辦吧！」

就在這一天裡，宮廷之內的人都不穿紫衣了；就在這一月裡，首都之內的人都不穿紫衣了，就在這一年裡，國境之內的人都不穿紫衣了。

【二】

鄒國（古國名，即邾國，邾鄒是音轉，魯穆公時改稱爲鄒）國君，喜愛在帽子下綴以長長的冠纓（帽子兩邊垂繫的彩帶，結在頷下，叫纓）。由於國君的喜好，大家都流行長纓，使這種彩帶貴得離譜了。

鄒君頗爲耽憂，問身邊侍臣說：「爲何冠纓變得這樣昂貴呢？」左右的人說：「因爲國君你喜歡長纓，百姓也都模仿著繫配它，所以這種彩帶就隨勢漲價了。」

鄒君才知道毛病出在自己身上。他自動先將冠纓剪短了，然後出來臨朝聽事。大家見國君不愛長纓了，這股風氣便普遍消失了。

【原文附參之一】：齊桓公好服紫，一國盡服紫。當是時也，五素不得一紫。桓公患之，謂管仲曰：寡人好服紫，紫貴甚。一國百姓，好服紫不已，寡人奈何？管仲曰：君何不試勿衣紫也。君宜謂左右曰：吾甚惡紫之臭。如左右適有衣紫而進者，公必曰：少卻，吾惡紫臭。公曰：諾。於是日，郎中莫衣紫；是月也，國中莫衣紫；是歲也，境内莫衣紫。（見：《韓非子》、卷第十一、外儲說左上第三十二）

【原文附參之二】：鄒君好服長纓，左右皆服，長纓甚貴。鄒君患之，問左右。左右曰：君好服，百姓亦多服，是以貴。君因先自斷其纓而出，國中皆不服纓。（見：《韓非子》、卷第十一、外儲說左上第三十二）

【原文附參之三】：景公好婦人而丈夫飾者，國人盡服之。公使吏禁之曰：女子而男子飾者，裂其衣，斷其帶。裂衣斷帶相望而不止。晏子見公，公曰：寡人使吏禁女子而男子飾者，裂其衣斷其帶相望而不止者，何也？對曰：君使服之於內，而禁之於外，猶懸牛首於門，而求買馬肉也。公胡不使內勿服，則外莫敢爲也。公曰：善。使內勿服。不旋月，而國莫之服也。（見：《說苑》、卷七、政理）

【編者私語】：《孟子滕文上篇》：「上有好者，下必有甚焉。」《韓非子二柄篇》「楚王好細腰，國人（謂女人節食）多餓死。」《論語顏淵篇》：「君子（在高位者）之德風，小人（在野者）之德草，草上之風必偃。」可見領導者的一舉一動，影響力都很深遠。不論是政治領導人、軍事統帥人、財政決策人、企業主持人、或商貿掌權人，當你要推行一種新制度，或停掉一種舊措施時，都得想一想它會產生的後果，會不會一動導致復興？或一動導致傾覆？例如宋神宗的變法，清光緒的維新，金元券的幣改，天安門的掃蕩，以及滄海區的投資，三峽壩的興建，在決斷行動之初，都要非常戒愼。

十三　一遵蕭何約束（爲政）

曹參（公元前？—前一九〇）接替蕭何（？—前一九三），做了漢朝宰相（請參第二〇二我要做丞相篇）對國家一切法則全不更動，純然依照蕭何的規章行事。他從早到晚，只是飲酒打發日子。

有些大臣和賓客，來拜會曹參，想對國務建言。曹參先拿好酒款待他們，喝醉了，只得告辭回去，始終沒有機會談及正事。

這時是漢惠帝在位（公元前一九四—前一八八。爲帝七年），見宰相全不管事，頗爲耽憂。便對曹參的兒子曹窋（音遙）說：「你回家後，試著私下問你父親：『高皇帝（指劉邦）去世不久，新皇帝正值壯年，你當宰相，每天只顧喝酒，國事放下不問，也從不請示皇上，這樣怎能治理天下呢？』但不要洩露是我授意要你說的。」

曹窋回家，趁著閒暇，侍奉在父親之側。找到機會，便將漢惠帝的一番話，請敎父親曹參。

曹參聽到兒子竟敢論斷國家政務，大發怒火，喝令將他拿下，打了兩百板子。斥責他道：「天下大事，還沒有輪到你有資格可以胡亂批評的。」

第二天上朝，漢惠帝責怪曹參說：「昨天的事，實際上是我要曹窋向你進諫的。」

曹參這時才知道眞相，當時摘下朝冠，請罪道：「皇上請自己省察一下，你的神聖英武，能夠與高帝相比嗎？」

惠帝說：「我哪敢和先父皇相比，差得太多了。」

曹參又問道：「皇上你看我的能耐，能夠與蕭何相比嗎？」

惠帝說：「好像你也比不上蕭相國吧！」

曹參回奏惠帝道：「皇上的話，說得對極了。高皇帝與蕭何，平定了天下，法令已然齊備，一切都很安定。陛下只須垂衣拱手，無爲而治。我也只要謹守官職，遵而不失，不就天下太平了嗎？那些進言的，免不了無事生非，只怕愈改愈亂，所以我不要聽。」

漢惠帝說：「你的話也有道理，那就這樣好了。」

【原文附參】：曹參代蕭何爲相，舉事無所變更，一遵蕭何約束，日夜飲醇酒。卿大夫及賓客，見參，欲有言。參輒飲以醇酒，醉而後去，終莫得說。惠帝怪相不治事，乃謂參子窋曰：若歸，試私問而父曰：高帝新棄群臣，帝富於春秋，君爲相，日飲，無所請事，何以憂天下乎？然無言吾告若也。窋既歸，閒侍，以帝語諫參。參怒而笞窋二百，曰：天下事，非若所當言也。至朝時，惠帝讓參曰：乃者，我使諫君也。參免冠謝曰：陛下自察，聖武孰與高帝？上曰：朕安敢望先帝乎？曰：陛下觀臣能，孰與蕭何賢？上曰：君似不及也。參曰：陛下之言是也。高帝與蕭何定天下，法令既明，今陛下垂拱，參等守職，遵而勿失，不亦可乎？惠帝曰：善。

（見：《史記》、卷五十四、曹相國世家第二十四）

【編者私語】：秦朝統一天下之後，築長城，修馳道，建阿房，焚書坑儒。用嚴刑峻法統制，偶語者棄市，以古非今者族，人民敢怒而不敢言。劉邦一入咸陽，便將秦代苛政全部廢除，只定下三條法律：殺人者死，傷人及盜抵罪。政府管得很少，讓人民休養生息。百姓在嚴緊統治放鬆之後，也不會爲非。這時最好的政策，就是「政簡刑清」，政令簡單，刑法少用，免增苛擾。曹參深明此理，學黃老無爲而治，反而國泰民安。他不欲別人建言，乃是怕別人亂出主意，未見其利而先受其害。蕭何既已建立了規模，遵而不失，就是好宰相了。這是當時情況使然也。後來諸葛亮治蜀，卻採用嚴法，那則是劉璋瘖弱，威刑不肅，必須用嚴補救，蜀乃大治（見《資治通鑑》卷六十九漢紀五十九），也是當時情況使然也。管多管少，或嚴或寬，要審酌時勢，不可拘泥。但嚴則身勞，寬則事簡，倒讓曹參撿到便宜了。

十四　一日一錢斬其首（儆微）

北宋時代的張詠，字復之。太平興國（宋太宗年號）時期考上進士，後來做到樞密直學士。和寇準同時（參閱第四六四篇「霍光傳不可不讀」）。《宋史》有他的傳記。

他當初在湖北省崇陽縣當縣令。那時的縣長，既管民政、財政，也管司法。縣衙裡有位小官員，從錢庫裡出來，張詠發現在他盤紮的髮髻中，藏了一枚銅錢。張詠追問他錢從何來，供出乃是從錢庫裡偷的，想矇混帶出去。

那時一枚銅錢的價值也不小，而這種監守自盜的劣行必須遏止。張詠下令要用大板子打他屁股。這個小官員反而惱羞成怒，對張詠吼道：「一枚銅錢，有甚麼了不起？你能杖責我，不見得能殺我吧！」

張詠拿起筆來，批下判詞說：「一日一錢，千日千錢，繩鋸木斷（用繩子代替鋸子，不停的來回拉動，木頭就能鋸斷），水滴石穿（水點長年滴在石板上，也會滴成凹穴，久了就會穿透）。」偷錢還要嘴硬，誰說不敢殺他？張詠自己揮劍，把他斬了。然後申報公文，向州府自請處分。

【原文附參】：宋、張詠，知崇陽令。一吏自庫中出，視其鬢旁有一錢。詰之，庫錢也，詠命杖之。吏勃然曰：一錢何足道?爾能杖我，不能斬我也。詠援筆判云：一日一錢，千日千錢，繩鋸木斷，水滴石穿。自仗劍斬其首，申府自劾。（見：宋、羅大經：《鶴林玉露》）

【編者私語】：百仞之堤，潰於蟻穴；星星之火，足以燎原。故智者弭禍於未萌，廉者愼取於毫末。今日則不然，都謂小德可以踰閑，不必斤斤計較。殊不知俗諺也說：「小來偷針，大來偷金。」謹於初始，方是正人。

十五　九代同堂（百忍）

張公藝，唐代鄆州壽張人（壽張在今山東省陽穀縣附近）。他九代同居，相處和融，沒有分家。

麟德年間（唐高宗的第四個年號，公元六六四——六六五年），唐高宗因事要去泰山。那泰山是五嶽中的東嶽，在山東泰安縣，以丈人峰爲最高。歷代皇帝，常到這裡舉行封禪大典，稱爲封泰山。

高宗既已離京，到了山東，聞說張家九代聚居，這是國之祥瑞，就順道親臨壽張縣張公藝的居宅巡視。並垂問張公藝九代同住一起，用甚麼妙法可以長久共處？

張公藝請人拿來筆墨，在紙上寫了一百多個「忍」字，以代覆奏。意思是大家庭若要和睦相處，全靠大家互相忍讓。

唐高宗很感動，賞賜他許多絲絹縑帛，以表慰勉。

【原文附參】：鄆州壽張人張公藝，九代同居。麟德中，高宗有事泰山，親幸其宅，問其義由。其人請紙筆，但書百餘忍字。高宗賜以縑帛。（見：《續世說》、卷第一、言語。又見：《舊唐書》、孝友傳）

【編者私語】：大家庭須恪守孝悌友愛之道。九代共處一堂，乃是一個群體。處群之道，在尊重他人，除了倫常關係之外，還須注意「群己關係」，此李國鼎先生所倡之第六倫也（近年更倡導「人天」關係，乃謂人與大自然的互賴，要保護環境）。所謂忍，就是接納不同意見，有容乃大，能忍自安。時至今日，人際交往更繁，群己關係更廣，尤其不可不忍，吾輩幸勿忽之。

十六　九攻九卻（止戰）

春秋時，魯國有位巧匠，名叫公輸班（又叫公輸般、公輸盤、魯班。如今木工奉爲祖師）。他替楚國製造雲梯成功了，高與雲齊，是攻城的利器，準備攻打宋國。有此新式武器，勝算大有信心。

墨子（元前？—元前三七六。名墨翟，主張兼愛、非攻）聽到了，想要勸止這場殺戮，他從魯國南下，趕去楚國，走了十天十夜，到了楚國首都郢城（今湖北江陵縣），會見了公輸班。

墨子說：「我在北方聽說你造了雲梯，要打宋國。宋國有何罪過？依我看，楚國土地太多而有餘，百姓太少而不足。讓太少的百姓被殺，去爭那多餘的土地，不能算『智』。宋國無罪，師出無名，不能算『仁』。知道這個道理，卻不向楚王申辯，不能算『忠』。申辯未被採納，不敢力諫，不能算『壯』。你考慮到嗎？」

公輸班答道：「這不行，我已經告訴了楚王，楚王也決定要攻宋，不好反悔了。」

墨子說：「何不讓我去面見楚王呢？」

見到了楚王，墨子把理由說了。楚王道：「你的意見固然不錯，但公輸班替我造好了雲梯，現在欲罷不能，我非攻打宋國不可。」

墨子說：「既然如此，就讓我和公輸先生在你面前先作一番攻防戰的演習吧。」

於是墨子解下腰帶鋪在地上，當作城牆。用札版片當作軍械。公輸班進攻了九次，墨子抵禦了九次。公輸班攻城的器具，包括雲梯、撞車、飛石、弓弩都用盡了，而墨子守禦的能力還有裕餘。勝負優劣，已經明白了。

公輸班力窮詞屈，喃喃說道：「我已經知道怎樣對付你了，不過我不說。」

墨子說：「我也曉得你會怎樣對付我了，不過我也不說。」

楚王聽了很納悶，問道：「你們在講甚麼？」

墨子說：「公輸先生的心意，不過是想殺了我，就沒人攔阻了。可是他不知道，我的那群學生，包括禽滑釐（《呂覽》稱禽滑黎，《列子》稱禽骨釐）在內有三百人，都已經準備好守城的器械，在宋國城牆上等著哩。」

楚王想了一會，說道：「好啦，我們不打宋國了。」

【原文附參】：公輸班爲楚造雲梯之械成，將以攻宋。墨子聞之，自魯往，十日十夜而至於郢。見公輸班。墨子曰：吾從北方聞子爲梯，將以攻宋。宋何罪之有？荊國有餘於地，而不足於民。殺所不足而爭有餘，不可謂智。宋無罪而攻之，不可謂仁。知而不爭，不可謂忠。爭而不得，不可謂壯。公輸班曰：不可。吾既已言之王矣。墨子曰：胡不見我於王？墨子見王，王曰：善哉！雖然，公輸班爲我爲雲梯，必攻宋。於是墨子解帶爲城，以牒爲械，公輸班九攻之，墨子九郤之。公輸班之攻械盡，墨子之守禦有餘。公輸班詘。曰：吾知所以距子矣，吾不言。墨子亦曰：吾知子之所以距我者，吾亦不言。楚王問其故。墨子曰：公輸班之意，不過欲殺臣。然臣之弟子禽滑釐等三百人，已持臣守圉之器，在宋城上待楚矣。楚王曰：善哉、吾請無攻宋矣。（見：《墨子》魯問篇。又見：《尸子》、卷上、止楚師篇。又見《呂氏春秋》、愛類篇，事同而文異）

【編者私語】：要消弭戰爭，靠空談正義不行，靠哀求乞憐也無用。憑的是我有實力，比你厲害。但我不想打仗，你還要打嗎？以戰止戰，才能獲得對方的回應：不敢了。（註：墨子止楚攻宋，請再閱本書第七十六「不殺少而殺衆」篇）

十七　九復殉友　（守義）

左儒是周宣王（西周第十一代皇帝）時的大夫，和同朝的杜伯爲知友。那杜伯也是大夫，封於杜（陝西），又是伯爵，因稱杜伯。兩人義同生死。

周宣王要殺杜伯，但罪名冤枉。左儒因杜伯無罪，在周宣王面前力爭。經過了九次抗辯，周宣王迄無應允赦免杜伯之意。

九次廷爭，周宣王惱了，責怪左儒說：「把君臣之道擲在一邊，把朋友之交，看得如此重要，又爭得這末厲害，這就是你了。」

左儒回稟道：「我聽到有段箴言說：『如果君王謹守道義，而朋友違背道義，就要順從君王，責備朋友。反之，如果朋友謹守道義，而君王違背道義，就當順著朋友，說服君王』。我相信這段話合乎義理，所以我仍要申訴。」

周宣王怒道：「你要換過來說，就給你生路。如不換過來說，便是死路一條。」

左儒回稟道：「我聽說：從前有品德的士人，不枉屈道義來免死，也不改變自己的言論主張來求生。我今天只是想指出君王疏於明察的誤失，以表達處死杜伯是無辜的。」

周宣王仍然用揑造的罪名，殺了杜伯，那左儒也竟爲友而同時絕命了。

【原文附參】：左儒友於杜伯，皆臣周宣王。宣王將殺杜伯，而非其罪也。左儒爭之於王，九復之而王弗許也。王曰：別君而異友，斯汝也。左儒對曰：臣聞之：君道友逆，則順君以誅友。友道君逆，則率友以違君。王怒曰：易而言則生，不易而言則死。左儒對曰：臣聞古之士，不枉義以從死，不易言以求生。故臣能明君之過，以死杜伯之無罪。王殺杜伯，左儒死之。（見：漢、劉向：《說苑》、卷第四、立節）

【另文錄參】：周宣王之妾欲通杜伯，杜伯不可。妾反訴之王。王囚杜伯於焦。杜伯之友左儒，九諫而不聽，並殺之。（見：《汲冢書》—汲郡人、名不準者，掘魏襄王冢，得竹簡小篆古書十餘萬言，皆漆書科斗文字。）

【編者私語】：烈矣左儒，成仁捨命酬知己。傷哉杜伯，取義捐軀泣鬼魂。

十八　二卵棄干城（薦才）

子思的名字叫孔伋，是孔子之孫，後世稱爲述聖。他住在衛國的時候，認爲衛國大夫苟變甚有軍事天才，因對衛君推薦說：「他的才能，足可統率兵車五百乘（音勝，一乘就是一輛，配有甲士和步卒多人）。你的軍旅如交他來指揮，就可以天下無敵了。」

衛君答道：「我也知他的才能可爲大將。但是這個苟變呀，以前做小官的時候，管過徵收賦稅的事，他收受納稅人的兩個雞蛋吃了。細行不謹，所以不想用他了。」

子思說：「聖人擇賢授官，就像大匠選用木料一樣，揀選那好的部份，去掉那壞的部份。所以像杞木梓木這種又大又高的好木料，幾個人拉著手才能合抱的巨材，雖然有一小段朽壞了，大匠不會丟掉不要。爲甚麼呢？他知道不能用的只是一小截，終究可以派作棟梁之材。

「如今你處在列國爭戰的時代，必須選拔武將。卻因爲兩個雞蛋便不用那捍衛干城的大將。你這個觀點，恐怕大有問題，可不要讓相鄰的國家聽到譏笑你才好。」

衛君答道：「先生的指教，我接受了。」

【原文附參】：子思居衛，言苟變於衛君曰：其材可將五百乘。君任軍旅，得此人焉，則無敵於天下矣。衛君曰：吾知其材可將。然變也，嘗爲吏，賦於民，而食人二雞子，以故弗用也。子思曰：夫聖人之官人，猶大匠之用木也。取其所長，棄其所短。故杞梓連抱而有數尺之朽，良工不棄，何也？知其所妨者細也，卒成不訾之器。今君處戰國之世，選爪牙之士，而以二卵棄干城之將，此不可使聞於鄰國者也。衛君曰：謹受教矣。（見：《孔叢子》、卷第二、居衛第七）

【編者私語】：世上沒有完人。孔聖也說：「丘有過，人必知之。」只要用人之長，捨人之短，天下沒有棄才，而天下盡是人才。孟嘗君用雞鳴狗盜之能，逃離秦國（請參《史記》卷七十五、孟嘗君列傳）。齊楚交戰，楚軍用偷兒之技，連偷三晚，齊軍懼而退兵（參本書第三十二小偷退大軍篇）。例雖不類，但運用之妙，存乎一心也。

十九　二桃殺三士　（高智）

公孫接（另書又稱公孫捷）、田開疆、古治子三人，同是春秋時代齊景公的武臣。三人都有勇力，能徒手與猛虎相鬥，舉國上下無人敢於沾惹他們。

晏子（公元前？—前五〇〇，名嬰，論語中稱爲晏平仲，齊之賢相）對景公說：「君王你養的這三位勇士，對上不服膺君臣道義，對下不遵守長幼倫理，徒恃勇武，對國家是危險的，不如除掉的好。」

景公說：「這三個人，和他們搏鬥只怕勝不過，派人暗殺恐怕刺不中，以力取很難成功，不知如何是好？」

晏子乃請景公以御桃賞賜他們，卻少送一個，三人只有二桃，解釋道：「好桃僅餘兩個，你們何不比較一下功勞來受桃呢？」

公孫接說：「我第一次和貔豹相搏，第二次再和猛虎相鬥。像我這樣的勇士，應當可以吃桃了。」拿了一個桃子，站了起來。

田開疆說：「我用伏兵，幾次打退了敵方大軍的入侵。像我這樣的功勞，亦當可以吃桃了。」也拿了一個桃子，站了起來。

古冶子說：「我曾跟隨國君，坐著御車，涉水渡黃河。河底湧出一個大黿，咬著君王車駕左邊的驂馬，潛到砥柱山下的湍流裡去了。我逆水游了一百步，順水游了九里，才找到大黿，將它殺了。我左手抓著馬尾，右手擎著黿頭，從水裡跳上來。渡口的人都喊著：這是河神出現了。像我這樣的勇武，最應吃桃了。你們何不把桃子退回來呢？」他抽出寶劍，昂首起立。

公孫接田開疆齊道：「我們的勇力比你小，功勞比你低，拿了桃子不讓，這是貪。起了貪心，又不願死，這是怯。」兩人都將桃子退回，刎頸而死。

古冶子說：「他兩人都死了，我一人活著，這是不仁。自誇勇武，有傷厚道，這是不義。我悔恨自己的行爲，若還不死，這是無勇。」也自刎而死。

【原文附參】：公孫接、田開疆、古冶子共事景公，以勇搏虎聞。晏子見景公曰：君之勇士，上無君臣之義，下無長幼之倫，不若去之。公曰：三子者，搏之恐不得，刺之恐不中也。晏子因請公使人少餽之二桃，曰：三子何不計功而食桃？公孫接曰：接一搏貔而再搏虎，若接之功，可以食桃矣。援桃而起。田開疆曰：吾伏兵而卻三軍者再，若開疆之功，亦可以食桃矣。援桃而起。古冶子曰：吾嘗從君濟於河，黿御左驂，以入砥柱之流。冶逆游百步，順流九里，得黿而殺之。左操驂尾，右挈黿頭躍出。津人皆曰：河伯也。若冶之功，亦可以食桃矣，二子何不反桃？抽劍而起。公孫接田開疆曰：吾勇不子若，功不子逮，取桃不讓，是貪也；然而不死，無勇也。皆反其桃，挈領而死。古冶子曰：二子死之，冶獨生之，不仁。恥人以言而夸其聲，不義。恨乎所行，不死，無勇。亦反其桃，挈領而死。（見：《晏子春秋》、卷第二、內篇諫下）

【編者私語】：這是離間之計。力殺不行，只好智取。賞賜故意少一份，讓三人議功互鬥，引起內鬨，自相爭奪。我則隔山觀虎鬥，黃鶴樓上看翻船，以逸待勞，坐收漁翁之利。《穀梁傳僖公二年》：晉獻公以屈產之寶馬，垂棘之瑰璧，贈與虞君，假道以伐虢，後來荀息牽馬操璧，全部歸還，馬璧都毫未損傷。今二桃亦未食得退，不損皮毛，眞是高招。諸葛亮梁父吟云：「一朝被讒言，二桃殺三士；誰能爲此謀，國相齊晏子。」李白詩曰：「力排南山三壯士，齊人殺之費二桃。」此類情況，今世也常遇到：巧施詭計，用以對付我不喜歡的人，例如：升官時扣下一個名額，不予擺平；派職時暗留一個肥缺，不夠分配，都會相爭不下，使反對集團自行內鬥。我不用費力，就逼使那幾個討厭份子或死或傷，或調差，或退休，除去眼中釘，今後一片大好。但必須運用得當，才可收分化之效。

二〇　九十九羊願一百　（貪婪）

戰國時，魏文侯（名斯，世稱賢君）見到宋陵子（家貧、有才德，是個隱居賢士），三次請他出任國政，宋陵子都不屑於接受。

魏文侯說：「你何必固守著貧困的日子而不思變通呢？」

宋陵子答道：「你看到楚國的那個富翁嗎？他養了九十九隻羊，還一直感到不足，想要湊滿一百隻。有一天，去探望同里的一位老朋友。這位朋友很貧窮，但養了一隻羊。富翁向他施禮拜揖，請求說：『我有九十九隻羊，你才有一隻，不如把這一隻羊送給我，增加我的羊數，我就湊成一百隻了。』由此看來，富有的人，貪心不已時，常會覺得雖富而並不滿足，這種人不能算富有呀。貧窮的人，樂天知足時，常會覺得雖貧而綽綽有餘。我一點也不覺得貧窮呀！」

【原文附參】：魏文侯見宋陵子，三請仕而不顧。文侯曰：何貧乎？曰：王見楚富者乎？牧羊九十九，而願百。嘗訪邑里故人。其人貧，有一羊。富者拜之曰：吾羊九十九，今君之一，盈我成百，則牧數足矣。由此觀之，富者非富，貧者非貧也。

（見：晉、苻朗：《苻子》）

【編者私語】：不知足的人，貪心太甚，雖富仍貧。能知足的人，物慾淡漠，雖貧猶富。大抵而論：賢者都鄙視物質的貪戀，而追求精神生活的充實。正如孔子贊美顏回說：顏回眞是賢德呀！一小竹筐的飯，就可以吃飽了。一小瓜瓢的水，就可以飲夠了。住在低舊狹隘的巷子裡，別的俗人都過不慣這種苦日子，而他卻不曾改變其自得的樂趣。顏回眞是賢德呀（見《論語．雍也第六》）！這種境界，我們如學到兩三分，煩惱自會除掉不少。

二一　又信又孝就免殺（狡辯）

楚國有個標榜用直道行事的兒子。父親偷了羊，他去告狀舉發。執法的抓到他父親，判了死罪。兒子又請求以自身代父受刑。那時的法律是允許的，就要將他問斬了。

他向刑吏申訴說：「父親偷了羊，我來告發，我這是何等的守信呀！父要問斬，我又以身自代，我這又是何等的盡孝呀！一個守信又盡孝的人要殺掉了，請問我們楚國還有不被殺掉的人嗎？」

楚王聽了，便赦免了他的罪。

【原文附參】：楚有直躬者，其父竊羊，而謁之上。上執而將誅之。直躬者請代之。將誅矣，告吏曰：父竊羊而吾謁之，不亦信乎？父誅而吾代之，不亦孝乎？信且孝而誅之，國將有不誅者乎？荆王聞之，乃不誅也。（見：《呂氏春秋》、十二紀、當務）

【編者私語】：這件事要弄清楚。此人利用父親，彰其信，彰其孝。兩次矯名，恐怕是不信不孝。何以言之？子告父，應是不孝。既代誅又求赦，應是不信。切莫被狡辯矇騙了。

二二　了解人眞不容易　（識賢）

秦國的宰相范雎（戰國人，字叔）很得秦昭王（又稱秦昭襄王，在位五十六年）的尊重，威權很大。范雎有個仇人魏齊，知道自己處境危險，便逃到趙國平原君（趙武靈王之子，名勝，封於平原，故號平原君）的家裡，藏了起來。

秦昭王傳話對平原君（公元前？——前二五一）說：「從前，周文王得到呂尙，尊爲太公，滅了商紂王。齊桓公得到管仲，尊爲仲父，開創了霸業。如今我得到范雎，他實行遠交近攻之策，使秦國稱雄於諸侯，他等於是我的叔父一樣了。范雎的仇人魏齊，躲在你的家裡，我希望得到他的頭顱，爲范雎雪恨。」

平原君回答道：「那魏齊是我的好友。即令果眞在我家，我不會交出來送死。何況如今並沒有在我家裡呢？」

秦昭王見平原君不肯承認，轉而威脅趙王說：「魏齊躲在平原君家裡，請你趕速取下他的頭顱送來，不然的話，我就會起兵攻打你。」

趙王害怕秦國，派兵包圍了平原君的家，要捉拿魏齊。魏齊趁著黑夜，逃了出來，偷偷的去見趙國宰相虞卿。虞卿連宰相都不要了，把宰相的大印封起來留下，跟魏齊一道逃走，同往魏國，想會見魏國公子信陵君，打算借重他的關係，從魏國設法再逃往楚國。

信陵君（前?——前二四三）是魏昭王的兒子，名魏無忌，仁而下士，食客三千，甚有賢名。但也害怕秦國，不願會見。猶豫著說：「那虞卿是個何等樣的人呀？」

這時候，有位高士侯嬴（又稱侯生）在旁，感慨地說道：「志向遠大的人，固然難以讓人了解；而要去了解一個人，也眞是不容易呀。那個趙國宰相虞卿，當初第一次會見趙王時，趙王便賜他黃金一百斤。第二次會見時，就請他作上卿。第三次相會，趙王就請他接掌宰相。這些事實，天下人都已知道了呀。

「至於那個魏齊，受到殺頭的脅迫，在危急時去見虞卿。那虞卿不留戀自己已有的高官厚祿的尊貴，棄官封印，尊重魏齊，和他一同逃走，想依託公子你的庇護和幫助，逃往楚國。公子你卻反問虞卿是個怎麼樣的人？他便是這樣一個不愛官爵卻重道義的人，他還認爲你也是這樣一類的人呢？由此看來，要去了解一個人，眞是很不容易的了。」

信陵君聽了，十分慚愧。連忙駕著車子，到郊外去迎接虞卿和魏齊。

【原文附參】：范睢之仇魏齊亡，過平原君。秦昭王請平原君曰：文王得呂尚以爲太公，齊桓得管夷吾以爲仲父，今范君亦寡人之叔父也。范君之仇在君家，願取其頭。平原君曰：夫魏齊者，勝之友也，在固不出，況今又不在臣所乎。昭王告趙王曰：魏齊在平原君家，王使人疾持其頭來，不然，吾擧兵而伐趙。趙王圍平原君家，魏齊夜亡，見趙相虞卿。虞卿乃解其印，與魏齊走大梁，欲因信陵以至楚。信陵畏秦，未肯見，曰：虞卿何如人也？時侯嬴在旁曰：人固未易知，知人亦未易也。夫虞卿一見趙王，賜黃金百斤，再見拜爲上卿，三見受相印，天下爭知之。夫魏齊困窮，過虞卿，虞卿不重爵祿之尊，急而歸公子。公子曰何如人？知人固未易也。信陵君大慚，駕，如野迎之。（見：東漢、應劭：《風俗通義》、窮通）

【編者私語】：范滂爲黨錮投案送死，縣令郭揖要棄官帶他同逃（請閱第二七七「急捕必是抓我」篇）。魏齊要殺范睢，鄭安平竊救范睢偷入秦國（本篇前段故事見《史記》卷七十九）。今魏齊有殺身之禍，趙相虞卿封印與他同逃（本篇係接續第四篇「一寒至此」而來，請並閱）。類此義友，史書中還不少。參古以鑑今，近世似乎不多了。

一三 三遺屎（詆毀）

戰國時代，趙國多次受秦國攻擊（趙國西疆，與秦國相鄰），國勢困頓。趙王（趙孝成王之子悼襄王）很想要老將軍廉頗返國，抵禦強秦。

那廉頗本是趙國的元老將軍。趙惠文王時，破齊兵，拜上卿，與藺相如為刎頸交，兩人同心保國。趙孝成王時，與秦作戰，廉頗固守，秦國施用反間計，使趙王改派趙括取代廉頗，趙括被秦將白起所殺，趙國大敗（請閱第一九四「坑卒四十萬人」篇）。燕國乘機來攻，趙王復用廉頗，大敗燕軍，封信平君。趙悼襄王時，聽信讒言，派樂乘取代廉頗。廉頗出亡，避往魏國暫住。今趙王又想請廉頗回來，廉頗也有意再為趙國效力。

這時廉頗年歲已很大了，趙王派使者來視探廉頗身體狀況如何，是否還能勝任軍旅生活？廉頗有個仇人，名叫郭開，害怕廉頗回來，對己不利，便送了許多金銀給使者，請他居中破壞，讓廉頗不得回國。

使者到了魏國，會晤廉頗。見廉頗一頓飯吃了一斗米，吃了十斤肉。他披上盔甲，躍馬奔騰，還很威猛健壯，足證回國任職，身體和力氣都沒有問題。

這位使者歸來，回報趙王說：「廉將軍雖然老邁，但健康如昔，飯量很好。不過同我在一起相聚，時間並不很長，卻去了三次廁所。」趙王一番沉吟，覺得廉頗果眞老了，恐怕不堪擔負重任，就不提召他回國的事了。

廉頗有心報國，趙王也有心用賢，卻因小人之讒，不得復用於趙，後來廉頗去了楚國，老死在壽春（今安徽壽縣）。

【原文附參】：趙以數困於秦兵，趙王思復得廉頗，頗亦思復用於趙。趙王使者視廉頗尚可用否。廉頗之仇郭開，多與使者金，令毀之。趙使者既見廉頗，廉頗爲之一飯斗米，肉十斤；被甲上馬，以示尚可用。趙使還報趙王曰：廉將軍雖老，尚善飯。然與臣坐，頃之，三遺矢（拉屎）矣。趙王以爲老，遂不召。（見：《史記》、卷八十一、廉頗藺相如列傳第二十一）

【編者私語】：要詆毀一個人，只須平淡的講述事實，不必加以臧否，讓趙王自己去評斷，這是最厲害之處。而且先說優點：飯量尚好。顯示立場公正，其實這是陪襯的話。繼說如廁三次，貶之於無形，重點在此。表面上我是實話實說，心計卻最爲陰毒。趙王思念廉頗，廉頗也想回來。復起重臣，趙祚得續，本極允當。卻因一句小話毀損了。察古以觀今，小人誤國，例證甚多。壯志難伸，不禁爲廉將軍叫屈，闔書長歎久之。

（附註：本書各篇語體譯文中，有時略增少許情節。或添頭加尾，俾釐淸來龍去脈；或中段插叙，期使文意連貫。所增者皆有所本，非杜撰也。）

二四　三家涉河　（錯字）

孔子的學生子夏（元前五〇七—前四〇〇，姓卜名商字子夏），有人奉他爲孔門十哲之一。他長於文詞，所以孔子說：「就文學一科而論，優秀的弟子，當推子游和子夏」（見《論語、先進》第二章）。

子夏從魯國（今山東省）前往晉國（今山西省）途中經過衛國（今河南省）時，聽到有人在朗誦《史記》：「晉師三豕涉河」（晉國軍隊的三隻豬兒渡河）。

子夏說：「這句話錯了。不是『三豕』涉河，應該是『己亥』涉河。這是由於『三』與『己』字形相似（按己字甲文金文作己，篆文作王，很像三字）而『豕』與『亥』也很相近。如果不是這位學生認錯了字，便是這片竹簡寫錯了字（春秋時代，還無紙筆，醮著漆寫在竹片上，叫簡，簡片連綴起來，叫簡册）。」

子夏到了晉國，一經查問，果然是「晉師己亥涉河」（晉國軍隊，在己亥日渡黃河）。足證文字有的似非而是，有的似是而非，是非正誤之辨，不可不弄淸楚，這便是讀書爲學的人所當謹愼的。

【原文附參】：子夏之晉，過衛。有讀史記者曰：晉師三豕涉河。子夏曰：非也，是己亥也。夫己與三相近，豕與亥相似。至晉而問之，則曰：晉師己亥涉河也。辭多類非而是，類是而非。是非之經，不可不分，此聖人之所愼也。（見：秦、呂不韋：《呂氏春秋》、第二十二卷、愼行論第二、察傳）

【編者私語】：本篇有兩點討論。第一、文字由於近似而錯了，有句成語叫「魯魚亥豕」。亥豕是出自本篇，魯魚是出自《抱朴子遐覽》裏所說：「書三寫，魚成魯，帝成虎。」這或因粗心，將「荼毒」誤寫爲「茶毒」、將「壼範」誤爲「壺範」、將「潑刺」誤爲「潑剌」、將「病入膏肓」誤爲「病入膏盲」。或因檢字打字之不經心，手民將字誤植。校對時尤宜注意，在重要關鍵處更不可放過。誤植和漏校的實例很多：譬如「張大千（中外揚名的國畫大師）吹毛求疵」，疵字誤爲「屁」字，釀成大不敬。「中央政府接受日本投降」，央字誤爲「共」字，意義全變了。已故報人成舍我，於民國十三年，在北京辦世界晚報，正逢奉直大戰，該報頭版新聞大字標題是「前敵總司令張福來今晨出發」，誤將福字植爲「禍」字，這個「禍」可闖大了，那時一個總司令，說話就是法律，一聲怒吼，下令殺人，成舍我趕忙東躲西藏，倖免於死，報社則被查封關門了。民國八十一年十二月，台東縣印發立委選舉公報，將饒穎奇的政見「擁有中央決策影響力」的「央」字也誤爲「共」字，謬之千里。公報有數萬字，爲何獨錯此字？三校都未發現，只好將百多萬份收回，重印重發。因此現在有些重要文書，多商請撰稿人自行校對，以免誤失也。第二：本篇錄自《呂氏春秋》，算是正書，但這一段卻是僞造的，何以故？子夏是孔子學生，《史記》則是四百多年之後由漢代司馬遷寫成的，春秋時代的子夏，哪會聽得到漢代的《史記》？再者，《呂氏春秋》是秦朝撰的，那時司馬遷還沒有出生，怎可能將漢代的《史記》，寫進秦代的《呂氏春秋》裡？這有如說「宋版康熙字典」一樣的荒謬（或者此處所云史記，非司馬遷所著，另有他書）。但魯魚亥豕的典故，已爲成語，故仍錄供參考。

二五 三遷擇鄰 (母教)

孟子、名軻、字子輿(元前?—元前二八九),戰國時代鄒人(今山東省鄒縣)。他的母親,大家就叫她孟母。

當孟子兒童時代,他家原住在墓地附近。那時孟子年紀小,好奇心重,喜歡模仿大人的動作,嬉遊時就學著做那些挖墓穴、埋棺木的舉動,很起勁的築墳堆,假裝埋死人。孟母說:「這裡不好,不是我可以讓你居住的。」

於是孟母搬到市集旁邊去住,孟子又跟著學那些生意人誇耀叫賣爭斤論兩的遊戲。孟母說:「這裡也不好,不是我可以讓你居住的。」

於是孟母再搬遷到學校的旁邊。孟子這次便跟著那些唸書的小孩學習杏壇拜揖,賓主見禮,升降進退的儀節。孟母很滿意,說道:「這裡才是適合你居住的地方哪。」

【原文附參】:鄒孟軻之母也,號孟母。其舍近墓。孟子之少也,嬉遊為墓間之事,踴躍築埋。孟母曰:此非吾所以居處子也。乃去舍市傍,其嬉戲爲賈人衒賣之事。孟母又曰:此非吾所以居處子也。復徙舍學宮之傍,其嬉遊乃設俎豆揖讓進退。孟母曰:眞可以居吾子矣。(見:劉向:《古列女傳》、卷一、母儀)

【編者私語】：按：清、周廣業《孟子出處時地考》題辭云：「孟子生有淑質，幼被慈母三遷之教」。又按：晉、左九嬪《孟母贊》云：「鄒母善導，三徙成教；教止庠序，俎豆是效」。此外尚有孟母斷機教子之訓，又有買豚啖子之教，培養孟子，終成亞聖。偉人身後，常有一位賢母。但這個「三遷擇鄰」的故事，也有人提出懷疑，認爲是牽強的，不無卓見。茲引述兩家意見：其一，清、崔述《孟子事實錄》云：「孟母既知墓側之不可居，則何不即擇學宮之旁而遷之，乃又卜居於市側乎？」這是一種反問。其二，民國、羅根澤《孟子傳論》（商務民五十三年版）亦云：「戰國之時，民人居處，率爲房屋。倘非極貧，皆有田土。非若遠古遊牧之民，遷徙流轉，甚易易也。孟母而富耶？家產浩大，遷移非易。孟母而貧耶？居室院宇，置備維艱。孟母以一弱女子，而能一遷再遷，談笑立舉，誰其信之？且舍即近墓，墓亦不致日日築埋，孟子何能一二見而遽踊躍效之乎？」這是第二種反問。要言之，這類故事，意在明理，當非信史，我們取其苦心教子之意以爲鑑就可以了。

二六　大杖則走（孝道）

曾皙在菜圃裡種了瓜藤，他兒子曾參（元前五〇五—前四三六）幫忙用鋤頭去翻鬆泥土時，不小心把瓜藤的根挖斷了。曾皙大怒，順手掄起一根粗棍子，在曾參的背上猛打，用力太大了，將曾參打倒在地，不省人事。

過了好久，曾參才甦醒，但他很孝，並不怨恨。欣然翻身起來，回到家裡，還委婉地對父親說：「剛才爲兒的未曾留意，挖斷瓜藤，惹得大人生氣。大人教訓我，有沒有用力過度，閃傷了你的身體呢？」繼而退到自己房中，還特意彈起琴來，嘴裡也哼著歌兒，想讓父親聽到，好知道他身體無礙，心情和順無事。

孔子聽到這事，十分生氣，告訴學生說：「曾參犯了大錯，我不認這個壞學生了。如果他來了，不准他進門。」

曾參自以爲沒有甚麼過失，不明白老師孔子爲甚麼如此生氣，託人向孔子請求訓示，好來領罪。

孔子轉告他說：「你沒有聽到過嗎？從前舜皇帝，是瞽叟的兒子（瞽叟是盲矇的老頭子，爲人頑固不化）。那舜皇帝對待父親：凡是要使喚他的時候，沒有不在身邊的；凡是要殺他的時候，就找他不到。凡是用小竹鞭打他時，舜就等著來承受，凡是要用粗槓子猛打時，舜就躲開了。所以瞽叟雖然頑劣，終究沒有犯上那違背父道的罪過，舜也能善盡兒子純厚的孝道。

「如今看看曾參怎樣對待他父親呢：拼著自己的身體，來等候最重的棒擊，幾乎打死了也不躲開。假如死了，讓父親背著不義的罪名，那有比這種不孝更大的呢。」

曾參聽了，自責道：「我曾參的罪過太大了。」向孔子去請罪，誓言改過。此後德業日進，終被尊爲宗聖。

【原文附參】：曾子耘瓜，誤斬其根。曾皙怒，大杖以擊其背。曾子仆地而不知人。久之乃甦，欣然而起，進於曾皙曰：嚮者、參得罪於大人，大人用力教參，得無疾乎？退而就房，援琴而歌，令曾皙聞之，知其體康也。孔子聞之而怒，告門弟子曰：參來勿內。曾參自以爲無罪，使人請於孔子。子曰：汝不聞乎？昔瞽叟有子曰舜。舜之事瞽叟，欲使之，未嘗不在側；索而殺之，未嘗可得。小捶則待過，大杖則逃走。故瞽叟不犯不父之罪，而舜不失烝烝之孝。今參事父，委身以待暴怒，殪而不避。既身死而陷父於不義，其不孝孰大焉。曾參聞之，曰：參罪大矣。遂造孔子而謝過焉。（見：王肅：《孔子家語》、卷四、六本第十五。又見：《說苑》、卷三、建本。又見：漢、韓嬰：《韓詩外傳》、卷第八）

【編者私語】：《後漢書崔寔傳》：「舜之事父，小杖則受，大杖則走。蓋因盛怒之下，大杖或致死亡；在父爲傷慈，在子爲不孝也」。但余有疑焉：曾晳曾參，父子同爲孔子學生。曾參稱宗聖，曾晳也是大賢（孔子有「吾與點也」之贊，曾點的字叫曾晳），何至杖子幾死？揆之事理，應未必然，吾人僅警惕大杖則逃之鑑可耳。

二七　大樹將軍　（謙讓）

東漢馮異（公元前？——三四），字公孫。少時好讀書，文通《左氏．春秋》，武熟《孫子兵法》。他平定赤眉（江淮間的寇賊，眉毛塗成紅色，故稱赤眉），又出擊匈奴，做過北地、安定、天水等地太守，可謂文武兼資。

王莽篡位後，漢光武帝劉秀（公元前六——五七，字文叔）起兵，馮異投身光武，佐助復興漢室。他對劉秀獻策說：「天下都苦於王莽的亂政，人心思漢，百姓還沒有找到可以依託擁戴的人。如今你已威臨一方，得民者昌，時機正好。從歷史的演變來看：因爲有夏桀和商紂的暴虐動亂，才顯出商湯和周武王的仁政功績。這好比人民久經饑渴，就不會刻意挑剔食物。如今最好趕快分途派人，到各個郡縣去巡慰百姓，理平冤屈的懸案，讓大王的惠澤廣佈，則大漢的復興，便迅速可成。」劉秀也認爲有理，全盤接受照辦了。

劉秀轉戰東西，有次到了饒陽（屬河北省）。那時正值冬季，天氣嚴寒，大家又肚餓又疲乏。馮異快速地用豆子熬成熱騰騰的稀飯，讓劉秀和部衆們都吃飽了。第二天，劉秀對這些將官們說：「昨天嚐了馮公孫（馮異字公孫）的豆粥，又暖又飽，饑寒都消失了，眞好！」

馮異爲人，十分謙遜，功成不居，進退都有他的原則。每次戰役完畢之後，大家集合休整時，那些參戰的將軍，都坐下來爭論誰立了大功。只有馮異不參加，常常獨自退避到營外大樹下去乘涼，因此軍中稱他爲大樹將軍。

【原文附參】：馮異、字公孫。好讀書，通左氏春秋及孫子兵法。漢兵起，從光武。進說曰：天下同苦王氏，思漢久矣，無所依戴。今公專命方面。夫有桀紂之亂，乃見湯武之功。人久飢渴，易爲充飽。宜急分遣官屬，巡行郡縣理冤，結布惠澤。光武納之。光武至饒陽，時天寒，衆皆飢疲。異上豆粥。明旦、光武謂諸將曰：昨得公孫豆粥，飢寒俱解。異爲人謙遜不伐，進止皆有表識。每所止舍，諸將並坐論功，異常獨屛大樹下，軍中號爲大樹將軍。（見：《後漢書》、卷十七、列傳第七）

【編者私語】：書劍通文武，飢疲飽豆羹；讓功傳典範，大樹紀將軍。

二八　弓影杯蛇（心惑）

【一】

東漢時，應劭（字仲遠，《風俗通義》是他所撰）的祖父應彬，作汲縣（屬今河南省）縣令。夏至（二十四節氣之一，在六月間，白晝最長的一日）這一天，縣衙裡的主簿（管理簿書之官，有似會計長或祕書長之類）名叫杜宣的，來拜見他。應彬就留住他，請他吃飯飲酒。

那酒宴廳堂北面牆上，掛了一張赤紅色漆得很光亮的弩弓，陽光把弩弓的縮影反射入杜宣的酒杯中，好像一條小蛇似的。杜宣又害怕又厭惡，但當著直屬長官面前，不敢問，也不敢不飲。這一天回家，杜宣便覺得胸痛腹脹，喝水吃飯都很不順暢，只得多服瀉藥一類的偏方來治療，採用了許多方法，病況總是好不了。

後來，應彬因事到杜宣家裡，見他精神萎頓，身子也撐不起來，問起原因，杜宣說：「就因爲怕那條蛇，如今還在肚裡作怪。」

應彬回到府裡，仔細想了許久，抬頭看見牆上那張弩弓，悟到必是此物之故。就吩咐屬下官吏，駕著車子，扶著杜宣，載到府裡，請杜宣坐在以前的原位上，時辰也和那天差不多，杯裡倒滿了酒，一看，果然又見蛇影。應彬指著牆上的弩弓，對杜宣說：「你看，廳堂光線很亮，日光反射，從酒裡正好照出弩弓的縮影，彎曲好似小蛇。這不過是幻像，哪會有眞的活蛇在酒杯裡呢？」

杜宣明白了，心境開朗了，精神也感寬舒，病就好了。

【二】

晉代樂廣（淯陽人），字彥輔，作過太子舍人、中書侍郎、中庶子、侍中、河南尹、左僕射等官職。《晉書》有傳。凡史書中立有專傳的，都是當代有名之士。

他有一位親近的賓客，好久沒有來了。樂廣問他爲何疏遠不來見面，對方老實告訴他說：「上次在你的宴席上，蒙你賜我喝酒，一時間瞥見酒杯裡有一條小蛇，心中很怕，但又不敢失禮不喝。飲酒之後，就生病到現在，一直病沒有好。」

樂廣聽了，很覺不解，酒裡哪來的蛇呢？那時他正任河南尹（尹是一郡之長，如同太守），經過深思細察，發現上次飲酒之處，是在官署裡的聽事廳，那牆壁上掛了一張名貴的雕弓，弓上用漆飾繪有蛇形，十分光亮。樂廣猜到了酒杯中的小蛇，必是從酒面上反照出雕弓的蛇影之故。若眞如此，化解不難。

於是照上次同時同地，又請來這位客人，將酒杯也擺放在同一位置，注滿了酒，問他說：「酒杯裡又看到甚麼嗎？」

客人說：「酒裡又有一條小蛇，同上次一樣。」

樂廣就將壁上的雕弓指給他看，那明亮耀眼的雕弓上漆繪的蛇紋，經日光反射在酒面上，就顯出了蛇影，只是虛像，並非眞蛇。

客人一下子明白了，拖了好久的病，立時就好了。

【一】

【原文附參】：余之祖父郴，爲汲令。以夏至日，見主簿杜宣，賜酒。時北壁上懸有赤弩，照於杯，形如蛇。宣畏惡之，然不敢不飲。其日，便得胸腹痛，妨損飲食，大用羸露攻治，萬端不爲癒。後郴因事至宣家，問其變故。云：畏此蛇，蛇入腹中。郴還，思維良久，顧見懸弩，必是也。乃使門下吏扶輦載宣於故處，設酒，杯中故復有蛇。因謂宣：此壁上弩影也，非有他怪。宣意遂解，甚夷懌，由是瘳平。（見：東漢、應劭：《風俗通義》、卷九、怪神）

【二】

【原文附參】：樂廣，字彥輔。累遷侍中、河南尹。嘗有親客，久闊不復來。廣問其故，答曰：前在座，蒙賜酒，方欲飲，見杯中有蛇，意甚惡之，既飲而疾。於時河南聽事壁上有角弓，漆畫作蛇。廣意杯中蛇即角影也。復置酒於前處，謂客曰：酒中復有所見不？答曰：所見如初。廣乃告其所以。客豁然意解，沈痾頓愈。

（見：《晉書》、列傳第十三、樂廣傳）

【編者私語】：天下本無事，庸人自擾之。眞相既明，幻疾頓癒，疑心之患大矣哉。此故事先後兩見，事同而時異，豈傳聞有別乎?竊按此事通稱「杯弓蛇影」，實則先有弓，乃生影，映入杯，疑爲蛇，或宜稱爲「弓影杯蛇」，似較順適。

二九　小時了了（幼慧）

漢代孔融（一五三—二〇八），字文舉，是孔子第二十四代孫。他十歲時，隨父親孔宙，來到洛陽。那時李膺（一一〇—一六九，字元禮）名望很高，官任司隸校尉。登門拜訪李府的人，都須是有才學有清譽的人，或是李膺的親戚，才會獲得通報見面。

孔融獨自到李膺門前，對通報的人說：「我是李府君的親戚。」於是順利通報，獲得見面，座位還安頓在賓客們的前排。

李膺問道：「我還不太記得你與我有哪一類的親屬關係呢？」

孔融回答說：「從前我的先祖孔子，曾向你的先祖老子李耼（老子姓李名耳字伯陽，謚耼）問禮，有師尊之誼，所以我與你是累世的通家之好呀！」

李膺和其他賓客，都覺得這小孩答話高妙，大家感到希奇。有位太中大夫（掌議論之官）陳韙（音偉）後到，旁人將以上的對話轉告他，陳韙說：「小時了了，大未必佳（小時候聰明伶俐，長大後卻不見得，也許愈大愈笨）。」

孔融即時回應他說：「想君小時，必當了了（想你小時候，必定聰明伶俐。借用陳韙的話，隱含著說你現在愈大愈笨了）。」

陳韙聽了，自知失言，一時語塞，無話回答，大感不安。

【原文附參】：孔文舉年十歲，隨父到洛。時李元禮有盛名，爲司隸校尉，詣門者皆儁才清稱及中表親戚，乃通。文舉至門，謂吏曰：我是李府君親。既通，前坐。元禮問曰：君與僕有何親？對曰：昔先君仲尼，與君先人伯陽有師資之尊，是僕與君奕世爲通好也。元禮及賓客莫不奇之。太中大夫陳韙後至，人以其語語之。韙曰：小時了了，大未必佳。文舉曰：想君小時，必當了了。韙大踧踖。（見：南宋、劉義慶：《世說新語》、言語第二）

【編者私語】：不要率爾批判別人，以免妄語失言，妄評失人。《論語衛靈篇》孔子曰：「智者不失人，亦不失言。」陳韙遇到孔融，大人當場受到小孩的譏諷奚落，何不謹之甚也。「小時了了」一語，以十歲幼童，從何通曉？不但通曉，還能借刀使力，當場翻換，即以其道還之。反應既快，詞鋒又利，咄咄逼人，讓太中大夫都口塞了。

三〇　小魚放生

（守法）

宓子賤（名不齊，字子賤）是孔子學生，他擔任亶父（魯國地名，又叫單父，在今山東單縣）縣長，已經三年了。

孔子另一位學生巫馬期（巫馬是姓，名施，字期）穿著粗布衣，破皮襖，裝成平民，去觀察當地的教化。

他看到一位夜裡捕魚的人，幾次捕到了魚，卻都放回水裡去了。

巫馬期覺得奇怪，問道：「捕魚就是要撈到魚，你撈到了魚又放掉，爲甚麼？」

那人答道：「宓子賤不希望我們捉小魚，以免魚源竭絕，這是對的。我方才放掉的，都是小魚。今年放下小魚，明年就成大魚，那時再捉，反而合算嘛。」

巫馬期回來後，稟告孔子說：「宓子賤所施行的德化好極了，即使百姓在夜裡單獨捕魚時，也好似有人在身邊監督一樣，不肯胡來。請問老師：宓子賤怎樣能夠做到這個地步的呢？」

孔子解釋道：「我以前曾對他說過：『當一件事情做得誠誠懇懇時，也會影響另一件事情變得端端正正。』宓子賤一定是將這個理念在亶父縣廣泛的實行了。」

【原文附參】：宓子賤治亶父三年，巫馬期裋褐弊裘，而往觀化。見夜漁者，得則捨之。巫馬期問焉曰：漁爲得也，今子得而捨之，何也？對曰：宓子不欲人之取小魚也，所捨者小魚也。巫馬期歸，告孔子曰：宓子之德至矣，使民闇若有嚴行於旁。敢問宓子何以至於此？孔子曰：丘嘗與之言曰：誠乎此者刑乎彼，宓子必行此術於亶父也。（見：《呂氏春秋》、審應覽第十六）

【編者私語】：要人當衆守法易，要人暗裡守法難。夜捕小魚，沒人知曉；竟然自動放捨，足證宓子教化，已深植人心。現代似乎少有此類淳良風尚了。如今是：守法守分的是傻子，違法取巧的是聰明人。守法的吃虧，違法的得利。違法的倒也贊成別人守法，但認爲自己有特權，應當例外，法律不敢奈何他也。其實，不是法律不敢，而是執法的人，害怕得罪權貴而不敢。由於公權力之不張，才養成不少的畸形現象。

三一　小怨就絕交　（結友）

三國時代，魏國有位張遼（一七一—二二一），字文遠，馬邑人。在曹操（一五五—二二〇）麾下當將軍。和他的護軍（官名，還有領軍，都是帶兵官）名叫武周（字伯南）的，本來相交爲好友，後因細故不和，生了嫌隙，便不相往來了。

張遼聽說胡質（字文德，後封關內侯），這人的品德不錯，想請刺史（官名，職權很大，意謂刺舉不法，史者使也）溫恢（字曼基）介紹和胡質作朋友，那知胡質推說正在生病，不肯見面。

有一天，張遼出外，正好碰到胡質。忍不住問道：「我很想與你攀交，不知道做了甚麼錯事，使你不願接納？」

胡質說：「古人論交，結爲朋友。即使朋友多取錢財，也不怪朋友貪心。朋友打仗逃走，也不怪朋友怕死。別人說朋友的壞話，也不相信。這樣才是終生至交的朋友（見後註）。你以前的朋友武伯南（武周的字號）是位高雅之士。從前你稱贊他不絕於口，後來因爲一點小誤會，你轉而記恨於他，至今成了嫌隙，不相往來。這是待朋友之道嗎？我的才能卑微，比武周差了一大截。你不能寬容武周，哪能與我終身相好呢？所以不願和你結為朋友。」

張遼聽後，深感慚愧，便親向武周道歉，重建了友誼。

〔註〕：此段是舉《史記管晏列傳》中的話。管仲說：我當初窮困時，和鮑叔合夥經商，分紅時我拿得最多，鮑叔不以我為貪，知我貧也。我三次打仗，三次逃走，鮑叔不怪我膽小，知我有老母也。我任公子糾的僚臣，公子糾敗了，召忽殉死，我卻偷生，鮑叔不怪我無恥，知我不羞小節也。生我者父母，知我者鮑叔也。

【原文附參】：曹魏將軍張遼，與其護軍武周有隙。遼就刺史溫恢求交胡質，質辭以疾。遼出遇質，曰：僕安意於君，君何以相孤如此？質曰：古人之交也，多取知其不貪，奔北知其不怯，聞流言而不信，故可終也。武伯南身為雅士，往者、將軍稱之不輟於口，今以睚眦之恨，反成嫌隙。況質才薄，豈能終好？是以不願也。遼感其言，復與周平。（見：宋、李昉：《太平御覽》、請交不許）

【編者私語】：交友須互諒，相如感廉頗。我既不容人，人何要容我。睚眦結細仇，君子曰不可，張遼悟此言，告罪修善果。

三一 小偷退大軍（狡技）

楚威王（楚懷王之父）的大將叫子發，喜歡徵聘各種有專長特技的人士，加入他部隊裡服務。有個擅於偷東西的楚國人前往應徵。偷兒說：「聽說你徵求各類有技能的人，我長於偷東西，願意將我的特長貢獻國家，只要當一名兵卒就可以了。」

子發很禮貌的接待他，當時就錄用了。子發身邊的人規勸道：「小偷是天下人都不齒的竊盜之徒，你爲何以禮相待，還接納他在部隊裡服役，豈不有失你的身分，也違背了正道嗎？」

子發說：「這就不是你們所能瞭解的了。」

此後沒過多久，齊國起兵來攻打楚國，子發領兵去抵禦。但齊兵勢大，三次接戰，楚軍都打敗了。齊軍氣勢更旺，如何抵擋得住呢？此時這位小偷請求道：「我自幼就學了一些小小本領，請准許我替你效點微勞好嗎？」

子發說：「好呀！」也沒有追問他如何效勞，就讓他逕自去進行了。

這位小偷，趁夜潛入齊軍主帥的軍營裡，偷回來齊國將軍床上的蚊帳，呈給子發。子發派人將蚊帳送還齊軍，說：「我們有個小兵，外出砍柴，拾到將軍用的蚊帳，理應物歸原主，特地送回給將軍，請收下。」

第二天夜晚，小偷又去偷來齊國將軍睡覺的枕頭，子發又派人將枕頭送回給將軍。第三天晚上，小偷再去偷來齊國將軍頭上結紮髮髻用的玉簪（古時將頭髮捲成一束，盤在頂上，用髮簪插著，不會散開）。子發三度派人把玉簪送還。

齊軍連續三次被偷，大爲驚駭。那位主帥將軍召集屬下商議道：「今天如果不退出楚國，楚軍的高人恐怕就會割下我的腦袋，我的性命必難保住了。」於是在心情恐懼之下，無意再戰，就率軍退回齊國去了。

【原文附參】：楚將子發好求技道之士，楚有善爲偷者往見，曰：「聞君求技道之士，臣偷也，願以技齎一卒。子發出見而禮之。左右諫曰：偷者天下之盜也，何爲之禮？曰：此非左右之所得與。後無幾何，齊興兵伐楚，子發將師以當之。兵三卻，齊師愈強。偷者請曰：臣有薄技，願爲君行之。子發曰：諾。不問其辭而遣之。偷者夜出，解齊將軍之幬帳而獻之。子發因使人歸之，曰：卒有出薪者，得將軍之帷，使歸之於執事。明夕，復往取其枕，子發又使人歸之。明夕，復往取其簪，子發又使歸之。齊師聞之，大駭。將軍與軍吏謀曰：今日不去，楚軍恐取吾頭。乃還師而去。（見：漢、劉安、《淮南子》、道應訓）

【編者私語】：捨短用長，則天下無棄材，世間亦無棄物。偷本不合乎義，但以偷退敵，卻顯偷之大用。岳飛有言：「運用之妙，存乎一心」。善用之，則雖雞鳴狗吠之徒，可使孟嘗君逃死也。

三三　大事不糊塗（識斷）

北宋呂端（公元九三三—九九八），字易直，敏悟好學，識大體。宋太宗（九三九—九九七）任他爲左諫議大夫（左右兩官，爲諫院之長），位在寇準（九六一—一〇二三）之上。

宋太宗擬用呂端爲宰相。有人說：「呂端這人糊塗。」太宗道：「他是小事糊塗，大事絕不糊塗。」決定升他爲宰相。

呂端恐怕寇準不服氣，請求讓寇準（時任參知政事）與他隔日當班，同在政事堂，輪流處理國務。

北方遼國（契丹）封李繼遷（他叛降不常）爲夏王，騷擾宋朝西北邊疆爲患。保安軍（宋軍）擄獲到他的母親，宋太宗想殺掉她，單獨召寇準去商議，好作決定。

寇準與太宗討論完了，辭出皇宮，經過宰相廳。呂端邀他見面，問道：「今日所論之事，皇上有沒有吩咐你不要告訴我？」

寇準說：「沒有。」

呂端解釋道：「邊疆上的尋常事，我不必參與。如果關乎軍國大計，我是宰相，那就不可不知道。」

寇準便將擒獲李繼遷之母的原委說了。

呂端問道：「你們決定怎樣處置呢？」

寇準說：「決定處斬，也好儆戒那些叛逆賊子。」

呂端回道：「依愚見，這並不是最佳方案。但請稍緩一步，我要覆奏皇上。」

呂端入見太宗，奏道：「從前楚漢相爭，項羽綑綁了劉邦父親，要將他下油鍋。劉邦說：『我父就是你父，如果執意要烹，請分我一碗湯吧！』可見謀大事的，不會因尊親受難就改變心意的，何況李繼遷這種叛逆成性的人，會感到難過嗎？今天皇上殺了他母親，明天能夠擒服李繼遷嗎？如果捉不到他，乃是徒然結仇添恨，更加強他的叛亂決心，不但毫無幫助，反而壞了大事。」

太宗說：「依你之見，那又怎樣處置呢？」

呂端奏道：「這只須把她軟禁在延州（今陝西省延安縣），好好對待她，用她來招降李繼遷就是了。即令李繼遷馬上不降，也讓他心掛兩頭，進退不得。而他母親的生死，主動權仍然操在我方手裡，豈不收放都儘有餘裕嗎？」

宋太宗稱讚他說：「若不是你來提醒，幾乎誤了大事。」便依照他的方法處置，竟然使李繼遷納降了。

【原文附參】：呂端，敏悟好學。太宗以端爲左諫議大夫，立寇準之上。太宗欲相端，或曰：端爲人糊塗。太宗曰：端小事糊塗，大事不糊塗。決意相之。端恐準不平，乃請參知政事與宰相分日押班，同升政事堂。李繼遷擾西部，保安軍獲其母，太宗欲誅之，獨召寇準與謀。準退，過相幕，端邀謂準曰：上戒君勿言於端乎？曰：否。端曰：邊鄙常事，端不必與知。若軍國大計，端備位宰相，不可不知也。準遂告以故。端曰：何以處之？曰：欲斬以戒凶逆。端曰：此非計之得也。願少緩之，端將覆奏。入曰：昔項羽得太公，欲烹之。高祖曰：願分我一杯羹。夫舉大事不顧其親，況繼遷悖逆之人乎？陛下今日殺其母，明日繼遷可擒乎？若其不然，徒結怨讎，愈堅其叛心耳。太宗曰：然則何如？端曰：且置於延州，善視之，以招來繼遷。雖不能即降，終可繫其心，而母之生死仍在我手。太宗稱善曰：微卿，幾誤我事，即用其策，竟納款請命。（見：《宋史》、卷二百八十一、列傳第四十）

【編者私語】：大的決策，必須拿穩，小處有差，並無大礙。唐代柳宗元說：有位梓人，能夠建造京兆尹官署，卻不會修理自家的床腿；眞是沒用，但無損於他是大匠的令名。大發明家愛迪生，養了兩隻貓，一大一小。他在門上開了兩個洞，讓貓進出，也是一大一小。他不懂小貓也可走大洞，眞是糊塗，但並不影響他做個大發明家。我們能對大小事都精明，固然最好。但如爲了小事而耗費了時間，減少了對大事的注意力，便是失策。蕭孝穆說：「宰相若親理煩碎，則大事凝滯矣。」（見《遼史》卷八十七）這是經驗之談。《論語》子張篇說：「大德（大節）不踰閑，小德（小節）出入可也。」這話並不是提倡小處可以隨便，而是要注意大事不要疏忽。方向盤握穩了，中途因路面跳動而小有躲讓和閃避，那是沒有關係的。

三四　口渴飲於海（浩瀚）

春秋時代，晉國當權的大夫趙簡子，名鞅，請教孔子的學生子貢（元前五二〇—元前四五六）說：「孔子是魯國聖人，他的人品學養怎樣？」

子貢答說：「我還不清楚哩。」

趙簡子以爲子貢敷衍作答，頗不高興，說：「孔子是你的老師，你跟隨他幾十年，學成了才離開。今天我問你，你卻說還不清楚，是何解說呢？」

子貢答道：「我入孔子之門，好比我口渴了，到長江大海去喝口水，喝夠了就心滿意足了。孔子好比那長江大海，我哪能知道那江海究有多深多廣呢？」

趙簡子終於說道：「比喻不錯，你子貢的話確也很有道理。」

【原文附參】：趙簡子問子貢曰：孔子爲人何如？子貢對曰：賜不能識也。簡子不悅曰：夫子事孔子數十年，終業而去之。寡人問子，子曰不能識，何也？子貢曰：賜譬渴者之飲江海，知足而已。孔子猶江海也，賜則奚足以識之？簡子曰：善哉，子貢之言也。（見：漢、劉向：《說苑》、卷十一、善說）

【另文錄參】：子貢見太宰嚭。嚭問曰：孔子何如？對曰：臣不足以知之。太宰曰：子不知、何以事之？對曰：惟不知，故事之。夫子其猶大山林也，百姓各足其材焉。太宰嚭曰：子增夫子乎？對曰：夫子不可增也。夫賜其猶一累壤也。以一累壤增太山，不益其高，且為不智。（見：《說苑》、卷十一、善說）

【編者私語】：聖德仰之彌高，儒道鑽之彌深，不能測也。莊子說：「鷦鷯巢於深林，不過一枝；鼴鼠飲河，不過滿腹。」牛頓說：「科學之海浩瀚，我只是在海灘上拾到幾片貝殼而已。」

三五　三人言市有虎（進讒）

春秋戰國時代，各國互相猜忌，爲取信於別國，將本國太子送往別國首都住下，以堅信守，叫「質」。《左傳》隱公三年，便有「周鄭交質」的記載。

戰國時魏國和趙國不和（兩國相鄰）。魏王便將太子作爲人質，由魏國首都大梁往質於趙國首都邯鄲（今河北省邯鄲縣）。又派龐蔥隨同前往，以便照顧太子。

龐蔥臨行之前，向魏王辭別，問道：「有一人說：在我國首都大梁（今河南省開封縣）街市上出現了老虎，大王你會相信嗎？」

魏王說：「我不相信。」

龐蔥又問：「有兩個人說街市上出現了老虎，大王你相信嗎？」

魏王說：「我會懷疑了。」

龐蔥再問：「有三個人說街市上出現了老虎，大王你相信嗎？」

魏王說：「那我就不得不相信了。」

龐蔥道：「街市上本就沒有老虎，這是很明白的。但三個人都說有，就會誤信爲眞有老虎了。如今我前去趙國，趙國首都邯鄲隔我國首都大梁，比到街市上遠多了，而在背後說我壞話的人，必然會超過三個人。我盼望大王能夠分辨眞僞才好。」

魏王說：「我自會判斷是非的。」

於是龐葱別魏去趙，果然讒言起了，接二連三。後來作質的事情完畢，龐葱護著太子重回邯鄲，竟因旁人多次說了壞話，魏王信心動搖，拒絕召他見面。

【原文附參】：龐葱與太子質於邯鄲，謂魏王曰：今一人言市有虎，王信之乎？王曰：否。二人言市有虎，王信之乎？王曰：寡人疑之矣。三人言市有虎，王信之乎？王曰：寡人信之矣。龐葱曰：夫市之無虎明矣，然三人言而成虎。今邯鄲去大梁也，遠於市；而議臣者過於三人，願察之矣。王曰：寡人自爲知。於是辭行，而讒言至。後太子罷質，果不得見魏君矣。（見：《戰國策》、卷二十三、魏二。又見：《新序》、卷第二、雜事第二）

【編者私語】：單純從三人成虎的故事來看，只不過是無風起浪。無事生非而已。但從整個史事來看，則是小人背後說龐葱的壞話，這就十分可怕了。列寧說過：「假話多說幾遍，人民就會確信是眞的。」《戰國策》說：「三人成虎，十夫揉椎，衆口所移，無翼而飛。」西漢鄒陽獄中上梁孝王書也說：「衆口鑠金，積毀銷骨。」甚矣讒言之可畏也。我們都不是聖人，一生之中，有佳譽、也會有壞評。如果別人抹殺我那好的一面，只誇揚我那壞的一面，就會被打入冷宮，前途無亮。可歎的是背後損我，自己全不知道，公道難伸，連辯白的機會都沒有了，豈不悲哉？

三六　三十輻共一轂（釋無）

「無」之爲用，大矣哉！

我們看那車輪的構造：三十根直木桿（叫輻），匯集在輪轂上（由於一月有三十天，古人取法它，故車輻取三十爲數）。這個轂轆是車輪中央的圓木（叫轂）。當它的中心空而無物時，才可以套在車軸上，發揮轉動的功能，而有車輪的作用。

又看那陶罐瓷盆的製作：壓捏（叫埏）一團黏土（叫埴），將中央掏空，作成素坏，燒煉而成盆罐。當它腹內空虛無物時，才可以盛水盛食物，發揮容器的功用。

再看那房屋的建造：必須闢建（鑿）門戶以供出入，開通窗牖以透光線。當門窗開啓時，才有進入居住的功用。

一般人只知道「有」的利益，卻每每不知道「無」的奧妙。實則世間許多事物，它的功效，常在其虛無空洞之間而產生。倘處處閉塞，滯凝其功能，恐會成爲呆物。所以「有」其空才能產生「利」益，因其「無」才能發揮「用」途。

海因空虛（無）而廣納百川，人因謙虛（無）而寬容萬物。身體亦復如是：有口腔鼻竇的孔竅，食道氣管的通路，肺囊胃袋的空間，才能容納食物空氣，以維持生命。《淮南子精神篇》說：「虛無者，道之所居也。」《史記老子世家贊》說：「老子所貴道，虛無因應，變於無爲。」《佛經宗敬錄》說：「無心是道。」虛無之妙宏矣，已進於道矣。

【原文附參】：三十輻，共一轂，當其無，有車之用。埏埴以爲器，當其無，有器之用。鑿户牖以爲室，當其無，有室之用。故有之以爲利，無之以爲用。（見：《老子道德經》、上篇、第十一章）

【編者私語】：《列子天瑞篇》曰：「無而生有。」《老子第四十章》曰：「天下萬物生於有，有生於無。」今人將電腦中之零與一（電腦沒有思考力，只是一具電子計算機器。他的運作能力，只有「開」—通電了，就是一；和「關」—斷電了，就是零的兩種現象），比之我國哲學之無與有，是亦一說也。無與有之妙諦，又有了新解釋。

三七　大將軍有揖客（自尊）

汲黯（前？—前一一二），字長孺。漢武帝（前一五七—前八七）時，東越（國名，約今浙江福建地。《史記》有《東越傳》）發生內戰，派他去視察，他走到吳地便折回來了，回報道：「越人互相打鬥，是那個地區的陋習，不值得驚動天子的大使。」

黃河以北地區，發生大火，燒了千多家。武帝派他去察看，回來報告說：「民家失了火，自有地方官救治，不必憂心。倒是我經過河南時，親見貧窮百姓困於水旱之災的多達萬餘家，甚致父子相食。我逕自用皇帝特使的身份，開啓倉穀來賑濟貧民。如今事畢，回朝復命，請治我矯詔的罪。」漢武帝認爲他處理允當，不予追究，還升他爲滎陽令。

那時衛青因七次遠伐匈奴，威震絕域，官拜大將軍，封爲長平侯。官位崇高，又因姊姊是皇后。滿朝文武都畏敬他，唯獨汲黯不願迎合，以平等禮節相亢。有人對汲黯說：「天子想要所有的朝臣都尊奉大將軍，你見他不可不下拜。」

汲黯答道：「大將軍位高身貴，大家見他都要下拜，如果還有我這個獨一無二長揖不拜的客人，那豈不反而顯出大將軍有禮敬賢士的大度量了嗎？」

衛青聽了，對汲黯愈加尊重了。

【原文附參】：汲黯，字長孺。東越相攻，上使黯往視之，至吳而還。報曰：越人相攻，固其俗然，不足以辱天子之使。河內失火，延燒千餘家，上使黯往視之，還報曰：家人失火，不足憂也。臣過河南，河南貧人傷水旱萬餘家，或父子相食。臣謹以便宜，持節發倉粟以賑貧民，臣請歸節，伏矯制之罪。上賢而釋之，遷滎陽令。大將軍衛青尊榮，姊爲皇后，然黯與亢禮。人或說黯曰：天子欲群臣下大將軍，君不可以不拜。黯曰：夫以大將軍有揖客，反不重耶？大將軍聞之，愈賢黯。

（見：《史記》、卷一百二十、汲鄭列傳）

【編者私語】：卑者見尊者，古禮要「拜」，以示崇敬。至今仍留有拜謁、拜會、拜見、拜賀、拜賜等詞。若平輩相見，只要互「揖」，拱手爲禮。至今仍有揖讓、揖別、揖客、高揖、拱揖等詞。與其該揖而拜，賤視自己人格，不如該拜而揖，免損個人身分。至於汲黯此公，一生耿介，嫉惡如仇。漢武帝贊他說：「古有社稷之臣，今於汲黯近之矣」。可惜他雖是第一直臣，卻未能用他爲「相」，否則酷吏張湯不會得寵，而文景之治則會延長，漢史都要改寫了。我們熟知的「後來居上」「招之不來，揮之不去」「門可羅雀」等成語，都是出自汲黯「列傳」中的典故。杜甫有詩贊曰：「今日朝廷須汲黯，中原將師憶廉頗」，足見推仰之隆也。弼士古來原就少，如今亂世更難尋；阿諛讓我升官早，正直雖崇值幾文？

三八　下筆絕不潦草（端謹）

唐代席豫（字建侯，進士及第），襄陽人。唐玄宗時，任職爲吏部侍郎六年（吏部掌銓敘勳階黜陟之政，侍郎管選拔人才）。他長於爲文，以運詞遣句優美聞名於當時。唐玄宗嘗登朝元閣賦詩，群臣競和，玄宗認爲席豫的詩最好。

席豫性格端謹，即使寫信給晚輩，下筆絕不潦草。在吏部對屬下官吏功曹公文書的處理，批轉時字跡也甚爲端正，字如其人，點劃都不苟且。

他這種作風，已成了習慣。他解釋說：「我們要敬業，也要敬人。如果不尊重別人，就等於不尊重自己。」

有人問道：「寫字潦草一點，關係不大嘛！這是小事情，你何必如此介意？」

席豫說：「不要因爲是小事就可以隨便，小事都可不謹，大事更不必論了。」

他是在官位上去世的，享年六十九歲。病情嚴重時，對兒輩叮囑說：「我死後，三天之內，就要封棺，封棺當天，就要入土，不可久留，免得生者死者兩不安寧，公私都煩，沒有益處。家裏缺少餘錢，可以賣掉大房子，另買小宅安居，剩餘的充作埋葬費用，簡單就好。」

別人都欽佩他的通達。

【原文附參】：席豫，襄陽人。唐玄宗時，爲吏部侍郎，以詞藻見稱，而性尤謹。雖與子弟書，及吏簿領，未嘗草書。謂人曰：不敬他人，是自不敬也。或曰：此事甚細，卿何介意？豫曰：細猶不謹，何況巨耶？卒於位，時年六十九。疾篤，謂其子曰：吾亡，三日斂，斂日即葬，勿更久留，貽公私之煩。家無餘財，可賣所居，聊備葬禮。人嘉其達。（見：《舊唐書》、卷一百九十中、列傳第一百四十）

【編者私語】：文字是傳達思想的工具，目的要別人認識，否則就失去寫字的意義。時下人漠視寫字，構架隨意改變，龍飛鳳舞，必須從上下文意中去猜，若單獨挑出該字，則誰也不識。尤其見有人簽名，字如天書，他筆走龍蛇，還自鳴得意，實乃甚愚。我們對自己的姓名，應視爲莊敬神聖的代號，不可猥褻。若是隨意亂畫，那是輕視自己。對自己都不尊重，哪能尊重別人？因爲別人不識，簽名等於白簽也。余亦曾尸位官場，嘗曉諭數十僚屬曰：「余不敢要求簽擬公文時寫字寫得漂亮（那是書法家的事），但要求筆劃清楚（讓人認識）。這是爲不爲的問題，不是能不能的問題。寫字馬虎的人，處理業務也會馬虎。如果字跡認不出來，唯有退回重繕。」這個要求並不苛，馬上就見到成效。

另有一趣談：某公善書法，一日酒醉，有人求字，某公戲寫「不可隨處小便」一幅贈之。受者將字剪開重組，裱為「小處不可隨便」，竟可高懸廳堂。似可與本篇小事豈可不謹添一談助。

三九　千里不換故國（守業）

秦始皇（公元前?—前二一〇）滅了韓國，亡了魏國，想要併吞小國安陵（約在今河南鄢陵縣西北，戰國時魏襄王封其弟爲安陵君，國土只有五十里）。於是派使臣告訴安陵君說：「寡人想拿五百里土地來交換安陵，想必你會應允吧。」

安陵君說：「上國君王賜我厚惠，用大塊土地，來交換我這塊小國土，德意很好。但我繼承的是先王的封地，只願終生守護，不敢交換。」

秦始皇很不高興。安陵君因派唐睢作大使，去和秦國修好。

始皇對唐睢說：「我拿五百里土地交換安陵，安陵君竟然不肯，是何道理?況且我滅韓亡魏，而你們只守著五十里土地，卻還沒有事，乃是看到安陵君是位正直的長者，所以我不在意。現在我用十倍土地交換，安陵君竟敢拒絕，豈不是輕視我麼?」

唐睢答道：「非也，安陵君哪敢輕視你呢?安陵君承受先王封地，只願守住祖業，縱使千里土地也不敢交換，何況只有五百里呢。」

始皇勃然大怒，問唐睢道：「你聽過天子發怒是怎樣的嗎?」

唐睢答道：「我倒還未曾聽過。」

始皇說：「那天子一旦動怒，就會大起干戈，懲罰叛逆，有上百萬的人會被殺掉，鮮血要流遍一千里。」

唐睢反問道：「大王有否聽過布衣（庶人、即平民百姓）發怒是怎樣的嗎？」

始皇說：「那布衣之士發怒，不過是甩落帽子，踢掉鞋子，用頭撞地罷了。」

唐睢道：「那是庸俗的傖夫之怒，並不是英雄之怒。試看那專諸殺王僚時，慧星竟侵襲月亮。聶政刺韓傀時，白虹正橫貫太陽。要離斬慶忌時，蒼鷹在殿上相擊。這三位都是布衣英雄，今天加上我，要湊成四個人了。英雄動了眞怒之際，死的只有你我兩人，鮮血只流五步，但要天下百姓，都穿孝服守喪！」唐睢愈說愈激昂：「這樁壯舉，就發生在此時此地了。」說罷，掣出寶劍，挺身上前，直向始皇逼進。

始皇臉色頓時變白了，趕忙陪罪，對唐睢說：「先生請坐，何至於鬧到這個地步？我已經明白了：那韓國魏國都亡了，而安陵君僅以五十里地卻能獨存，是因爲有你唐睢衛護著呀。」

【原文附參】：秦王使人謂安陵君曰：寡人欲以五百里之地易安陵，安陵君其許寡人。安陵君曰：大王加惠，以大易小，甚善。雖然，受地於先王，願終守之，弗敢易。秦王不悅。安陵君因使唐睢使於秦。秦王謂唐睢曰：寡人以五百里易安陵，安陵君不聽寡人，何也？且秦滅韓亡魏，而君以五十里之地存者，以君爲長者，故不錯意也。今吾以十倍之地，請廣於君，而君逆寡人者，輕寡人歟？唐睢對曰：否，非若是也。安陵君受地於先王而守之，雖千里不敢易也，豈直五百里哉？秦王拂然怒，謂唐雎曰：公亦嘗聞天子之怒乎？唐雎對曰：臣未嘗聞也。秦王曰：天子之怒，伏屍百萬，流血千里。唐雎曰：大王嘗聞布衣之怒乎？秦王曰：布衣之怒，亦免冠徒跣，以頭搶地耳。唐雎曰：此庸夫之怒也，非士之怒也。夫專諸之刺王僚也，慧星襲月；聶政之刺韓傀也，白虹貫日；要離之刺慶忌也，蒼鷹擊於殿上。此三子，皆布衣之士也。與臣而將四矣。若士必怒，伏屍二人，流血五步，天下縞素，今日是也。挺劍而起。秦王色撓，謝之曰：先生、坐、何至於此？寡人喻矣，夫韓魏滅亡，而安陵以五十里之地存者，徒以有先生也。（見：劉向：《戰國策》。又見：《說苑》、卷十二、奉使篇）

【編者私語】：弱國無外交。然而趙國有位藺相如，鄭國有位弦高，安陵國有位唐雎，都是保護國家有智有勇的高士。「布衣之怒」的迴響，今日猶在我們耳際縈旋。關羽有言：「漢家土地，不能尺寸與人。」我們對南沙群島及釣魚台，亦當奉此言爲圭臬。

四〇 三十六人震西域（智勇）

漢明帝（光武帝之子，東漢第二帝）永平十六年（公元七十三年），朝廷派遣班超（公元三十二—一〇二，班彪之子，班固之弟，有投筆從戎故事）與從事郭恂（從事是州官佐吏，如別駕之屬）出使西域。那西域在中國玉門關及陽關之西，烏孫之南，葱嶺之東，喀喇崑崙山脈之北，大部份在今新疆省。《漢書西域傳》說：本三十六國，其後分裂爲五十餘國。

班超首先到達鄯善國（本叫樓蘭國，故地在今新疆鄯善縣東南）。鄯善王名廣，尊奉班超的禮敬原甚隆重，過了幾天，忽然禮貌懈怠了。

班超對部屬們說：「你們察覺到廣王的禮貌疏薄了嗎？這必定是匈奴的使者也來了，他不知該向誰討好，以致游移不定。大凡明智的人，看得出禍事未發生前的徵兆，何況這件事已經擺明了呀！」

於是喚來那服侍他的鄯善籍胡族僕人，嚇詐他說：「匈奴特使已經到了好幾天了，如今安頓在哪裡？」

胡僕嚇怕了，一五一十吐露了實情。班超將胡僕軟禁起來，召集全部隨從吏士三十六人一同飲酒。喝到大家有興緻了，乃激勵他們說：「各位和我，都身處絕域，本望立下大功，以求富貴。可是匈奴使者才到幾天，鄯善王的禮節就突然變壞了。假如他綑綁我們送往匈奴國，我們連骨頭都只有餵豺狼了。這該怎麼辦呢？」

從屬們都答道：「今天已處危險之地，是生是死，都聽隨司馬你的決定好了（班超任軍司馬之職）。」

班超說：「不入虎穴，焉得虎子。如今之計，只有晚上用火攻對付匈奴使臣，令他們不知道我方有多少兵力，勢必大爲震怖，就可一網打盡。消滅了這批匈奴人，破了鄯善的膽，便功成事立了。」

大夥兒建議道：「這是大事，應當與從事郭大人商議一下。」

班超說：「是成是敗，就決定在今天。從事是個文人俗吏，聽到必會害怕，萬一洩露機密，大家會死得不明不白，這不是壯士的表現與作爲。」

大家覺得有理，都同意當夜舉事。

到了晚上，班超領著吏士，潛進到匈奴營帳之旁。恰巧起了大風，班超命十個人帶著鼓，藏身在營帳後邊，下令說：「看到火起，大家就一齊擂鼓，高聲嚷叫。」其他的人，都持刀劍弓弩，伏在營帳前門外面兩邊。班超順著風勢，縱火燒營，前後一齊鼓噪，匈奴人驚懼慌亂，忙著逃命。班超殺了三個人，吏士們斬了正使和隨從三十多人，其餘百來人都燒死了。

第二天，班超將一切告訴郭恂，郭恂先是驚恐，過了一會，知道勝利成功，臉色又活動了。班超猜到他的心意，說道：「郭公你雖然來不及參加，我班超哪會起心獨攬這樁功蹟呢？」這表示有功大家分享，郭恂也就高興了。

班超召來鄯善王廣，出示斬下的匈奴使者頭顱，全國都震懾驚怖，懍於大漢的天威。班超曉以利害，諭以大義，撫慰兼施，鄯善王乃心歸大漢，並且將兒子送來洛陽爲質。隔絕了六十五年的西域，又復內屬於漢了。

【原文附參】：班超與從事郭恂使西域，至鄯善。鄯善王廣奉超禮敬甚備，後忽疏懈。超謂其官屬曰：寧覺廣禮意薄乎？此必有北虜使來，狐疑未知所從故也。明者睹未萌，況已著耶？乃召侍胡詐之曰：匈奴使來數日，今安在乎？侍胡惶恐，具伏其狀。超乃閉侍胡，悉召其吏士三十六人與共飲，酒酣，因激怒之曰：卿曹與我俱在絕域，欲立大功求富貴。今虜使到裁數日，而王廣禮敬即廢，如鄯善收吾屬送匈奴，骸骨長爲豺狼食矣，爲之奈何？官屬皆曰：今在危亡之地，死生從司馬。超曰：不入虎穴，焉得虎子。當今之計，獨有因夜以火攻虜，使彼不知我多少，必大震怖，可殄盡也。滅此虜，則鄯善破膽，功成事立矣。衆曰：當與從事議之。超曰：吉凶決於今日，從事文俗吏，聞此必恐而謀洩，死無所名，非壯士也。衆曰善。初夜，遂將吏士，往奔虜營。會大風，超令十人持鼓，藏虜舍後。約曰：見火燃，皆當鳴鼓大呼。餘人悉持兵弩，夾門而伏。超乃順風縱火，前後鼓噪，虜衆驚亂，超手格殺三人，吏兵斬其使及從士三十餘級，餘衆百許人悉燒死。明日，乃還告郭恂。恂大驚，既而色動。超知其意，曰：椽雖不行，超何心獨擅之乎？恂乃悅。超於是召鄯善王廣，以虜使首示之，一國震怖。超曉告撫慰，遂納子為質。

（見：《後漢書》、卷四十七，班梁列傳第三十七）

【編者私語】：我國歷史，有許多驚心動魄的實事，十分精彩，百看不厭，此篇其中之一也。我們多讀歷史古事，除了可以欣賞許多美好的史劇之外，還可增加不少的眞知碩見，又何樂而不為呢？唾棄吾國歷史的人，徒見自己淺薄，令人浩歎。

「三十六人震西域」，是班定遠一生事業的第一功。今日觀之，猶覺虎虎生風，躍然紙上。「入虎穴，得虎子」，已成千古名言。想當時，他因禮敬疏怠，察之以見其機。詐詰侍胡，懾之以得其實。閉之別室，禁錮以密其謀。激怒吏士，危言以堅其志。分功與郭，謙讓以消其妒。曉諭鄯善，威化以收其心。步步貫串，連續以竟其功。只費一宵，快步以畢其事。這是智勇兼備，果決建功，無一懈可擊，誠傑作也。

（附註：本書唯此篇稍長，原文略近五百字，因其內容佳甚，不忍割捨，故錄以供賞。）

四一　三個朝代沒升官（際遇）

漢武帝時，有一次他乘著御車，巡行到了郎署（郎是官名，署是郎官們的辦公廳）。看到署裡一位年老的官員，頭髮鬍鬚都花白了，衣服也不太完整，顯得很潦倒。

武帝問他道：「先生從甚麼時候起做了郎官？爲甚麼年紀這麼大了？」

那位老人說：「我叫顏駟，江都人（今江蘇揚州）。漢文帝時代，就做了郎官，直到現在。」

武帝問道：「爲甚麼一直沒有碰到升官的機會呢？」

顏駟說：「早先漢文帝時代，文帝喜歡文學，我習的卻是武學。後來到漢景帝時代，景帝喜歡老成的人，我那時卻太年輕。如今你做了皇帝，喜歡年輕，我卻已經老了。雖然我歷經三個朝代，卻一直沒有升官的機會。」

武帝聽了，深受感動，便升他爲會稽都尉。

【原文附參】：上（指漢武帝）嘗輦至郎署，見一老人，髭鬚皆白，衣服不完。上問曰：公何時爲郎？何其老矣。對曰：臣姓顏名駟，江都人也。文帝時爲郎。上問曰：何不遇也？駟曰：文帝好文，臣好武。景帝好老，臣尚少。陛下好少，臣已

老。是以三世不遇。上感其言，拜爲會稽都尉。（見：淸、朱綱正《朱氏淘沙》、卷一）

【另文錄參之一】：馮唐者，其大父趙人，父徙代，漢興，徙安陵。馮唐以孝著，爲中郎署長，事文帝。文帝輦過，問馮唐曰：父老何自爲郎？家安在？馮唐具以實對。文帝拜唐爲車騎都尉。武帝立，求賢良，舉馮唐，馮唐時年九十餘，不能復爲官矣。（見：漢、司馬遷：《史記》卷一百二、列傳第四十二）

【另文錄參之二】：操行有常賢，仕宦無常遇。賢不賢才也，遇不遇時也。昔周人有仕，數不遇，年老白首，泣涕於塗者。人或問之：何爲泣乎？對曰：吾仕、數不遇。自傷年老失時，是以泣也。人曰：仕、奈何不一遇也？對曰：吾年少之時，學爲文；文德成就，始欲仕官，人君愛用老。用老主亡後，新主愛用武；吾更爲武，武節始就，武主又亡。今少主始立，好用少年；吾年已老，是以未嘗一遇也。（見：東漢、王充：《論衡》、卷一、逢遇篇）

【另文錄參之三】：顏駟，不知何許人，漢文帝時爲郎。至武帝，輦過郎署，見駟龐眉皓髮。上問曰：叟何時爲郎？何其老也？答曰：臣、文帝時爲郎。文帝好文，而臣好武。至景帝，好美、而臣貌醜。陛下即位，好少、而臣已老，是以三世不遇。上感其言，拜爲會稽都尉。（見：《文選》、張衡《思玄賦》注引漢武故事）

【編者私語】：王勃《滕王閣序》說：「馮唐易老（見本篇另文錄參之一），李廣難封（李廣伐匈奴七十餘戰，到老不得封侯）。」故孔子說：「遇不遇者時也」（見本書第七三厄於陳蔡篇）。在朝者，不一定盡是棟樑；在野者，不見得都是朽木。要想朝無倖進，野無遺賢，難矣哉。

四二　三子都不近人情（奸佞）

管仲（公元前？—前六四五，佐桓公，九合諸侯，一匡天下）病得很重，齊桓公（名小白，春秋五霸之首，尊周室，攘夷狄）前往探視。問管仲道：「你看這多臣子之中，誰個可以接任宰相呢？」

管仲說：「只有你做國君的，才最瞭解臣子的才能的呀！」

桓公問道：「你看易牙（亦作狄牙，是烹調高手，後世廚師奉他為祖）怎麼樣？」

管仲說：「你喜歡美味，想嚐人肉，這個易牙，竟然把親生幼兒殺掉，烹成美食，迎合你的口腹之慾。最愛莫如親子，兒子都可宰殺，哪裡會愛護齊國。他不近人情，不可以作相。」

桓公又問：「你看開方（春秋時衛國的公子）怎麼樣？」

管仲說：「開方放棄了衛國公子貴族身分，來作你的臣子，討你的歡心，意在抓權。尊莫尊於父母，雙親及家庭都可背離，哪裡會尊重齊國。他也不近人情，不可接近。」

桓公再問：「你看豎刁（桓公宮中侍御之人，稱為寺人）怎麼樣？」

管仲說：「豎刁閹割了自身，成為太監，進入宮中服侍你。珍貴莫過於自己的身體，自身都可以殘害，哪裡會珍惜齊國。他更不近人情，不可以當作親信之臣。」

管仲死後，桓公沒有聽信他的忠告，終於任用這三個佞臣在自己身邊。三人專權，作亂，桓公竟然被害死了。

【原文附參】：管仲病，桓公問曰：群臣誰可相者？管仲曰：知臣莫若君。公曰：易牙如何？對曰：殺子以適君，非人情，不可。公曰：開方如何？對曰：背親以適君，非人情，難近。公曰：豎刁如何？對曰：自宮以適君，非人情，難親。管仲死，桓公不用管仲言，卒近用三子。三子專權，桓公因此而死。（見：《史記》、卷三十二、齊太公世家第二）

【編者私語】：唐朝有個盧杞，作相三年，忌能妒賢，人人厭恨。唐德宗卻不知，還問道：「衆人都謂盧杞奸邪，朕何不知？」李勉說：「盧杞奸邪，天下人皆知，唯陛下不知，此所以爲大奸也。」（見《舊唐書》卷一三五）諸葛亮《出師表》說：「親賢臣，遠小人，此先漢所以興隆也。親小人，遠賢臣，此後漢所以傾頹也。」（見《三國志》蜀志）小人誤國，豈淺尠哉？現在小人奸人更多了，這種人口是心非，口蜜腹劍。未得志前，竭力巴結；一旦得志，全都變了。爲了自己的私利，不惜殺掉同志，加害朋友，而以搞政治的人爲最；在圈子內的人，想盡辦法向上爬；在圈子外的人，想盡辦法往裏鑽。無怪有人說：搞政治是最骯髒的，公忠體國的卻太少了。

四三　三次薦舉同一人（稱職）

宋太宗（九三九—九九七，名趙光義，太祖趙匡胤之弟）要宰相府推選適當的人，出使北方遼國，擔任和談代表（遼國原是契丹，起於今熱河省。宋太宗幾次交兵，都打了大敗仗。那楊業楊延昭楊宗保就是這時的事）。宰相呂蒙正（字聖功，是賢相）薦舉一人，將姓名呈奏宋太宗，太宗不同意。

以後幾天，太宗問了三次，呂蒙正三次都寫上前次推舉的那個人。太宗大發脾氣，把薦舉公文丟在地上，當著滿朝大臣責怪呂蒙正說：「你爲甚麼這樣執拗，三次都只提同一個人？」

蒙正並未屈從，只緩緩地回奏說：「並不是我執拗，我的堅持是有理由的。」然後極力稱許這個人足可勝任，其餘的人都不及他。又說：「我不願用諂媚的行爲順著主上的心意來派職，以免危害國事。」同朝的大臣，都驚懼屏氣不敢動。蒙正慢慢地將地上的公文拾起，納入懷裡，下殿退去。

太宗散朝以後，對身邊的人說：「這呂蒙正老頭子的氣量，我不如他。」後來，終於准用蒙正推薦的那個人。事畢還朝，奏報談判的結果，竟深合宋太宗的心意。

【原文附參】：帝嘗諭中書選人使朔方，蒙正以名上，帝不許。他日三問，三以其人對。帝怒，投其書於地，曰：何太執耶？蒙正徐對曰：臣非執。因固稱其人可使，餘人不及。臣不欲用媚道妄隨人主意，以害國事。同列皆惕息，不敢動。蒙正拾其書，懷之而下。帝退，謂左右曰：是翁氣量，我不如也。卒用蒙正所選。復命，大稱旨。（見：畢沅：《續通鑑》、宋紀、太宗）

【編者私語】：強弱之勢不同，談判之使難做。孔子說：「使於四方，不辱君命，可謂士矣。」（見《論語子路章》）若非呂相堅持，此人不會出頭；若非此人折衝，和談難以滿意。

四四　三年壞話三年好話（毀譽）

晏子（晏嬰）治理阿縣（即古齊國東阿，在今山東省陽穀縣）三年了，滿朝聽到的，都是批評他的壞話。齊景公很不高興，把他叫回朝廷，要免掉他的官職。

晏子請求說：「我知道過錯何在了。請讓我再做一陣子，也好改正錯誤。」又做了三年，這時通國聽到的，都是贊美他的好話。齊景公很快慰，便想獎賞他，晏子辭謝，不肯接受。

景公問道：「你做得這麼好，爲何不肯受獎呢？」

晏子回答說：「前三年我以直道治阿，你應當獎賞我的，但惰民權貴都討厭我，四處傳佈我的壞話，因而要免我的官職。後三年我以曲媚治阿，你應當殺掉我的，但惰民權貴都喜歡我，四處傳佈我的好話。因而要獎賞於我。這不合我的心願，所以我不能接受。」

子華子（本篇採自《子華子》，作者爲春秋晉國程本，子華子爲他的號）聽到後評論道：「晏子可謂正直不阿的人了。本來人的常情，乃是對於順同我的人，便贊美他、幫助他、愛護他。那愛護的反面便是憎惡，幫助的反面便是排擠，贊譽的反面便是詆毀。但是做首長的，常是觀察不到。大凡一個國家的治亂，就決定在這譽和毀、愛和憎、助和擠的正反之間。賢人在位，政事清明；小人在位，政事便敗壞了。」

【原文附參】：晏子治阿三年，毀聞於朝。公不悅，召而將免焉。晏子辭曰：臣知過矣，請復之。三年，而舉國善之。公將賞，晏子辭焉。公曰：何謂也？晏子對曰：昔者臣之所治，君之所當取也，而更得罪焉。今者臣之所治，君之所當誅也，而更得賞焉。非臣之情，臣不願也。子華子聞之曰：晏子可謂直而不阿者矣。夫人之常情，譽同於己者，助同於己者，愛同於己者。愛之反則憎，助之反則擠，譽之反則毀。然而人主不之察也。世之治亂，蓋常存乎兩間。（見：春秋晉、程本：《子華子》、上卷、北宮子仕第三。又見：《晏子春秋》、內篇、雜上第五。又見：《說苑》、卷七、政理篇）

【編者私語】：傳言難實，不可輕信。正直招來誹謗，諂媚反被贊美。君不見：「周公恐懼流言日（他一心為國，謠傳他要篡位），王莽謙恭下士時（他要當皇帝，假意謙恭）。」孔子說：「目猶不可信，心猶不足恃（參閱第三五二「眼見猶不可信」篇）。」侯嬴說：「人固未易知，知人亦未易也（參閱第二二「了解人眞不容易」篇）。」今有一官，現更崇居高位，當他任部長時，要求公關室將他的大名，三天必須在報紙上出現一次，以增聲譽。至於他的政績表現，大家心裡都清楚，不敢恭維。

四五　天有頭嗎（飽學）

三國時，蜀國劉備（一七〇—二二三）與吳國孫權（?—二五二）聯盟，合力抗曹。吳國派張溫（字慧恕，爲尚書）到蜀國報聘，蜀國爲表歡迎，舉行宴會，百官都到了，獨有秦宓（字子勑）還未到。諸葛亮（?—二三四）幾次派人去促駕，要等他來才開宴。

張溫見大家候他一人，便問道：「這秦宓先生是何許人?」

諸葛亮說：「他是我益州（蜀國主要根據地，即今四川全省）的飽學之士。」

秦宓終於來了。張溫想了解他，便問他道：「秦先生唸過書嗎?」

秦宓說：「在這益州，小孩子全都唸過書，我這微賤的人何能例外?」

張溫本是淵博多才之士，想趁機考一考秦宓，便問他道：「天有頭嗎?」

秦宓說：「有。」

張溫問道：「頭在何方?」

秦宓說：「《詩經》云：『乃眷西顧，此維與宅』（大雅皇矣章中詩句）。由這句話推知，頭在西方。」

張溫問道：「天有耳嗎?」

秦宓說：「天位雖高，但聽覺靈敏。《詩經》云：『鶴鳴九皋，聲聞於天』（小雅鶴鳴章中詩句）。倘若皇天無耳，用甚麼來聽？」

張溫問道：「天有腳嗎？」

秦宓說：「《詩經》云：『天步艱難，之子不猶』（小雅白華章中詩句）。如果天而無足，如何走步？」

張溫問道：「天有姓嗎？」

秦宓說：「姓劉。」

張溫問道：「何以知道姓劉？」

秦宓說：「當今『天子』姓劉（按指當時蜀國先主劉備），所以就知道了。」

他二人一問一答。問得怪，答得快。連破僻題，如響斯應。秦宓答得氣定神閒，使張溫大爲敬服。

【原文附參】：吳遣張溫聘蜀，百官皆餞焉。宓未往，諸葛亮累催之。溫曰：彼何人也？亮曰：益州學者也。及至，溫問宓曰：君學乎？宓曰：三尺童子皆學，何必小人。溫復問曰：天有頭乎？宓曰：有之。溫曰：何方？宓曰：詩云：乃眷西顧。以此推之，頭在西方。溫曰：天有耳乎？宓曰：天處高而聽卑。詩云：鶴鳴九皋，聲聞於天。若其無耳，何以聽之？溫曰：天有足乎？宓曰：天步艱難，之子不猶。若其無足，何以步之？溫曰：天有姓乎？宓曰：姓劉。溫曰：何以然也？答曰：今天子姓劉，故此知之。答問如響，應聲而出，於是溫大敬服。（見：晉、常璩：《華陽國志》、卷第七、劉後主志。又見：梁孝元帝：《金樓子》、卷第五、捷對篇十一）

【編者私語】：腹笥博厚兮才學飽，妙答僻問兮難不倒；應聲即對兮捷智巧，蜀有潛龍兮現一爪。

四六　日偷一雞（決斷）

戰國時代，宋國（國都約在今河南商丘。春秋時，宋襄公曾爲霸主）大夫戴盈之，掌理全國稅收。他知道宋國厚斂苛徵，重稅擾民，有意改革稅政，但決心不夠。

有一天，他問孟子（元前三七一—元前二八九）說：「依古代井田之制，按土地農作物的收成，國家只抽十分之一的田賦，可紓解農民的窮苦。此外，廢除關市的貨物稅，讓商品免稅流通，可紓解商人的困頓，兩者都是良法美意，而且合於先王之道。但是，宋國現刻還做不到。我打算慢慢地放寬，等到來年再完全滅除。你看好不好？」

孟子引個寓言，回答道：「譬如現在有一個人，每天偷鄰家養雞場一隻雞，偷了不少的日子了。朋友對他說：『你每天偷雞，這不是正人君子的行徑，要馬上住手才是。』這人說：『我也知道不對，但現刻還做不到，只想慢慢地減少，我改爲一個月偷一隻雞，等到來年再完全歇手，這樣好嗎？』我們如果知道這事不對，那就趕快改掉，爲甚麼要拖拖拉拉，等待來年呢？」

【原文附參】：戴盈之曰：什一、去關市之征，今茲未能，請輕之，以待來年然後已。何如？孟子曰：今有人日攘其鄰之雞者，或告之曰，是非君子之道。曰：請損

之，月攘一雞，以待來年然後已。如知其非義，斯速已矣，何待來年？（見：《孟子》、滕文公章句上）

【編者私語】：虐政傷民，敝政擾民，不求速去，乃是因循。這種猶豫瞻顧的墮性，和那日攘一雞的譬譬，沒有甚麼不同。要學壯士斷腕，須憑大智大勇。

四七　犬兔俱疲（兩傷）

戰國時期，齊國想攻打魏國。齊國的辯士淳于髡（淳于是複姓，名髡、音坤），用譬喻向齊王進言道：

「天下有隻跑得最快的狗，名字叫做韓子盧。又有一隻世界上最機靈敏捷的兔子，名字叫做東郭逡。那隻跑得最快的叫韓子盧的狗，去追捕那隻最機敏的叫東郭逡的兔子。他們環繞著山的周邊追了三圈，越過山頂又追了五圈。兔子極力在前面逃，狗兒也竭力在後面趕。最後兔和狗都跑得力窮氣盡，就在路邊上倒斃下來了。正巧被耕田的農夫看見，他不費半點力氣，一下子獲得了一隻狗和一隻兔。

「現在大王要攻打魏國，魏國兵力不弱，必會長期對抗。日久相持不下，兩國的兵力都會困頓不堪，百姓們也會疲憊不已。我倒害怕那西方兵強將勇的秦國，和南方那廣土衆民的楚國，會趁我齊魏雙方國力衰竭的機會，從側面和後面攻進來。正好有如那耕田的農夫，不必費力，就會有重大的斬獲了。」

齊王一聽，起兵確也不利，就解散部隊休兵了。

【原文附參】：齊欲伐魏。淳于髡謂齊王曰：韓子盧者，天下之疾犬也。東郭逡者，海內之狡兔也。韓子盧逐東郭逡。環山者三，騰山者五。兔極於前，犬廢於後。犬兔俱疲，各死其處。田父見之，無勞倦之苦，而擅其功。今齊魏久相持，以頓其兵、敝其衆，臣恐強秦大楚乘其後，有田父之功也。齊王懼，謝將休士。

（見：《戰國策》、齊策。又見：《經世奇謀》、卷之三、諷諫類）

【編者私語】：戰國時代，各國交相攻伐，有時聯甲乙以攻丙，又聯乙丙以攻甲。但殺人一萬，自損三千。《孫子兵法·始計篇第一》便說：「兵者、國之大事，死生之地，存亡之道，不可不察也。」故起兵之前，須作通盤考量。否則鷸蚌相爭，兩敗俱傷，徒然讓漁翁不勞而獲，豈非失算。淳于髡之言，足可爲後世兵爭者之諷鑑。

四八　不死之藥（妄誕）

春秋時代，有人煉成了不死之藥，呈獻給楚王（楚王即荆王，《左傳》莊公十年注：荆、楚之本號）。到了皇宮門前，由管門的人（掌賓讚的人，叫謁者），將不死之藥捧進宮裡。走到中殿殿前，有位中射之士（古時重視射箭，這是宮中執射守衛的武官）攔住問道：「這是甚麼？」

門人說：「這是不死之藥。」

中射之士問道：「可以喝嗎？」

門人說：「當然可以喝呀！」

中射之士接了過來，自己喝了。

楚王聞之大怒，要殺他、中射之士申訴道：「我問了門人，他說可以喝，所以我才喝的。這樣看來，我當無罪，有罪的是那門人。進一步說，客人獻來的是不死之藥，我喝了而大王殺死了我，這藥便是死藥，乃是客人欺騙了大王，而非不死之藥也。如今大王一面要將無罪的我殺之而死，一面卻又證明了客人用假藥欺騙大王，似乎兩面失察，豈不有損皇威；不如免予追究，將我釋放爲妙。因此我懇求大王明鑒：如果是眞藥，就殺我我也不會死；如果我被殺死，那豈不是假藥嗎？」

楚王果眞沒有殺他。

【原文附參】：有獻「不死之藥」於荊王者，謁者操之以入。中射之士問曰：可食乎？曰：可。因奪而食之。王大怒，使人殺中射之士。中射之士說王曰：臣問謁者曰可食，臣故食之。是臣無罪，而罪在謁者也。且客獻不死之藥，臣食之而王殺臣，是死藥也，是客欺王也。夫殺無罪之臣，而明人之欺王也，不如釋臣。王乃不殺。（見：《韓非子》、卷第七、說林上、第二十二）

【另文錄參之一】：秦始皇二十八年，齊人徐市等上書，言海中有三神山，名曰蓬萊、方丈、瀛洲，仙人居之。於是遣徐市發童男女數千人，入海求仙藥。又：三十二年，使韓終、侯公、石生，求仙人「不死之藥」。（見：《史記》、卷六、秦始皇本紀第六）

【另文錄參之二】：徐福，字君房，秦之方士。始皇時，大宛中多枉死者，有神鳥含草覆死人面即活。鬼谷先生謂是東海「祖洲」上「不死之草」，始皇乃遣徐福求之。福領童男女各三千人與偕，乃乘樓船入海，一去不返。（見：宋、李昉：《太平廣記》）

【另文錄參之三】：祖洲在東海之中，去西岸七萬里。上有「不死之草」，形如菰苗。人死以草覆之皆活，服之令人長生。秦始皇遣使者以問北郭鬼谷先生，鬼谷先生曰：吾知東海祖洲上，有不死之草，生瓊田中，或名爲「養神芝」，一株可活一人。始皇乃遣使者徐福，發童男童女五百人，率樓船入海，尋祖洲，遂不返。（見：漢、東方朔：《海內十洲記》、祖洲）

【另文錄參之四】：昔荊王時，有獻「不死之藥」者。漢武帝時，亦有獻「不死之酒」者。東方朔竊飲之，帝欲殺朔。朔曰：殺臣、臣亦不死；臣死、酒亦不驗。（見：明、謝在杭：《文海披沙》、方朔詼諧章）

【另文錄參之五】：羿（羿是夏代有窮之君，又叫后羿）請「不死之藥」於西王母，姮娥（按姮音恆。姮娥是后羿之妻。到漢代時，因漢文帝名恆，漢人避皇帝名諱，改姮爲嫦，以後相沿乃叫嫦娥）竊之以奔月，是爲蟾蜍。（見：南朝宋、范曄：《後漢書》、天文志注）

【另文錄參之六】：羿請「不死之藥」於西王母，姮娥（嫦娥也）竊之奔月宮。（見：漢、劉安：《淮南子》、覽冥）

【另文錄參之七】：中衡去周，七萬五千五百里。中衡左右，冬有「不死之草」，夏長之類。此陽彰陰微，萬物不死，五穀一歲再熟。（見：漢、趙君卿注；北周、甄鸞重述；唐、李淳風注釋：《周髀算經》、卷下之一。列入文淵閣四庫全書第七八六冊）

【另文錄參之八】：有獻「不死之藥」於荊王者，謁者操以入。中射之士問曰：可食乎？曰：可。因奪而食之。王怒，使人殺中射之士。中射之士使人說王曰：臣問謁者，謁者曰可食，臣故食之。是臣無罪，而罪在謁者也。且客獻不死之藥，臣食

之而王殺臣，是死藥也。王殺無罪之臣，而明人之欺王也。王乃不殺。（見：漢、劉向：《戰國策》、卷第十七、楚四）

【另文錄參之九】：蓬萊、方丈、瀛州，此三神山者，在勃海中，諸僊人及「不死之藥」在焉。始皇使人齎童男女入海求之，未能至。後五年，始皇南至湘山，遂登會稽，並海上，冀遇海中三神山之奇藥，不得。還至沙丘，崩。（見：漢、司馬遷：《史記》、卷第二十八、封禪書第六）

【另文錄參之十】：羿請「無死之藥」於西王母，姮娥竊之以奔月。將往，枚卜之於有黃。有黃占之曰：翩翩歸妹，獨將西行，逢天晦芒，毋驚毋恐，後且大昌。姮娥遂託身於月，是爲蟾蜍。（見《後漢書》、卷二十、天文志第十、天文上。劉昭注曰：「張衡天文之妙，冠絕一代，所著《靈憲》，具辰燿之本，今寫以備其理焉。按本段即出自《靈憲》）

【另文錄參之十一】：武帝末年，彌好仙術，與東方朔狎暱。帝曰：朕所好、甚者、「不死」，其可得乎？朔曰：臣能使少者不老。帝曰：服何藥耶？朔曰：東北有地日之草。帝曰：何以知之？朔曰：三足烏，數下地、食此草。帝曰：子何以知乎？朔曰：臣小時掘井，陷落地下，數年無所托寄。有人引臣，欲往食此草。中隔紅泉，不得渡。其人以一隻屐與臣。臣泛紅泉，得至此草之處，臣求而食之。（見：淸、陳夢雷原編、民國、楊家駱類編、鼎文書局版：《古今圖書集成》、博物類編、神異典、第三百四卷、服食部）

【另文錄參之十二】：岱輿山北，有玉梁千丈，駕元流之上。紫苔覆漫，味甘而柔滑，食者千歲不饑。有遙香草，其花如丹，光耀如月。葉細長，而白如忘憂之草。其花葉俱香，扇馥數里，故名「遙香草」。其子如意，中實甘香。久食延齡萬歲，仙人嘗採食之。（見：《古今圖書集成》、博物類編、神異典、第三百四卷、服食部）

【編者私語】：服藥就可不死，不禁要問那製藥方士，何不先服而永享長生？倘眞此藥有靈，爲何不能多製，讓天下服藥之人，都可存活至今日也耶？服一帖即可不死，衡之現代科學，應是無稽之談。有關不死藥、不死草、不死酒之記載，見於前人書中者，茲集十三篇，諒皆屬於妄誕：不死本來無妙藥，長生哪會有仙丹；秦皇漢武今何在？應笑癡人續命難。

四九　不受贓賞（廉正）

東漢鍾離意（鍾離是複姓，意名），字子阿。潔身不苟取。漢明帝即位（東漢第二位皇帝，公元五八年登位，在位十八年）後，他作尚書（在朝廷管奏章及宣示等事），很有政聲。

那時交阯（即交趾，今越南北部）太守張恢收受贓賄，價値千金，案子揭發了，被調回依法處死，贓財沒收，繳交大司農（掌管銀錢穀粟的中央部會）入賬。明帝下詔，將部份財寶，頒賜朝中各大臣，以示恩寵。

鍾離意官任尙書，當場分到許多珠璣（老蚌結成的珍珠，圓的稱珠，不圓的稱璣）。他全部棄置在朝殿地上，不肯收受，也未向明帝行叩謝領賜之禮。

漢明帝覺得怪異，就垂問他爲何別人都受了，你獨不受？

鍾離意奏道：「我聽說：孔子即使口渴，也不喝那名叫「盜泉」的水，曾子見到有個閭里名叫「勝母」，就將馬車折返，不進入里門，都是爲了那兩處名字很壞的緣故。今天皇上賞賜的珍寶，我認爲乃是贓賄之物，也是髒穢之物。來源不正，所以不敢拜受。」

漢明帝贊歎道：「賢卿這段話，淸白純正，眞不愧是尙書之言。」便另從國庫銀錢中頒賜鍾離意三十萬。

【原文附參】：鍾離意，字子阿。顯宗即位，徵爲尚書。時交阯太守張恢，坐贓千金，徵還伏法。以資物簿入大司農，詔班賜群臣。意得珠璣，悉以委地而不拜賜。帝怪而問其故。對曰：臣聞孔子忍渴於盜泉之水，曾參回車於勝母之閭，惡其名也。此贓穢之寶，誠不敢拜。帝嗟歎曰：清乎尚書之言。乃更以庫錢三十萬賜意。（見：《後漢書》、卷四十一、列傳三十一。又見：《龍文鞭影》、二集卷下、委珠子阿）

【編者私語】：鍾離意獲得珠寶，皇帝所賜，卻以來路不光明而拒受，豈非傻得可惜？現代人的觀念變了，多想一夜發財，寧可搶騙貪呑，且以驕其朋輩。所謂廉恥節操，已經很少顧及。世風之不古，不知如何挽此狂瀾？

五〇 不疑何卜（決斷）

唐初，張公謹（繁水人），字弘愼。處事精明，饒有識見。當時李勣（五九四—六六九，後封英國公）與尉遲敬德（即尉遲恭，後封鄂國公）都很推重他，多次向那時尚是秦王的李世民（五九八—六四九，後爲唐太宗）保薦。李世民引進他在秦王府裡服官，很受信賴。

李世民有兩位兄弟，長兄李建成，立爲太子，荒色嗜酒，諡隱。幼弟李元吉，也曾帶兵，但猜鷙驕侈，後來追封巢王。他兩人因妒忌李世民英明且屢立大功，弟兄勾結起來，企圖謀殺李世民，將來繼承帝位便沒有阻礙了。

尉遲敬德勸秦王李世民反擊，先行除掉兩人，李世民準備要行動了。有人找來卜人占卦，卜之於神，請示凶吉。

張公謹從外面進來，看到了，他把龜甲（卜卦的用具）搶了過來，丟在地上，說道：「卜卦是猶豫時求神明告知禍福，疑惑時由卦象指點迷津的。今天此舉，事有必要，勢在必行，不能猶豫，沒有疑惑，幹嘛要問卜？假如卜卦不吉，難道就歇手了嗎？」

李世民也覺有理，回應道：「公謹的話很對，不用卜卦了。」果然在長安大明宮北的玄武門一舉成功，歷史上稱爲玄武門之變。

張公謹因決斷有功，封爲定遠公，卒年四十九。死時唐太宗還哭了一場。

【原文附參】：張公謹，字弘愼。李勣與尉遲敬德數啓秦王，乃引入府。王將討隱巢亂，使卜人占之。公謹自外至，投龜於地曰：凡卜以定猶豫、決嫌疑。今事無疑，何卜之爲？卜而不吉，其可已乎？王曰：善。以封定遠公。卒年四十九。帝哭之。（見：《新唐書》、卷八十九、列傳第十四）

【編者私語】：明末陵紹玠《醉古堂劍掃》卷五「素部」云：「行合道義，不卜自吉。行悖道義，總卜亦凶。人當自卜，不必問卜。」大凡一個人心無定見時，就只好卜卦求神，請菩薩神靈指點。卜卦和測字算命都是一類的，問題是：自己缺乏決斷能力，不去請教識廣驗豐的高人，求得正確的解答，卻相信那木偶龜甲的胡亂顯示，或是江湖術士的信口瀾言，這靠得住嗎？《論語》子罕篇孔子曰：「智者不惑（對事理沒有懷疑），仁者不憂（對信念沒有憂慮），勇者不懼（對作爲不會害怕）。」《論語》堯曰篇孔子又說：「不知命，無以爲君子也。」命運操在自己手裡，又何必去抽靈籤、擲杯筊呢？求神的人這麼多，神壇對我有多少了解？它怎能知悉我目前的困難？能幫我出個好主意嗎？龜殼也、杯筊也，只是骨甲竹木呆物，會有靈性嗎？憑甚麼經此一擲就可決斷我的一生？仔細一想，此中疑點恐怕太多了吧。

五一　不癡不聾（度量）

唐朝郭曖（郭子儀的第六子），在永泰元年（七六五），與唐代宗（名李豫，在位十七年）的女兒昇平公主結婚。之後，有一天，兩小口在閨房中鬥嘴，郭曖氣來了，說：「你仗著爸爸是天子嗎？有甚麼了不起？我爸爸連天子都看不上眼，還不想做呢？」

昇平公主認爲受了大辱，惱怒之下，急命駕車，立即奔回皇宮，向爸爸唐代宗投訴。

代宗勸慰女兒說：「這是國家大事，你就不知道了。郭曖所說的話，確實是眞的。如果他爸爸郭子儀（六九七—七八一，歷仕玄宗肅宗代宗德宗四朝，身繫唐室安危四十年）想做皇帝，隨時都可以辦到。他若起心，天下哪是你我李家所有的呢？」安撫了女兒，以後不可胡亂鬥氣，叫她回夫家去了。

郭子儀聞知兒子誹謗天子，這還了得？究辦起來，是要殺頭的。他立即將郭曖打入囚籠，禁閉起來，然後進宮請罪，聽候發落。

代宗說：「有句俗話道：『不癡不聾，不爲家翁』（做翁姑的，不計較兒子媳婦間的小事，要裝聾作啞）。小兒小女在閨房裡說的話，怎可當眞呢？不理會就得了！」

郭子儀回家後，仍認爲兒子不該，皇上雖不怪罪，家法還得執行，喚出郭曖，仆在正廳，命侍衛打了兒子幾十下竹板子。

【原文附參】：郭曖嘗與昇平公主爭言，曖曰：汝倚乃父爲天子耶？我父薄天子而不爲。公主恚，奔車奏之。上曰：此非汝所知，彼誠如是。使彼欲爲天子，天下是汝家所有耶？慰諭令歸。子儀聞之，囚曖，入待罪。上曰：鄙諺有之：不癡不聾，不爲家翁。兒女子閨房之言，何足聽也？子儀歸，杖曖數十。（見：《資治通鑑》、卷第二百二十四、唐紀四十、代宗中之上）

【編者私語】：小丈夫郭曖：輕視天子，我父不屑，何其任性也。小媳婦昇平公主：氣回娘家，御前告狀；何其嬌縱也。皇帝唐代宗：賣傻裝聾，不加理會；何其大度也。重臣郭子儀：國法雖免，家法要治；何其守分也。由於這四位角色的互相搭配，生旦淨末，各擅勝場，演來抑揚頓挫，乃有此一齣涉及國家政權到閨房私語的溫馨鬧趣之劇，提供我們樂賞。

五二　以殺止謗（爲政）

西周時代，周厲王（名胡。本篇約當公元前八四五年）暴政虐民，國內許多人都怨謗他，以宣洩心中的不滿。

朝裡有位大臣召公（即召穆公，名虎）勸周厲王說：「百姓都不能忍受這種不合民心的政令了。」

周厲王反而生怒，請到一個衛國的神巫（巫祝也，能通神作法），來探察國人誰在說壞話。只要遭到告發，就把誰殺掉。如此一來，大家都不敢批評了。行路相遇，也不敢開口亂說，只能用眼色來顯示內心的怨恨。

周厲王很爲得意，高興的告訴召公說：「我自有辦法止住謗言，你看，他們終於不敢再講了吧！」

召公道：「你這樣做，只是堵塞住他們的嘴罷了。要知道：防止人民講話，比防止河川泛濫，還要難得多。如果江河受到堵塞，大水一旦沖潰了堤壩，受災害的人便太多了。對待百姓，也是這樣的。所以治理江河的人，都是疏浚淤塞，讓大水向下宣洩。治理民政的人，都是開放言禁，讓百姓自由說話。倘使各種意見都說了出來，就會有些是好的而有些是壞的。百姓喜歡的，政府採行它，百姓厭惡的，政府改善它，便可使財貨衣食的用度增加豐富了。由此看來：人民心中所關注的事，應該讓他們從嘴裡宣吐出來，若是成熟的意見，政府就可納入施政綱領，替人民謀福，哪裡可以堵塞民意呢？如若封死他們的嘴，口雖不言，而心卻不服，那末親附政府的人還會有多少呢？」

厲王不聽，虐政如故，人民沒有誰膽敢批評國政。三年之後（公元前八四二年），厲王被驅逐到晉屬的彘地（今山西霍縣境內）去過流放生涯，終於死在那裡。（見：《史記》周本紀：「厲王虐，諸侯不朝。三年，國人相與畔，襲厲王，厲王出奔彘，死。」）

【原文附參】：厲王虐，國人謗王。召公告王曰：民不堪命矣。王怒，得衛巫，使監謗者。以告，則殺之。國人莫敢言，道路以目。王喜，告召公曰：吾能弭謗矣，乃不敢言。召公曰：是障之也。防民之口，甚於防川。川壅而潰，傷人必多，民亦如之。是故爲川者，決之使導；爲民者，宣之使言。口之宣言也，善敗於是乎興。行善而備敗，所以阜財用衣食者也。夫民慮之於心，而宣之於口，成而行之，胡可壅也？若壅其口，其與能幾何？王弗聽，於是國人莫敢出言，三年，乃流王於彘。

（見：左丘明：《國語》、上、第一）

【編者私語】：「防民之口，甚於防川。」當是至理。由於人心不同，意見自難齊一。若要人人順服於我，那只有厲行「洗腦」一途。然而洗腦僅能收效於短時，不能控制於久遠。故明智之賢君，都同意開放言路，讜論可予採納，歪論則予導正，這就是對待民意的方法。降至秦代，《史記》秦始皇本紀所載「偶語者棄市」，《集解》說那是「禁民聚語，畏其謗己也。」同樣終至敗亡。現在海峽兩岸，似都宜以本篇爲參鑑。

五三　太牢換粗食（反間）

楚漢相爭，楚項羽（前二三二—前二〇二，稱西楚霸王）與范增（前二七七—前二〇四，尊爲亞父）在滎陽（位今河南省）急急圍困了劉邦（前二四七—一九五，爲漢王）。劉邦的情況十分危險。

劉邦乃用陳平（前？—前一七八）的反間計來離間項羽和范增。那時漢弱楚強，劉邦有意和談，項羽同意了，雖然范增反對，雙方仍互有使節往還。

項羽的使臣來了。劉邦準備了豐盛的太牢佳餚（天子所用，牛羊豕三牲俱備的盛饌叫太牢）和精美餐具，端出來接待。劉邦進入餐廳，一見使者，假意吃驚，裝成錯愕狀，說道：「我聽說是亞父（稱范增的號，表示尊敬）的使者來了，卻原來是項羽派來的！」吩咐將盛饌全部撤下，換成粗劣的食物讓項羽的使臣勉強果腹。

使者回去報告項羽，項羽果然懷疑范增和劉邦私下有了勾結。范增受冤大怒，說道：「天下事已經大定了（那時楚盛漢衰，劉邦快被消滅），大王你好自爲之吧！用不著我再操心，但願保全性命辭官回里就行了。」項羽允許，沒有留他。范增離去不久，項羽便失敗了。

【原文附參】：項王與范增急圍滎陽，漢王患之，乃用陳平計間項王。項王使者來，爲太牢具，舉欲進之。見使者，佯驚愕曰：吾以爲亞父使者，乃反項王使者。更持去，以惡食食項王使者。使者歸報項王，項王乃疑范增與漢有私。范增大怒，曰：天下事大定矣，君王自爲之。願賜骸骨歸。項王許之。（見：《史記》、卷七、項羽本紀第七）

【編者私語】：打硬仗、劉邦拚不過項羽；用計謀，項羽鬥不過劉邦。劉邦有張良蕭何韓信陳平之助，允武允文；項羽則僅一范增而不能用。如果速戰速決，劉邦必亡，如果持久拖長，項羽當敗。本篇採取的反間之策更妙，不費一兵一卒，只是略施顏色，說一句帶刺的話，輕而易舉的就把項羽身邊唯一老謀深算的范增激退了。去掉了敵人的右臂，情勢馬上改觀。將陳平此計視爲楚漢成敗的分界點亦不爲過。天下有這等便宜的事，不禁叫絕。考陳平替漢高祖六出奇計：使用黃金行反間、一也。以粗食待項羽使者，離間范增、二也。夜出美女二千人，解漢王滎陽之圍、三也。躡足劉邦，立韓信爲眞王、四也。僞遊雲夢擒韓信、五也。使畫工繪美女，遺閼氏，解白登之圍、六也（六計均見《史記》卷五十六、陳丞相世家）。以後又誅掉諸呂，劉漢得以復存，陳平之智慮高矣。

五四　太陽的遠近（天象）

孔子往東方遊歷。東方是觀賞日出的好地方。見到兩個小孩在爭辯鬥嘴，就問他倆所爭何事？

小孩甲說：「我認爲太陽初出時離我們最近，而日中當午時離我們最遠。」

小孩乙說：「我認爲太陽初出時離我們最遠，而日中當午時離我們最近。」

小孩甲說：「太陽初出時，大如車輪；等到日中當午時，卻小如盤盂。這不是證明小的距離遠而大的距離近嗎？」

小孩乙說：「太陽初出時，溫度凊凊涼涼；等到日中當午時，溫度炎熱難當。這不是證明炎熱時距離近而清涼時距離遠嗎？」

孔子一時也不能決斷。兩個小孩笑道：「你都不能斷定，誰說你是智者呢？」

【原文附參】：孔子東遊，見兩小兒辯鬥，問其故。甲兒曰：我以日始出時去人近，而日中時遠也。乙兒曰：我以日初出遠，而日中時近也。甲兒曰：日初出，大如車蓋，及日中，則小如盤盂，此不爲遠者小而近者大乎？乙兒曰：日初出，滄滄涼涼，及其日中，如探湯，此不爲近者熱而遠者涼乎？孔子不能決也。兩小兒笑

曰：孰謂汝多智乎。（見：周、列禦寇：《列子》、湯問）

【編者私語】：列子是戰國時人。在兩千三百年前，就有這種觀察宇宙運行的科學思想；比徐福赴日本早二百年，比亞歷山大大帝登位早一百五十年，足證華夏民族的優秀。惜乎子孫不長進，無論科技也好，人文也好，都停滯不前，但願奮起直追，否則愧對先祖。

五五　天下儒人師

（嚴正）

元朝孛朮魯翀（孛朮魯是姓，女眞族的姓，翀是名，音充），字子翬（音揮）。元成宗大德五年（公元一三〇一），做到監察御史，卒謚文靖。他記問宏博，爲文典雅，學者都很尊仰他。

有一次，元成宗問他說：「你可以擔任宰相嗎？」他答道：「宰相綜理國政，職崇位隆，我固然不敢當。但我一生所學的，卻都是與宰相有關的事。若問作宰相應有的條件，必須福（運佳）德（品端）才（識卓）量（氣宏）四者齊備，乃可當此大任。」

拜柱（元英宗時爲丞相，有大臣之風）那時也在座，聞言十分欽佩，舉起酒杯，向他致敬道：「不是你翀公，聽不到如此肯要的讜論。」

元文宗即位時（一三二八—一三三二爲帝），官他爲集賢直學士（掌刊輯經集），兼國子祭酒（國子等於大學生，祭酒是國子監之長，猶今國立大學校長）。皇帝對他只稱其字號「子翬」，而不直呼其名，可見推崇之重。

元朝崇敬喇嘛（喇嘛一詞，乃西藏語，是最勝無上之義），賜封大喇嘛爲帝師（皇帝的老師）。接他蒞臨京師時，皇帝下令：朝中所有大臣，一律要騎白馬，遠去郊外恭迎。到了皇宮裡，馬上擺酒洗塵。帝師高踞首座，大臣們都不敢仰視，一個個依序俯身低頭，眼睛看地，雙手捧杯，恭向帝師敬酒。那喇嘛一臉傲岸之色，略為沾唇示意而已，更不用說起身還禮了。

輪到孛朮魯翀，卻一反別人逡巡畏縮之態，他走向席前，昂然挺立，既不俯身，也不低頭，舉起酒杯，直視首座，向喇嘛說道：「帝師是尊者，乃佛祖釋迦的門徒，也是天下眾僧的師長。我身為祭酒，乃聖師孔子的門徒，也是天下儒士的師表。儒釋兩相伯仲，應可不分尊卑，請各以平禮相見。」

帝師一聽，義當辭正，心裡暗自佩服，登時站了起來，面露笑容，端起酒杯，竟一仰頭喝乾了，表示完全接受了他的意見。

大家當初見狀，都屛住了氣息，惶悚惴懼，替子翬捏了一把冷汗，卻以圓滿收場。

【原文附參】：孛朮魯翀，字子翬。大德五年，拜監察御史。閒謂翀曰：爾可作宰相否？翀對曰：宰相固不敢當，然所學，宰相事也。夫為宰相者，必福德才量四者皆備，乃足為耳。拜柱大悅，以酒觴翀曰：非公，不聞此言。文宗立，嘗字呼子翬而不名。帝師至京師，有旨朝臣一品以下，皆乘白馬郊迎。大臣俯伏進觴，帝師不為動。惟翀舉觴立進曰：帝師、釋迦之徒，天下僧人師也。余、孔子之徒，天下儒人師也。請各不為禮。帝師笑而起，舉觴卒飲，衆為之慄然。（見：宋濂：《元

史》、卷一百八十三、列傳第七十）

【編者私語】：喇嘛教是佛教密宗的一支，唐中期傳入吐蕃（即今西藏。英文稱西藏爲土伯特，即吐蕃之音轉）。元世祖征服吐蕃時，曾自吐蕃請回喇嘛八思巴，尊爲國師，定喇嘛教爲國教。八思巴且創造了蒙古文字，所以喇嘛的地位極爲崇高，而儒士地位則賤矣。實則佛教旨在明心見性，普度衆生；儒學旨在已達達人，兼善天下。二者各擅佳勝，可以互匹。今孛朮魯翀代表儒者，以平等禮對待帝師喇嘛，説出一番正理，確然胸藏大識見也。然孛朮魯翀出自女眞族，難紹孟荀，未追程朱，其所以敢於以平等地位面對而不惭不懼者，應是深受儒家精微宏博學説之薰陶，以及憑著自反而縮、雖千萬人吾往矣的大勇，才發出這場豪語也。回頭來看現代社會，萬象紛陳，詭譎超過昔時多矣。我們常會遇到像孛朮魯翀同樣的大場面，如何去肆應又不失立場呢？臨時抱佛脚去請教朋友指點嗎？那不見得允當。唯有多讀史書古事，來作參鑑，啓發和獲益就多了。吾國歷史，經由千百位宏儒的撰述，又經過千百年的汰劣留優，能保存流傳到今天的，都該是屢經篩選後的精品，本篇即爲一例。

五六　文臣不愛錢（忠藎）

南宋岳飛（公元一一〇三—一一四一，字鵬舉，授少保，謚武穆），湯陰人，文武兼資，他起兵抗金，金兵望風而逃，連戰皆捷。他以恢復固有河山爲己任，背刺「盡忠報國」以明志，不肯附從和議（宰相秦檜，主張議和）。

北方金太祖（姓完顏，名阿骨打，公元一〇七五—一一三五），指派他的四太子金兀朮，主持南侵軍政大計，金兀朮早與秦檜暗中勾結，寫信責怪秦檜說：「你每天都以和議爲請，但岳飛卻正在計劃收復河北。你一定要殺掉他，和議才可達成。」

秦檜也瞭解岳飛存在一日，和議就一日受阻。和議若不成功，自己會受禍殃（暗通敵國，其罪當誅）。所以極力設計要謀害他。

南宋高宗（公元一一〇七—一一八七）紹興十年（一一四〇），岳飛在郾城縣（在今河南中部）大破金兀朮的拐子馬（三馬相連，銳不可當）。方擬直搗黃龍府（金的首都，在今吉林省農安縣），卻一天裡接奉朝廷十二道金牌（金字牌，郵傳日行四百里，軍機切要時用之），只得班師回朝。十一年（一一四一）十月，被關入監牢，審了兩個月，沒有罪名可加，獄案不能成立。秦檜寫了張小紙條交付獄吏，不一會就回報說岳飛死了，這是紹興十一年（一一四一）十二月二十九日，當時岳飛年僅三十九歲。

獄案上報朝廷時，韓世忠（一〇八九—一一五一，也是抗金名將）替岳飛抱不平，向秦檜質問犯罪事實何在？秦檜支吾說：「岳飛的兒子岳雲寫給張憲的信雖然語意不清楚，但這件事『莫須有』（因稱三字獄。莫、疑惑而停頓之語；須有、應該有罪之意）。」

韓世忠說：「莫須有三字，何以能平服天下人的忿怒？」

金兵各頭目聽說岳飛死了，都大擺酒席，互相慶賀。

岳飛在年輕時，酒量很佳，可以豪飲。高宗怕他誤事，對他說：「你將來收復了北方時，再飲酒吧。」他果然就戒絕了。

朝廷要替岳飛起造府第，他辭謝了，說道：「敵人未滅，何以家爲？」

高宗問天下何時可以太平？岳飛道：「文臣不愛錢，武臣不怕死，天下就太平了。」

【原文附參】：岳飛起兵，金兵望風而遁。飛以恢復爲己任，不肯附和議。兀朮遺秦檜書曰：汝朝夕以和請，而岳飛方爲河北圖。必殺飛，始可和。檜亦以飛不死，終梗和議，己必禍及，故力謀殺之。坐繫兩月，無可證者，獄不成。檜手書小紙付獄，即報飛死，時年三十九。獄之將上也，韓世忠不平，詣檜詰其實。檜曰：飛子雲與張憲書雖不明，其事體莫須有。世忠曰：莫須有三字，何以服天下？諸酋聞其死，酌酒相賀。飛少時，頗豪飲，帝戒之曰：卿異時到河朔，乃可飲。遂絕不飲。帝初爲飛營第，飛辭曰：敵虜未滅，何以家爲？或問天下何時太平？飛曰：文臣不

愛錢，武臣不惜死，天下太平矣。（見：《宋史》、卷三百六十五、列傳第一百二十四）

【另文錄參之一】：秦檜妻王氏，素陰險，出其夫上。方岳飛獄具，一日、檜獨居書室，食柑玩皮，以爪劃之，若有所思。王氏窺見笑曰：老漢何一無決斷耶？捉虎易，放虎難也。檜掣然心驚，致片紙付入獄。是日岳飛薨於棘寺。（見《朝野遺記》）

【另文錄參之二】：寃獄既成，有詠岳飛詩一首云：「臣飛死（指岳飛），臣俊喜（指張俊，強盜出身，附秦檜，構成飛獄），臣浚無言世忠靡（上指張浚，是抗金主戰名將。下指韓世忠），臣檜夜報四太子（上指秦檜，下指金兀朮），臣構稱臣自此始（高宗名趙構，有意向金稱臣）。」寥寥數語，用筆嚴冷之至。（見：淸、梁紹壬：《兩般秋雨盦隨筆》）

【編者私語】：岳飛「盡忠報國」（背上刺的誓言），他的「文臣不愛錢，武臣不惜死」（答高宗語），這兩句話，通俗而易懂，擲地有金聲，比那些講道德説仁義的口號鏗鏘多了。惜乎生不逢時，如在漢唐，取大將軍封爵如拾芥耳。他想「痛飲黃龍府」（朱仙鎮大勝之壯言），「踏破賀蘭山」（滿江紅詞中豪語），又在《五嶽祠盟記》中説：要「迎二聖歸金闕，取故地上版圖」，卻全沒有體察到當時的政治環境。試問：若將徽欽二帝接回，那宋高宗豈不要讓出皇位，這絕對不能讓岳飛實現的。再試問：秦檜勾結金國，力主和議，怎會坐視岳飛力戰，那主和派便無生路，這也是絕對不能讓岳飛實現的。由此看來，迎二聖違反了高宗趙構的心意；復故土違反了宰相秦檜的心意，岳飛就只有速死一途了。質言之：宋高宗的內心，實不願二聖回國，但又不便反對；今有秦檜構陷，樂得借刀殺人。試問岳少保入獄，這是何等大事，高宗豈有不知之理，爲何不說話？若無高宗默許，秦檜豈可獨誣？兩惡相濟，殺之必然也。世人只唾罵秦檜，說他萬死莫贖，余以爲高宗之罪尤大焉。莫須有三字成了千古冤獄，南宋也就完了。讀史至此，不禁掩卷長歎。

五七　心正則筆正（筆諫）

唐代柳公權（七七八—八六五），字誠懸，幼年時就喜歡讀書，唐憲宗時進士及第。兄名柳公綽（歷官至吏部尚書），弟叫柳公諒。好讀書，工書法。後來作到太子少師，太子太保（次於太師、太傅）。

他歷仕唐穆宗、敬宗、文宗三朝。有一次，唐穆宗問他道：「寫字運筆，怎樣才算盡善？」

柳公權說：「用筆在心，心正則筆正。」唐穆宗聽了，臉色轉爲莊重，知道他一語雙關，拿用筆之道，規諫爲政之道。

有一天，唐文宗舉起衣袖，自誇穿了洗濯三次的襯衣，顯示節儉。柳公權說：「皇帝首在留意擧賢，廣納忠言；至於穿上舊內衫，不過是小節而已（請參本書第一四九「此衫洗了三次」篇）」。

柳公權的書法，猷勁嫵媚，自成柳體。當時公卿大臣家裡，如果沒有懸掛柳字的，都引爲遺憾。直到現在，柳帖仍是我們臨書的法帖之一。

【原文附參】：柳公權，字誠懸。兄柳公綽，弟柳公諒。幼嗜學。唐穆宗嘗問公權：筆何盡善？對曰：用筆在心，心正則筆正。上改容，知以筆諫也。公權書法，體勢勁媚，自成一家。當時公卿大臣家，不得公權手筆者不歡。（見：《舊唐書》、卷一百六十五、列傳第一百一十五）

【編者私語】：俗話說：「字是敲門磚。」字好獲佳譽，事業會更順利。因之我們對書道也不宜忽視。范仲淹《祭石曼卿文》說：「曼卿之筆，顏筋柳骨。」以致一般人都認爲顏肥柳瘦。質言之，柳公權何嘗無筋，而顏眞卿又何嘗無骨？我們學字時，要體會古人如何運筆（肥筆瘦筆，餓筆澀筆），如何佈局（斜正相讓，疏密相間）？由自己斟酌融會可也。如要成家，仍須苦練。蘇東坡說：「筆成塚，墨成池，不及義之及獻之（王羲之，和兒子王獻之，都是晉代大書法家）。」天下的事，都要用鐵杵磨針的功夫，才有收穫，固不僅習字一途而已耳。

五八　牛角掛漢書（勤學）

隋代李密（公元五八二—六一八，後稱魏國公），字玄邃。少年時，有一天，前去訪晤包愷（字子和，精通《史記》《漢書》）。他把黃牛當坐騎，用蒲薦披在牛背作墊子，仍然不忘勤讀，帶了一套《漢書》，裝入書囊，掛在牛角上，就這樣坐上牛背出發了，他一手牽著牛繩，一手拿本《漢書》，邊騎邊看。

恰巧尙書令越國公楊素（公元？—六〇六，後從唐高祖定天下）也乘著馬車上路，看到前面一個少年騎牛讀書，頗覺好奇，因從後面輕輕跟上，問道：「這是哪位儒生，發憤讀書到這個程度？」

李密抬頭一看，認識他是越國公，連忙從牛背下來，拜倒在地，自已報上姓名。楊素追問他讀的是甚麼書？李密答道：「正在唸『項羽傳』（按《漢書·列傳第一》即項羽傳）。」

楊素見他如此好學，非常難得。和他交談之下，十分喜歡。對兒子楊玄感（後爲禮部尙書）說：「我看李密的才識氣度，你們將來都趕不上。」

於是楊玄感傾心交結李密，日子久了，成爲好友，甚麼話都不瞞他。有一次，私下問李密說：「當今隋煬帝（五六九—六一八）暴戾猜忌，隋朝的國運恐怕不久了。萬一有一天中原發生大變，你我兩人誰會搶先呢？」

李密也不遜讓，答道：「若是兩軍對陣，互爭勝負，你作指揮官，一番叱咤，那赫赫之威，就足以懾服敵人之膽；這方面的神勇，我不如你，必當讓你居先。至若總攬天下英雄豪士，由我統之御之，任賢選能，各適其位，使遠者來歸，近者順服；這方面的撫馭，似乎你不及我，恐怕得由我佔先吧！」

【原文附參】：李密，字玄邃。嘗欲尋包愷，乘一黃牛，被以蒲韉，仍將漢書一帙，掛於角上，一手捉牛靷，一手翻卷書讀之。尚書令越國公楊素見於道，從後按轡躡之。既及，問曰：何處書生，耽學若此？密識越公，乃下牛再拜，自言姓名。又問所讀何書？答曰：項羽傳。越公奇之，與語大悅。謂其子玄感曰：吾觀李密識度，汝等不及。於是玄感傾心結託。嘗私問密曰：上多忌，隋曆且不長。中原有一日警，公與我孰後先？密曰：決兩陣之勝，噫嗚咄嗟，足以讋敵，我不如公。攬天下英雄馭之，使遠近歸屬，公不如我。（見：《舊唐書》、卷五十三、列傳第三）

【編者私語】：李密的口氣著實不小。休看他如此大言不慚，須知其胸中自有許多蘊藉。僅聽他和李玄感這段對話的宏圖偉論，就自不凡。對方本欲探測李密抱負的淺深，而李密則絕不看輕自己，洵非池中物也。騎牛尚不廢讀，則好學所下的功夫可想而知。識見累積豐盈，志向乃趨雄遠。我們倘要有一番作爲，也當及時策勵。

五九　犬吠非其主（勵節）

隋末唐初，各地豪雄並起。竇建德（五七三—六二一漳南人，請參第一二〇「奴弑主人」篇）在隋朝大業十四年（隋煬帝年號，公元六一八）據樂壽（今河北獻縣）爲首都，建國號曰夏。擁有今河北河南一大片土地，也算是一時之雄。

竇建德要開疆拓土，打下了趙州（州治在今河北趙縣）與邢州（州治在今河北邢臺縣），捉到趙州刺史與邢州刺史，便要殺掉他二人。

國子祭酒（主國子學，掌儒學訓導之政）淩敬（後來救王世充也曾獻策）諫阻他說：「桀犬吠堯，並非堯帝不仁，乃是吠非其主。這兩位刺史，是堅守他所負責的領土，由於我軍的神威，終被擒來。他們應是忠節之士，堅貞可敬。如果殺了，就不能勉勵那些保衛疆土盡忠職守的人了。」

竇建德怒氣未息，罵道：「我圍住他們，打到他們的城牆腳邊，卻好久都攻不下來，勞費了我的兵力，犧牲了我的士卒，哪有理由赦他不死？」

淩敬反問道：「大王的大將軍高士興，在易州（今河北易縣）南邊，抵抗羅藝（字子延，幾次打敗竇建德之兵，拜大將軍）。還沒有接戰，高士興就投降敵人了。大王認爲這種俯首變節的人可以爲訓嗎？」

竇建德一聽，猛然省悟。兩位刺史就不殺了。

【原文附參】：建德嘗執趙州刺史邢州刺史，將殺之。國子祭酒淩敬諫曰：夫犬吠非其主。彼悉力堅守，以窮就擒，伏節士也。今殺之，無以勸。建德怒曰：我傅其城，猶不下，勞費士旅，何可赦？敬曰：王之大將高士興抗羅藝於易南，兵未交，士興即降，王以爲可乎？建德悟，即釋之。（見歐陽修：《新唐書》、卷八十五、列傳第十）

【編者私語】：兩國交兵，各爲其主，都是盡忠職責。對我方的死守者，要不吝獎賞；對敵方的死守者，也須心存敬佩。這個原則，引用到今天的商戰上，也要遵守。我們參與一項企業經營，便要忠於企業主，不出賣商務機密或獨門技術，這叫職業道德。不可受商業間諜的誘惑，吃裏扒外，兩面逢源。或可得利於一時，究竟有拆穿之日。那時就身敗名裂，甚至要判坐牢。國際間不乏實例。

六〇　五日不廢酒（知非）

趙襄子（名趙無恤，趙簡子之子，卒謚襄子）是春秋時代晉國大夫，綜攬國政，權勢很大。好飲酒，一連五天五夜沒有斷酒，還對他左右親近的人誇口說：「我才眞正是晉國的偉大人物呀。連續喝了五天五夜的酒，一點病都沒有。」

有個叫優莫的，諷刺趙襄子說：「你努力喝吧！比那商代紂王只少兩天而已。紂王喝酒一連七天七夜，如今你還只連喝五天啦。」

趙襄子一聽，害怕了，問優莫說：「商紂亡國了，我會滅亡嗎？」

優莫回道：「不會亡。」

趙襄子依舊耽心，又問道：「我比紂王只少兩天而已，不滅亡還要等甚麼呢？」

優莫說：「夏桀和商紂的亡國，乃是遇到商湯王和周武王的原故。如今天下君主，都像夏桀一般，而你則好似商紂一樣。想一想這世上同時只有桀和紂，還沒有出現商湯王和周武王這類仁君，哪會滅亡呢？不過，倘若你長期這樣下去，恐怕也夠危險的了。」

【原文附參】：趙襄子飲酒，五日五夜不廢酒。謂侍者曰：我誠邦士也，夫飲酒五日五夜矣，而殊不病。優莫曰：君勉之，不及紂二日耳。紂七日七夜，今君五日。

襄子懼，謂優莫曰：然則吾亡乎？優莫曰：不亡。襄子曰：不及紂二日耳，不亡何待？優莫曰：桀紂之亡也，遇湯武。今天下盡桀也，而君紂也。桀紂並世，焉能相亡？然亦殆矣。（見：《新序》、刺奢第六）

【編者私語】：沉湎在惡習中，若還沒陷入絕境，或能及早回頭。但僅有悔意尚不夠，必須大澈大悟，才能痛改前非也。

六一　不成誦不食（勵學）

清代王闓運（公元一八三三—一九一六），字壬秋，湖南湘潭人。咸豐三年（一八五三）舉人。自幼好學，但資質魯鈍，每天唸不到一百字。於是自己責備，非要發憤努力不可。因此下定決心，讀不好也要勉強去讀。早上溫習的功課，如果背不出來，便不吃飯。晚上背誦的功課，如果不懂意義，便不睡覺。這樣苦學到十五歲，能懂得文字的義理宗旨了。到二十歲，能分析古書的章節句讀了（古書無標點符號，很難斷句，必須讀者自己去作圈點）。到二十四歲，可以開講《禮記》（漢代戴德戴聖兩兄弟所記）了。

王闓運刻苦勤讀，冬夏寒暑從不休息。經（十三經）、史（廿四史）、百家（諸子之學），全部研究背誦過。每天注解、箋釋、抄錄、校勘，都訂有一定的課程必須做完。遇到心有所得，就隨手筆記，以備查考。

他說：「執筆爲文，如果不學習仿傚古文的格局，鬆散汗漫，便喪失了法度。但如果完全依從古文死板的格局，毫無變化，又喪失了創意（鄭板橋論曰：「作文必欲法前古，婢學夫人徒自苦」。）。」

他還感歎地說：「我不是個才思敏捷的文人，只是個困知勉行的學人罷了。」

闓運讀書有成之後，出外應世，曾經參贊曾國藩（一八一一—一八七二）平定太平天國的軍務。回到湖南之後，在長沙的思賢講舍、和衡州（今衡陽市）的船山書院（紀念明末大儒衡陽王夫之號船山而設）先後擔任校長。民國肇建後，曾任國史館館長。民國五年逝世，享年八十五歲。

【原文附參】：王闓運，字壬秋，湖南湘潭人。咸豐三年舉人。幼好學，質魯，日誦不能及百言。乃發憤自責，勉強而行之。昕所習者不成誦，不食。夕所誦者不得解，不寢。於是年十有五，明訓詁；二十而通章句，二十四而言禮。闓運刻苦勵學，寒暑無間。經史百家，靡不誦習；箋注抄校，日有定課；遇有心得，隨筆記述。嘗曰：文不取裁於古，則亡法。文而畢摹乎古，則亡意。又嘗慨然自歎曰：我非文人，乃學人也。學成出遊，參曾國藩幕。歸爲長沙思賢講舍、衡州船山書院山長。鼎革後，當一領史館。民國五年卒，壽八十有五。（見：《清史》、卷四百八十一、列傳二百六十七、儒林傳三）

【編者私語】：王闓運，原名開運，字紉秋，又字壬甫，又字壬秋，自號湘綺老人。他作《湘綺樓日記》，從三十八歲寫起，到八十五歲臨死才停筆，百餘萬言。他自稱：「余自二十五歲以後，迄今五十年，日書三千，作字以億兆計。」勤學有恆，他人哪能可及？我們知道：世上天才究爲少數，多的是平凡的普通人。做學問必須日積月累，別的事可以速成，求知只能漸進。有一夜致富的人，卻沒有一天就拿到博士的人。更妙者：賺到了錢，花出去就沒有了。求得了知識，運用出去，知識還在。而且愈用愈熟，愈有長進，這就是求知的可貴之處。處今之世，「知識就是力量。」金錢華屋，都靠不住。唯有學識，不怕偷，不能搶，不要放在保險箱裡。知識涵泳於己，可以潤身浴德；知識顯揚於外，可以笑傲王侯。我們如果看清楚了這層道理，便會去接近這學問之海，即使在海邊只檢到幾個美麗的貝殼，不也是很值得的嗎？

六二 不受象牙床（踰分）

齊國孟嘗君，姓田名文，他喜歡收留四方賓客，不但歡迎賢者能人，也收養一些雞鳴狗盜的人，甚至那些被各國諸侯放逐的游士和有罪的逃亡者也不拒絕。不但安頓他們的住宿場所和生活職業，款待優厚，更進一步救濟他們的親戚。門下的食客經常有幾千人，每個人都認爲孟嘗君對自己最親近最體貼，因此他的名望普遍爲各國所尊重。

他也訪問別的國家，有一次報聘楚國，楚王送他一張用象牙製成的床作禮物，並派一名叫登徒直（登徒姓、直名）的人，負責從楚國安全運送到齊國。

那登徒直不想擔任這項任務，他找到孟嘗君的隨員也是門客叫公孫戌的，對他說：「這個象牙床價值千金，如果運送不小心，只要有一點點輕微的損傷，那怕是一絲刮痕，我即使把妻子賣了也賠償不起。如果能使我免掉這項任務，我家有一把祖先傳下來的寶劍，願意獻給你作爲報償。」公孫戌應允了。

公孫戌去見孟嘗君進言道：「這些小國家，是因爲看到你能夠救助貧窮的百姓，保存垂危的邦國，所以都欽佩你的道義，景慕你的廉潔。今天才到楚國，你接受了如此珍貴的象牙床，價値無法估計。那些你還沒有到的國家，再用甚麼方法來表示感謝呢？」

孟嘗君答道：「你言之有理。」於是不接受象牙床了。

【原文附參】：孟嘗君招致諸侯游士及有罪亡人，皆舍業，厚遇之，存救其親戚，食客常數千人，各自以爲孟嘗君親己，由是名重天下。孟嘗君聘於楚，楚王遺之象床。登徒直送之，不欲行，謂孟嘗君門人公孫戍曰：象床之值千金，苟傷之毫髮，則賣妻子不足償也。足下能使僕無行者，有先人之寶劍，願獻之。公孫戍許諾，入見孟嘗君曰：小國以君能振達貧窮，存亡繼絕，故莫不悦君之義，慕君之廉也。今始至楚而受象床，則未至之國，將何以待君哉？孟嘗君曰：善。遂不受。（見：《資治通鑑》、卷二、周紀）

【編者私語】：睡象牙床，不知何益？如果老掛記著它的珍貴，起臥翻身都要小心，那可能會睡不著。如果睡得著，那和普通床鋪又有何不同呢？《禮記》曲禮説：「禮不踰節。」餽贈也當作如是觀，凡事做到《中庸》所云「發而皆中節」就對了。希世之寶，贈者及受者都逾越了常分，雙方都欠允當，不受爲宜。

六三　不要玉人像（戒玩）

三國時代，蜀主劉備（一七〇—二二三）的妻子甘后，江蘇沛縣人，生於微賤之家。有位相士說：「這個女孩命中極貴，將來要住到皇宮裡去。」果然後來嫁給劉備，貴爲皇后了。

劉備在黃初二年稱帝（**公元二二一年，爲蜀漢昭烈帝**）之後，河南呈獻了一座玉雕的人像給他。玉像身高三尺，色澤潔白晶瑩，質地均勻光潤。劉備很喜歡，日夜賞玩，對甘后說：「玉有五德（**五德是仁智義禮信，見《詩經．秦風．小戎》疏**），十分貴重，所以君子比德如玉。何況現在精雕成爲人像，這麼可愛的藝術品，豈可不加玩賞？」

甘后勸誡劉備說：「從前宋國子罕當政，他不以寶玉爲寶，而以不貪爲寶，《春秋》一書都贊美他（**按《左傳》襄公十五年記此故事**）。如今吳國孫權要索取荆州，魏國曹操要吞我全蜀，國家強鄰夾伺，哪有閒心掛念這種嬌嬈的塑像呢？最好把它拿走。」

劉備便命人把玉像撤走，也把寵媚的嬖臣斥退了。

【原文附參】：先主甘后，沛人也。生於微賤。相者云：此女後貴，位極宮掖。河南獻玉人，高三尺。潔白齊潤。先主取玩，謂：玉之所貴，德比君子。況爲人形，而可不玩乎？后乃誡先主曰：昔子罕不以玉爲寶，春秋美之。今吳魏未滅，安以妖玩掛懷？勿復進焉。先主乃撤玉人像，嬖者皆退。（見：苻秦、王嘉：《拾遺記》、蜀篇）

【編者私語】：《書經族獒章》說：「玩人喪德，玩物喪志。」因爲雕玩之物，動以千計，哪能盡聚？而且貪嗜一起，就會荒廢正事。至於玉匠集玉，書家集帖，那屬專業，不是貪玩。常見有人聚藏多類雜品，擺滿廳堂櫃架，捨不得丟，還須花費精神照顧，實非正務。我們要記住《孟子離婁篇》說：「人有不爲也，而後可以有爲。」百年苦短，何不做點有益之事？如果能在人生的畫布上多抹繪幾道美麗的虹彩，不是很有意義嗎？

六四　不能為四六（文學）

司馬光（一〇一九—一〇八六），字君實。在北宋仁宗寶元初年，就考取了進士（那時他大約二十歲）。歷仕仁宗英宗神宗哲宗四朝，後來做了宰相。

宋神宗（一〇四八—一〇八五）即位時，特意選拔司馬光爲翰林學士。這是從唐代起就設置的職位，專替皇帝寫制誥。凡是頒賜爵位、追贈大臣、貶謫罪官，都由皇帝用詔書宣告，就叫制誥。

那時這個官位很崇高，也很重要，且能隨時親近皇帝，他人求之不得，司馬光卻極力推辭。

宋神宗說：「我看前朝的儒臣，有的很有學問，但文筆並不很好，有的文筆流利，但又缺乏眞學，都不是制誥的理想人選，你的文才很好，而又飽學，兩者兼美，爲何要推辭呢？」

司馬光道：「我不長於寫四六文體，不敢接任。」

原來這種四六文體，是用四字六字寫成對偶句。《文心雕龍》說：「四字密而不促，六字格而非緩。」四六體就是駢文。要警策精切，使人讀來蕩氣迴腸。

宋神宗說：「我並不要那種過於華麗的辭藻堆砌，只須倣兩漢時代平實的制詔就可以了。況且你在前朝能取得高名次的進士，卻說不會寫四六文體，這不是過謙了嗎？」竟然不許他推辭，仍命他擔任制誥。

司馬光鑒於各代古史太繁，皇帝沒有那末多的餘暇去讀遍，便把重要的撰摘出來，編成一部《資治通鑑》，獻給皇帝。上起戰國，下迄五代，計一千三百六十二年，分爲二百九十四卷，費時十九年才完成。神宗親自寫了御序。司馬光每天在皇殿講授，直到六十八歲（一〇八六），司馬光死了。

宋朝自王安石（一〇二一—一〇八六）變法，改革派叫新黨，保守派叫舊黨。新舊兩派互爭，交相執政，勢同水火。到宋徽宗（一〇八三—一一五五）即位，又起用新黨蔡京（字元長，四次爲相，奸人）爲相。他把舊黨誣爲姦人。到崇寧三年（一一〇四），蔡京竟然建立了「姦黨碑」，將司馬光等三〇九人列名碑上，通令全國各郡，都要刻石立碑。命令由汴京發出，傳到了長安。長安府尹徵召了一名刻石工匠叫安民的，叫他鑿刻「姦黨碑」。

安民說：「我只是個愚笨的石匠，不懂立碑的用意。但像司馬相公這位君子，海內都欽敬他正直無私，今天卻說他是姦邪逆黨，我實在不忍心刻出他的名字。」

長安知府見他不遵命令，要用違抗聖旨的重罪辦他。安民哭了，懇求道：「徵召我來刻石，不敢推辭。只請求在碑之下邊，免刻安民兩字（昔時刻碑銘，刻書版，刻匠都要雋名，一來這是榮寵，二來以示負責），以免將來受後世正人的唾罵。」聽到的人，都心生暗愧，竟然草野百姓，也發出這樣的正義之聲。

【原文附參】：司馬光，字君實。神宗即位，擢爲翰林學士，光力辭。帝曰：古之君子，或學而不文，或文而不學。卿有文學，何辭爲？對曰：臣不能爲四六。帝曰：如兩漢制詔可也。且卿能進士取高第，而云不能四六，何耶？竟不獲辭。光常患歷代史繁，人主不能盡覽，遂爲資治通鑑以獻。神宗自製序，俾日進讀。年六十八卒。徽宗立，蔡京擅政，京撰姦黨碑，令郡國皆刻名。長安石工安民當雋字，辭曰：民愚人，固不知立碑之意。但如司馬相公者，海內稱其正直，今謂之姦邪，民不忍刻也。府官怒，欲加罪。泣曰：被役不敢辭，乞免雋安民二字於石末，恐得罪於後世焉耳。聞者愧之。（見：《宋史》、卷三百三十六、列傳第九十五）

【編者私語】：四六駢文，協音成韻，宜於諷誦，雅麗高於散文。例如「漁舟唱晚，響窮彭蠡之濱；雁陣驚寒，聲斷衡陽之浦。」體例是順的四六四六。又如「屈賈誼於長沙，非無聖主；竄梁鴻於海曲，豈乏明時。」體例是倒裝的六四六四。又如「言猶在耳，忠豈忘心？一抔之土未乾，六尺之孤何託？」體例是四四六六。又如「共立勤王之勳，無廢大君之命；凡諸爵賞，同指山河。」體例是六六四四。都不出這幾種範圍。但必要講求平仄對仗，讀來才抑揚有勢，聲調鏗鏘。如果學問不精，文思不敏的人，是難以下筆的。然自南北朝以後，駢文流於以聲色相矜，以藻飾相競，浮豔的結果，文格就趨於卑靡了。因而引起韓愈來救弊，文起八代之衰。現在都將四六對偶句稱作駢文，不用對偶的叫散文，也是各有千秋了。但是，司馬光七歲聞講《左氏春秋》，就瞭其大旨，英年以甲科取進士高等，他說不善爲文，想是自謙而已。如果換成現代人，得此「制誥」殊榮，等於是皇帝的秘書，早就感激涕零，趕忙三跪九叩首，謝主隆恩了。

六五　不龜手之藥（增效）

戰國時代，宋國有人能做出一種藥，擦了它，可以使手腳的皮膚在寒冷的冬天不會開裂。他們世世代代，長期在冰冷的河水裡把線紗布絮漂白，靠此維生。塗了這種藥，手腳皮膚即使浸在寒冬的冰水中也不會皸裂，藥效十分靈驗。

一位外地的客人，聽說有這種好藥，便想買到這個製藥的秘方，竟然願意付出一百鎰黃金的高價。

於是宋氏召集族人，共同商議。大家的結論是：「我們世世代代，以漂紗為業，十分勞苦，所得微薄，不過幾鎰而已。如今一下子就能得到一百鎰，賣給他吧！」

客人得了秘方，便去說服吳王。適逢越國內亂，吳越本是世仇，上次吳國打敗了。吳王便命他為將，在冬天與越國水戰（吳越兩國相鄰，都在華東，港汊河湖密佈，必用水師交戰），結果越軍大敗，吳王就劃出一塊土地，封賜給這位客卿。推究他戰勝的緣由，因為有這靈藥，吳軍士兵的手腳在水戰中不怕凍裂，是其中的主要因素之一。

由此看來，同樣是一件預防皮膚皸裂的藥，有的人用它得了封地之賞，有的人只能天天漂紗，情況差別如此之大，這是由於用途的相異之故。可見有智慧而又肯動腦筋是很可貴的了。

【原文附參】：宋人有善爲不龜手之藥者，世世以洴澼絖爲事。客聞之，請買其方百金。聚族而謀曰：我世世爲洴澼絖，不過數金，今一朝而鬻技百金，請與之。客得之、以説吳王。越有難，吳王使之將，冬與越人水戰，大敗越人，裂地而封之。能不龜手、一也。或以封，或不免於洴澼絖，則所用之異也。（見：戰國、莊周：《莊子》、逍遙遊）

【編者私語】：事物一經改進，功效就會倍增：做鞭炮的火藥，可送太空火箭。看風水的羅盤，可作遠洋導航。我們祖先的智慧很高，戰國公輸班作木鳶，是飛機的雛型。東漢張衡作渾天儀，可測星象運轉。東漢畢嵐作渴鳥，爲曲筒，可引水上升，即今抽水機也。祇恨後代子孫不肖，耽誤了幾千年，竟未能繼續發揚光大。現今正在開發中的國家，競相將勞力密集工業，轉變爲技術密集工業，這已蔚爲時尚的口號。也就是要運用腦力，提升產品價值。不料已被戰國時代的莊子老早就説穿了呀！

六六　反裘而負芻（民本）

戰國魏文侯（名斯，世稱仁君），有次在郊外巡遊，見到一個鄉下人，反穿着皮衣（毛穿在裡邊，皮翻在外邊），背著茅草經過。

文侯問道：「你爲何反穿皮裘來背茅草呢？」

鄉人回答說：「我愛惜這皮衣的毛，所以翻過來穿，毛就不會掉了。」

文侯說：「你知不知道：毛是長在皮上的。如果這皮裘的皮裡子磨穿了，那毛也就沒有了嗎？」

第二年，朝廷裡管財務的東陽先生，呈上財政報告。奏說全年稅收，增加了十倍。滿朝文武，都高興道賀，因爲國庫增加十倍，表示國家富足了。

魏文侯說道：「這不該賀我呀。譬如拿一錠黃金，去鍛成一塊金牌，如要它大，便鎚薄；如要它小，便加厚。治理人民也是一樣，假如貪圖重稅，而不愛護百姓的生計，那百姓就會餓死，正如那鄉下人反裘負芻的例子一樣。他愛惜那毛，卻不知『皮之不存，毛將焉附』的道理。如今我魏國田畝土地沒有增廣，人口也沒添加，而稅收多了十倍，這必是重稅剝削得來的。我聽人說：『百姓若不安生，君王也坐不安穩』。這不該賀我呀！」

【原文附參】：魏文侯出遊，見路人反裘而負芻。文侯曰：胡爲反裘而負芻？對曰：臣愛其毛。文侯曰：若不知其裏盡而毛無所恃耶？明年，東陽上計，錢布十倍，大夫皆賀。文侯曰：此非所以賀我也。譬如治治，令大則薄，令小則厚，治人亦如之。夫貪其賦稅而不愛人，無異路人反裘而負芻也。將愛其毛，不知其裏盡毛無所恃也。今吾田地不加廣，士民不加衆，而錢十倍，由課多也。吾聞之：下不安者，上不可居也。此非所以賀我也。（見：周、魏侯斯：《魏文侯書》。又見：《新序》、雜事第二）

【編者私語】：「皮之不存，毛將焉附」（見《左傳、僖十四年》）。「百姓不足，君孰與足」（見《論語、顏淵第十二》），本篇正可爲之注釋。

六七　父子打官司（教化）

孔子（公元前五五一—前四七九）做了魯國的司寇（約爲魯定公九年），掌管刑獄。有一對父子告狀，孔子將他倆拘禁起來，三個月不予審問。後來父親請求不告了，孔子就將他倆釋放，讓他們雙雙回家。

季孫（魯國的正卿）知道了，很不高興，說道：「我國這位大夫孔老先生欺騙了我（這時孔子約爲五十一歲）。他以前對我說過：『治理國家，必須提倡孝道』。現在正好有一個案例，可以殺一個兒子，來儆戒不孝的人，孔老卻將他開釋了。」神情表示不悅。

孔子的學生冉有（姓冉，名求，字有，又稱有子），將這段話轉告孔子。孔子慨然歎道：「唉！居上位的人，疏失於教導百姓向善，卻只想以殺來統治人民，這叫『不教而誅』，可以嗎？政府沒有讓百姓受到好的教化，一旦他們有了過失，便要治以刑獄，徒然濫殺那些無知而犯錯的人，是不妥當的。」

【原文附參】：孔子爲魯司寇，有父子訟者，孔子拘之，三月不別。其父請止，孔子舍之。季孫聞之不說曰：是老也欺予。語予曰：爲國家必以孝。今殺一人以戮不孝，又舍之。冉子以告。孔子慨然歎曰：嗚呼，上失之，下殺之，其可乎？不教其

民而聽其獄，殺不辜也。（見：戰國、荀況：《荀子》、宥坐篇）

【編者私語】：《後漢書循吏傳》說：「教導民夷，漸以禮義。要能化民成俗，未可不教而誅。」古今時空不同，今人有義務教育，可培養守法的國民。在春秋時代，官吏便是民之長官（作之君）民之父母（作之親）、民之老師（作之師），負有教導感化之責。現代若遇到新法令的實施，也要有一段宣導時期，同是避免不教而誅之弊。

六八　丹心照汗青　（報國）

南宋文天祥（公元？—一二八二，封文信國公），江西吉水人（原屬吉安府）。兒童時代，看見學宮（規模大的學校）裡大廳上奉祀了本鄉先賢諸遺像，有歐陽修（一〇〇七—一〇七二，謚文忠）、楊邦義（為金兀朮所殺，謚忠襄）、胡銓（奏斬秦檜之頭，謚忠簡），都是品端義高的人，死後國家都賜以「忠」為謚號（《史記正義謚法解》：危身奉上，險不辭難，曰忠）。文天祥欣然仰慕，自勉說：「死後如不奉祀在這裡，算不上是大丈夫。」

二十歲時，考上了進士，在皇宮集英殿參加殿試，這是一場「對策」之試，要論斷國家政策的走向，以觀抱負。那時宋理宗在位（一二二五—一二六四為帝），文天祥以「法天不息」為主旨，寫成應考宏文，整篇一萬多字，沒有打草稿，一氣呵成。理宗親拔為第一名。後來做了右丞相。

元朝至元十五年（一二七八），元軍元帥張弘範（一二三八—一二八〇）督兵攻宋，打到潮陽（屬廣東省），文天祥正在吃飯，被俘虜了。推到張弘範面前，兩旁武士喝令文天祥下跪，天祥不為動。張弘範原本佩服他，便改以客禮相見，要他寫信招降張世傑（奉宋帝走潮州，再駐崖山，後投海死）。文天祥說：「我自己不能保衛父母，還要我寫信勸別人背叛父母，這可以嗎？」就改抄自己作的《過零丁洋詩》交卷。末兩句是：「人生自古誰無死？留取丹心照汗青。」張弘範笑一笑，也沒有再逼他，就擱置了。

文天祥拘囚了三年多，在獄中，他寫了一篇《正氣歌》，以表志節，元世祖（忽必烈）知他絕不投降，至元十九年（一二八二），終於被殺。在他的衣帶上，發現他自寫的贊銘說：「孔曰成仁（殺身成仁，見《論語衛靈篇》），孟曰取義（捨生取義，見《孟子告子篇》）。惟其義盡，所以仁至。讀聖賢書，所學何事？而今而後，庶幾無愧！」

【原文附參】：文天祥，吉水人。自爲童子時，見學宮所祀鄉先輩歐陽修、楊邦義、胡銓像，皆謚忠，即欣然慕之曰：歿不俎豆其間，非夫也。年二十，舉進士，對策集英殿。時理宗在位，天祥以法天不息爲對。其言萬餘，不爲稿，一揮而成，帝親拔爲第一。後拜右丞相。至元十五年，張弘範兵濟潮陽，天祥方飯，執之。見弘範，左右命之拜，不拜，弘範遂以客禮見，使爲書招張世傑。天祥曰：吾不能扞父母，乃叫人叛父母，可乎？書過零丁洋詩與之，其末有云：人生自古誰無死，留取丹心照汗青。弘範笑而置之。至元十九年，遇害。其衣帶中有贊曰：孔曰成仁，孟曰取義。惟其義盡，所以仁至。讀聖賢書，所學何事？而今而後，庶幾無愧。（見：《宋史》、卷四百一十八、列傳第一百七十七）

【編者私語】：文天祥《過零丁洋詩》全文曰：「辛苦遭逢起一經（二十歲考中第

一名進士），干戈寥落四周星（一二七五年起兵抗元，一二七八年被俘，計四周年），山河破碎風拋絮，身世飄颻雨打萍。惶恐灘頭說惶恐，（在今江西萬安縣，急灘險惡）零丁洋裡歎零丁（在今廣東中山縣），人生自古誰無死，留取丹心照汗青。」

那時南宋奸臣賈似道當政，局勢敗壞，無可挽救。他生此無可奈何之時，眞是知其不可爲而爲之了。恭帝被俘，文天祥、陸秀夫、張世傑擁立端宗於福州，端宗死，再立帝昺，駐崖山。元軍擒文天祥，陸秀夫負帝昺投海死，張世傑也沉海死。宋代士大夫忠君愛國從容殉道的精神，已是昭垂千古了。誦文天祥的《正氣歌》，充沛著一股浩然之氣。現代欲想尋覓類似宋末三賢的人，已經太難了。

六九　分家專取老朽（孝友）

東漢安帝時代（東漢第六代皇帝），汝南人（今河南汝南縣）薛包，字孟嘗，讀書不倦，品行端正。他是長子，母親死時，他悲痛逾恆，人們都稱贊他的純孝。後來父親續娶，後母討厭薛包，要他分開居住。薛包不得已，在他家外面搭建一間廬舍，每天早上，回原家打掃清潔。父親仍不高興，想要把他趕遠一些，他只好改在里門旁再搭一間廬屋棲身。但每天早晚，還是來向父母請安問好，從不間斷。這樣過了一年多，父母醒悟了薛包之孝，才要他回家重聚。過了六年，雙親才相繼去世。

不久，弟弟要求分割財產，各立門戶，薛包勸止不了，只得照辦，財物一分爲二。家裡的僕人，薛包留下那些年老體衰的歸己，聲言道：「這些人與我相處很久了，弟弟你不便於使喚他們，分給我較爲方便。」田地房屋，選出那些荒瘠頹舊的，聲言道：「這些是我從小就耕犁和整修過的，我有一份依戀的感情，給我較好。」傢具器物，挑取那些朽壞殘破的，聲言說：「這些是我歷來用慣了的，留下來我會心安。」好的全都分給弟弟。

只可惜弟弟吵著要分家，卻又不屑於治產理財，胡亂揮霍，幾次都把家私敗光了，每次薛包都分出錢穀去賑濟弟弟。

這薛包的確是個孝順父母友愛弟弟的好兒子和好兄長，賢名遠近都知。到了東漢安帝建光年間，天下薦舉賢良方正，詔令入公車門中，薛包也被選入，封他作侍中之職，侍奉在漢安帝身邊。

【原文附參】：後漢安帝時，汝南薛包，好學篤行。喪母，以至孝聞。及父娶後妻而憎包，分出之。包不得已，廬於舍外，旦入而灑掃。父怒，又逐之，乃廬於里門，昏晨不廢。積歲餘，父母慚而還之。後六年，服喪。既而弟求分財異居，包不能止，乃中分其財，奴婢引其老者曰：與我共事久，若不能使也。田廬取其荒頓者曰：吾少時所理，意所戀也。器物取其朽敗者曰：我素所服食，身口所安也。弟數破其產，還復賑給。建光中，公車特徵至，拜侍中。（見：南北朝、顏之推：《顏氏家訓》、卷上、後娶第四）

【編者私語】：無論智愚貴賤，能輕視財貨的，便是高士。有人曾說：「錢存在銀行裡，毫無價值，看你如何用它，就能分出正邪高下。」旨哉斯言。

七〇　太子要學大事（治道）

孟光，字孝裕，洛陽人（與舉案齊眉的東漢賢女孟光名同人異）。作了三國蜀漢的大司農（在朝廷擔任管錢糧的部長）。和秘書郎郤正（郤音隙，是姓。郤正字令先，品端學博）爲友。郤正是皇太子的老師（延熙元年，蜀後主劉禪，立其子劉璿爲太子）。孟光問他關於太子對讀書的興趣和立志的方向，有無與衆不同之處。

郤正答道：「太子侍奉父親，虔敬恭順，從未懈怠，有古代世子（天子的嫡子叫世子）的風度。至於接待僚屬官員，他的一舉一動，都出之於仁厚寬恕，是個好太子。」

孟光說：「若像你這樣所說，只不過是位普通的中上人家子弟應有的德行而已，這不足爲奇。我要問的，是想了解一個做太子的人，他的權略智謀，有沒有特出之處？」

郤正答道：「身爲太子，有他應守的本分，乃是秉承皇帝的意志，順從父王的歡心。因爲太子只是處於儲君之位，無職無權無責，在未繼位爲帝之前，不可有任何逞智弄權的施爲，以免引起內外上下的猜忌。你所說的智謀，他只能深藏在心裡；你所說的權略，也只能等到將來去發揮。這方面太子究竟有沒有，哪能預先判知呢？」

孟光心知郤正爲人謹愼，談話也是選擇可以講的才講，不肯信口說大話。於是說道：

「我喜歡講直話，不會轉彎抹角。只因看到天下還未安定，治國要以智謀意志爲前提。智意雖是天生，也可從強求中增進的。教太子讀書，哪能像我等一樣，只知道竭力去廣尋博採，記牢一些支離破碎的小掌故，準備在考試時，好作回答。像我朝的國子博士（官名，是熟通五經的學者），只是從『對策』（針對政治教化的得失撰寫論文，提出方案，叫對策，是考試取士的一科）中敘述一些紙上道理，藉考試錄取來求得一官半爵，太子哪能這樣呢？他身居儲位，將來乃是國家的當然領導人，既不要參加科舉考試，就不必去記那些雞毛蒜皮的微末知識，要教他研究治國安邦的大事大計才好。」

郤正深深的同意孟光的話，認爲他的識見十分正確。

【原文附參】：大司農孟光，問太子讀書及情性好尚於秘書郎郤正。正曰：奉親虔恭，夙夜匪懈，有古世子之風。接待群僚，舉動出於仁恕。光曰：如君所道，皆家户所有耳。吾今所問，欲知其權略智謀何如也？正曰：世子之道，在於承志竭歡，不得妄有施爲。智謀藏於胸懷，權略應時而發。此之有無，焉可豫知也。光知正慎宜，不爲放談。乃曰：吾好直言，無所回避。今天下未定，智意爲先。智意自然，亦可強致也。儲君讀書，寧當傚吾等竭立博識，以待訪問，如博士探策講試，以求爵位耶？當務其急者。正深謂光言爲然。（見：《資治通鑑》、卷七十四、魏紀六）

【編者私語】：國內有年賺百億的大企業，儼如王國，組織跨國公司，觸角伸得很遠，眞是了不起（且慢高興，單獨美國通用汽車公司一家的生產值，比全台灣的國民生產毛額還多）。由於所有權和經營權未能分開，仍是家天下的局面。故第二代少東主，先作太子，以後即是當然的接棒人。但做個好的企業領導者也不容易。如何掌握企管財經、科技發展、產品壽命、未來需求，以及政情變化，人類福祉，都是亟應鑽研的。他不必懂得電腦構造（那只是個維修員），不必懂得會計科目（那只是個會計員），他要捨棄小技，培養宏觀，洞達世情，心懷天下，必須指出企業生存發展的方向，掌穩前進之舵，才能克紹箕裘。

七一　太后待我無恩（孝順）

北宋韓琦（一〇〇八—一〇七五，諡忠獻），字稚圭。他天資樸忠，識量英偉。歷事宋仁宗、宋英宗、宋神宗三朝。與范仲淹（字希文，諡文正）兩人名重當朝，同稱韓范。又與富弼（字彥國，諡文忠）兩人安定社稷，同稱賢相。

韓琦輔立宋英宗登位，後來英宗生了病，不能上朝，由太后垂簾聽政。英宗病勢變得十分嚴重了，性情轉爲暴躁，埋怨這個不對，咒罵那個不好，舉措之間，每有不依常情的乖異言行。太監們都受不了，引起多人的反感，便共同揑造英宗悖禮犯上的不是之處，來挑撥是非，弄得皇宮（英宗皇廷）與后宮（太后懿宮）兩者之間，構成了仇隙。

韓琦體察到這種不良的轉變，長此以往，實非國家之福。一天，在簾前向太后啓奏政事之餘，談到國家興隆，以和爲貴。太后不禁悲傷飮泣，流下了眼淚，忍不住將兒子英宗不孝的事，傾吐了出來。

韓琦奏道：「這是皇上病得太重了，才會有這些胡言亂語，使太后你聽來生氣；等到病情一好，就不會了。依微臣的愚見：兒子生了大病，母親難道不能忍耐一點嗎？」太后聽了，心意才稍許變得寬和了。

過了幾天，韓琦去皇宮探病，謁見了英宗。英宗說：「太后對我不好，一點慈母愛子的恩情也沒有！」

韓琦奏道：「據愚臣所知：自古以來，那些聖帝明君，也不算少了，然而只稱贊舜皇帝一人是大孝，難道其他的都不孝嗎？自然不是的。一般來說：父母關愛兒子，兒子孝順父母，這是應有的倫常表現，沒有甚麼特別應該稱道的。只有父母欠缺慈愛，而兒子仍不虧孝道，曲順父母之心，這才值得稱贊。你說太后待你無恩，恐怕是皇上事奉母親時，所該盡的孝道或許還不夠吧？哪有父母對好兒子不慈愛的呢？」

英宗這才大爲感悟，因而母子和好如初。

【原文附參】：宋、韓琦，輔立英宗。英宗得疾，太后垂簾聽政。帝疾甚，舉措或改常度。宦官多不悅，乃共爲讒間，兩宮遂成隙。琦奏事簾前，太后嗚咽流涕，且道所以。琦曰：此病固爾，病已必不然。子疾、母可不容之乎？太后意稍和。後數日，琦見上，上曰：太后待我無恩。琦對曰：自古聖帝明王，不爲少矣，然獨稱舜爲大孝，豈其餘盡不孝耶？父母慈愛而子孝，此常事，不足道。唯父母不慈而子不失孝，乃爲可稱。但恐陛下事之未至爾。父母豈有不慈者哉？帝大感悟。（見：明、《御製賢臣傳》、相鑑、卷之十二）

【編者私語】：韓琦不愧爲三朝大老。宮廷裡太后母親與兒子帝君感情惡劣，做臣子的乃是外人，怎好評論是非對錯？但韓琦用聊天話家常方式，先對太后動之以情：「兒子生了重病，母親難道不加寬諒？」這話平實感人，太后聽進去了。再對英宗勸之以理：「恐怕陛下事親還有不夠之處？父母哪有不愛兒子的？」這話也問得很合義理，值得自省，英宗也接受了。將母子間的嫌隙，冰消融化於無形。眞可謂私則善積陰功，公則裨益國政。費力微兮，造福大矣。

七二　太學豈事游談（勵學）

東漢仇覽（考城人），字季智。初在東漢桓帝延熹年中，任職蒲亭長（十里爲一亭，亭有亭長），續升主簿（約爲秘書佐吏之職）。後來考城縣長王渙（字稚子）薦舉他進入太學（漢創太學，設五經博士，以養天下儒生，使之治學）。這是全國唯一的最高學館。

太學儒生中有位符融（字偉明），和仇覽是同鄉，有很高的文名。兩人在學館中的宿舍相鄰，出入可以碰面。

符融的書室裡，經常聚集許多賓友，可謂高朋滿座。仇覽則獨處自己的書室，專心治學，從不去湊這份熱鬧。連碰面時的招呼寒喧也沒有。

符融默察這位仇覽的行止狀貌，不愧是個學人，卻不理會自己，私心奇怪而欽慕。有一天遇見了，便問道：「我和你仇覽學長的籍貫是同鄉，身分是同學，宿舍又相鄰，可算因緣不淺。如今京城裡高儒大師，四方雲集，正是我輩有志之士論交結友的良機。你我雖然要研求經史學問，少涉旁騖，但也不必緊守得此如固執吧？」

仇覽正言答道：「天子重儒，創立了太學館。我們有幸進入黌宮讀書，難道是只讓大家在這裡串門子（沒有正事而各人互訪聊天）和扯談（言不及義的閒談）的嗎？」雙手合掌高舉，向符融一揖，轉頭走了，不再和他說話。

符融頗爲心愧，後來把這事告訴了郭林宗（一二八—一六九，就是郭泰，或郭太，名重京師）。郭林宗得知仇覽是位眞儒，就同符融正式拿了名帖（在紙片上書寫姓名，送呈對方，用爲拜帖，又叫名剌，今日名片），到仇覽書室中造訪。三人傾談之下，竟然互相投緣，當晚還住了下來。

仇覽學成了，回到故鄉考城。後來天子徵求人才，他被舉爲「賢良方正」之選。

【原文附參】：仇覽，字季智。初爲蒲亭長，復爲主簿，後入太學。時諸生同郡符融有高名，與覽比宇，賓客盈室。覽常自守，不與融言。融觀其容止，心獨奇之，乃謂曰：與先生同郡壤，鄰房牖；今京師英雄四集，志士交結之秋，雖務經學，守之何固？覽乃正色曰：天子修設太學，豈但使人游談其中？高揖而去，不復與言。後融以告郭林宗，林宗因與融齎剌就房謁之，遂請留宿。覽學畢歸鄉里，後徵方正。（見：南朝宋、范曄：《後漢書》、卷一百六十、循吏列傳第六十六）

【編者私語】：漢朝創立太學館，設五經博士，是國立最高學府。入館的學員，都有俸祿可領，讓他們專心攻研經史。如果以串門子談天閒聊來混日子，雖是同學，卻非益友，就莫怪眞想讀書的人不予理會了。在這種最佳的環境裡，如果把大好時光，蹉跎荒廢，眞是可惜。反觀現在，時代更趨民主，言行更趨自由（因此有人將大學英文發音戲譯爲「由你玩四年」）。校園裡學生課外活動頻繁，眞正用於讀書的時間就少了。加上還發動一些政治性的集會遊行，似乎忘了進入學校的目的何在？大學生頭腦單純，只憑一些烏托邦的理想，就對國事強作主張，偏離了讀書的初志，未免捨本逐末而離譜了吧。

七三 孔子厄於陳蔡（際遇）

孔子帶領學生南行，要去楚國。途中，被匡人誤以爲他是陽虎，將他們圍困在陳國蔡國之間（陽虎曾對匡人施暴，孔子貌似陽虎，故被圍），七天未能炊火，想採點野菜熬米粥都很難得，隨行的學生都飢餓得形於臉色。

學生子路（元前五四二—前四八〇），性子最急，率直地問孔子道：「我聽人說：『多做善事的人，上天會賜福給他；多做壞事的人，上天會降禍給他』。長久以來，老師累德積信，友仁倡義，實已足夠了。像你這樣良善的聖人，爲甚麼受厄在這裡，遭遇這種窮困呢？」

孔子說：「子路呀，你還欠缺這方面的認識哩。今天讓我來曉喻你吧。你以爲有智識的人必定會受重用嗎？那王子比干卻被商紂王剖掉心肝呢。你以爲盡忠的人必定會受重用嗎？那關龍逢卻被夏桀王處以死刑呢。你以爲進諫的人必定會受重用嗎？那伍子胥卻被吳王夫差賜劍自刎，挖出眼睛懸在姑蘇東門城樓上呢。要知道際遇的來或不來是要等待時機的，治道的賢或不賢是要憑藉材德的。從古到今，士君子有淵博的學識和深遠的籌謀，卻因沒有遇到時機而沒沒無聞的人太多了，何獨我孔丘一人呀。

「進而言之，你看那芝蘭寂寞的生長在深林裡，絕不因無人觀賞而吝於吐露芬芳。我們讀書人立志做君子，去追求學識，不是爲了求取名位的通顯，而是要雖窮而不困頓，雖憂而不頹廢，知曉禍福終始的道理而本心不迷惑，這才正確呀！」

【原文附參】：孔子南適楚，厄於陳蔡之間。七日不火食，藜羹不糝。弟子皆有飢色。子路進問曰：由聞之，爲善者，天報之以福，爲不善者，天報之以禍。今夫子累德積義，懷美行之日久矣，奚居之隱也。孔子曰：由不識，吾語女。女以知者爲必用邪，王子比干不見剖心乎？女以忠者爲必用邪，關龍逢不見刑乎？女以諫者爲必用邪，吳子胥不磔姑蘇東門外乎？夫遇不遇者時也，賢不肖者材也。君子博學深謀，不遇時者多矣，何獨丘也哉？且夫芝蘭生於深林，非以無人而不芳。君子之學，非爲通也，爲窮而不困，憂意而不衰也，知禍福終始而心不惑也。（見：《荀子》、卷下、宥坐篇。又見：《說苑》、卷十七、雜言篇。又見：《韓詩外傳》、卷七〇。又見：《莊子》、秋水篇、亦大旨相若）

【編者私語】：孔子在《論語顏淵篇》中說：「死生有命，富貴在天。」說到窮通，能不能用世？那是際遇所關，多受外在因素的影響，難以強求，申言之：我國歷代帝王數千，能傳世的不過幾十。孔子不是高官，《家語》卻尊他爲「素王」。這是說他雖無王者之位，卻有王者之道。可見權位只是一時的，道德才是永久的。我們看破了這一點，就能做個坦蕩蕩的君子。

七四　不必刊印文集（藏拙）

唐太宗（五九八—六四九）在位二十三年，天下大治，四夷尊他為天可汗（西域的國主叫可汗，讀為客寒。天可汗意謂天下共尊的大君主），史稱貞觀盛世。貞觀二十二年（公元六四八年）時，大臣們奏請要將太宗歷年的訓話和文章，刊印專集，傳之後代。太宗說：「我的文辭詔令，若是有益於人民的，史官自會記下來，就可流傳下去，這就會永垂不朽了。若是無益於人民的，集印又有何用？你們知道：梁武帝父子（南朝梁武帝蕭衍，有文名。兒子簡文帝，工詩），陳後主（南朝陳叔寶，長於詩詞），隋煬帝（楊廣，亦好文學）這些人，都有文傳世，但何能挽救國家的敗亡呢？作國君的，要留意有沒有仁政以福國利民，至於單純的寫寫文章，那算甚麼作為呢？還是免了的好。」不許刊印。

【原文附參】：群臣或請集上文章。上曰：朕之辭令，有益於民者，史皆書之，足為不朽。若其無益，集之何用？梁武帝父子、陳後主、隋煬帝，皆有文章，何救於亡？人主患無德政，文章何為？遂不許。（見：淸、尹會一：《四鑑錄》、卷四、儆戒）

【編者私語】：《四鑑錄》編者尹會一按語：「太宗之言，至爲明切。人君鑑此，則知無益之文，非不朽之業，自不甘於沉溺詞章矣。」旨哉斯言。現在印刷術發達，出版物形同爆炸，好書壞書難分。甚麼是好書呢？能夠流傳長遠，接受過時間考驗而仍然有人讀的書，才是有價值的書。因此，出書的人，固要愼其筆墨，而一本書壽命的長短，仍要由讀者來決定的。試看歷來居崇位者，訓詞文告，盈櫃纍架，上自天文核能，下至農林水利，無所不講，實則爲秘書幕僚所代撰，並非天縱聖明也。屬下多集其言詞印爲專書，有無價值待考？余亦嘗問某公曰：你的一生，即一部近代史，何不寫書？他說：我寫了，也印了，但沒人要看，賣不出去，又不好見人就送。這話不妨聽聽。

七五　不拜無禮之王（崇禮）

東漢和帝永元二年（即公元八九年），劉開封爲河間孝王，四十二年後病故了，由兒子劉政繼位爲河間孝王。

劉政倨傲凶狠，不遵奉朝廷法令的約束。漢順帝（劉保，公元一二六—一四四在位）雖貴爲天子，論輩份卻是河間孝王劉政的堂姪孫兒，不便於強力約束，便選拔原任侍御史（在天子左右管理車駕之官）沈景（吳縣人）去做河間王的丞相。因爲沈景品高識卓，可輔助劉政步入正途。

沈景到河間王府，去謁見劉政。那劉政身爲王爺，卻沒有穿正式的王服，隨便席地蹋坐王殿上，兩條腿向前分開曲展，就這樣來接見沈景。

這時執事的侍郎開始贊禮，進行謁見儀程，要沈景參拜。沈景昂然站著沒動，不肯行禮，向兩旁的吏員問道：「王爺在哪裡？」

旁邊有位虎賁侍衛答道：「上面這位不就是王爺嗎？」

沈景說：「王爺不穿王服，誰能辨識？那與普通平民有何不同？今天我是河間王府的丞相，初次來謁見王爺，難道要我來見不懂禮節的人嗎？」

河間孝王劉政聽到這番嚴正的話，心生愧意，便換上正式王服，沈景才依禮拜見。

【原文附參】：河間孝王開，以永元二年封，開立四十二年薨，子政嗣。政傲狠，不奉法憲。漢順帝以侍御史沈景以彊能稱，故擢爲河間相。景到國謁王，王不正服，箕踞殿上。侍郎贊拜，景峙不爲禮，問王安在？虎賁曰：是非王耶？景曰：王不王服，與常人何別？今相謁王，豈謁無禮者耶？王慚而更服，景然後拜。（見：《後漢書》、卷八十五、章帝八王傳第四十五）

【編者私語】：從前中國自傲是禮義之邦，到今天已經無人講求了。試看現代的中國人，在餐館裡敬酒划拳，大聲喧嚷，在國外也不收歛，招來外國人的輕視與惡感。在車站裡買票不排隊，推推擠擠，強者佔先，這便是我們的民族性。要知道：禮是人與人相處的規範，如果你在家獨居，不穿衣服也沒有人管。魯賓遜飄流在荒島上，用不著刮鬍子，因爲荒島上只有他一個人，沒有「禮」的問題。兩人以上共處，則「禮」生焉。衣冠整齊來接見客人，一方面是遵「禮」以示敬待對方，一方面也是守「禮」以尊重自己。須知己身無禮，對別人未必會構成侮慢，但對自己則必然貶低了身價。

七六　不殺少而殺衆　（明辨）

戰國時代，墨子（墨翟，仕宋爲大夫，主張兼愛）從宋國（今河南商丘縣一帶）前往南方楚國，去見公輸盤（《孟子離婁》作公輸子魯班，《史記》《後漢書》作公輸般，《朝野僉載》作魯般，是位巧匠）說：「北方有個壞人侮辱我，請你幫我去殺掉他。」

公輸盤一聽，是叫他去殺人，心中很不高興。

墨子說：「我願意送你黃金十鎰，可以答應了吧？」

公輸盤道：「我是個講道義的人，我從來就不肯殺人。」

墨子站起身來，正式向公輸盤揖拜施禮，說道：「你守義不肯殺人，令我十分佩服。但我要進一步說個清楚：今天我從北方來這裡，乃是聽說你替楚國造好了雲梯（能高升入雲，是攻城的利器），要去攻打宋國。請問宋國犯了甚麼過錯，要去消滅它？你不肯殺少數的人，卻肯殺宋國多數的人，這豈不是不肯深思去類推以求理義之所在嗎？」

【**原文附參**】：子墨子見公輸盤曰：北方有侮臣，願藉子殺之。公輸盤不悅。子墨子曰：請獻十金。公輸盤曰：吾義固不殺人。子墨子起，再拜曰：請説之：吾從北方來，聞子爲雲梯，將攻宋。宋何罪之有？子義不殺少而殺衆，不可謂知類。

（見：《墨子》、公輸篇）

【編者私語】：我們常只看到小處，忽略了大處。所謂眼光短淺，實是思慮欠深。思慮何以欠深？乃因識力不夠也。這是見樹不見林的弊病。在大陸，學生思想不純，就拘禁；卻不知出國留學生六七萬人，人人都心嚮民主（美國FBI中共專家梅傑生說：一九九二年中共留美學生有六萬到七萬五千人。留日俄歐者在外）。防制了百十人，管不了七萬人，效果很難說了。在台灣，黑槍氾濫，經常抓到一枝兩枝，卻沒有搗破大宗的走私槍梟的源頭，斷不了。如果眼睛只看到前面兩尺遠，這不是治本之策。兩千多年前的墨子說破了這一點，我們要痛加思考才是。至於止楚攻宋的後續發展，請參閱本書第十六篇「九攻九卻」，以得其詳。

七七　不替娘家求官　（謙抑）

東漢光武帝劉秀，（元前六—元後五七），打敗王莽，中興漢室。當他年少時，得知陰麗華生得美麗，就說：「娶妻當得陰麗華。」果然後來娶她爲貴人，最後當了皇后。

光武帝建武九年（西元三十三年），劉秀封賞陰麗華弟弟陰就爲宣恩侯。後來又想把她哥哥陰興（當時官拜侍中）也封爲侯。已經將侯爵的大印刻好了，還綴上了綬帶，連印匣一同擺在光武帝的几案前，只等舉行授印儀式了。

陰興卻堅決辭謝，說道：「我沒有衝鋒陷陣的功勞，而一家多人，都蒙封爵賜賞，這會叫天下人怨懟，實在不敢受命。」

光武帝嘉許他這番心意，不再勉強賜封了。陰麗華那是還是貴人，尚未封后，向陰興問起此事，陰興說：「大凡皇后的娘家，都不太懂得謙退之道。自恃皇親國戚，女兒擇婚時，要配王侯才嫁。兒子找媳婦時，要選公主才娶。我老是覺得這樣做不安心。因爲富貴總會有個盡頭，做人尤其要懂得知足。誇耀奢華貴勢，更會被外面的人在背後譏諷訕罵，你說對不對呢？」

陰麗華十分感動，此後她的行爲也儘量謙抑，從不替娘家親人求取官位。

【原文附參】：漢光武帝建武九年，封陰貴人弟就爲宣恩侯。復召就兄侍中興欲封之，置印綬於前，興固讓曰：臣未有先登陷陣之功，而一家數人，並蒙爵賞，令天下觖望，誠所不願。帝嘉之，不奪其志。貴人問其故，興曰：夫外戚家苦不知謙退，嫁女欲配侯王，取婦眄睨公主，愚心實不安也。富貴有極，人當知足，誇奢益爲觀聽所譏。貴人感其言，深自降抑，卒不爲宗親求位。（見：淸、尹會一：《四鑑錄》、卷四、立身）

【編者私語】：《四鑑錄》編者尹會一評曰：「外戚不知謙退，自古而然。陰興獨不願無功受爵，觖望貽譏。知足不辱，或亦得力於學問者深歟。」

七八　天下有達尊三（自重）

孟子本來要去會見齊宣王，齊宣王卻先派人告知孟子說：「寡人原想親來訪晤你的，卻因患了感冒，不能外出吹風。明早宮廷有朝會，不知能不能讓我見到你？」

孟子這次齊國之行，是貴賓與老師的身分。齊王屈尊來訪，或者孟子主動去會晤都可以，但藉口欲用召喚的方式見面，便難以接受，因此孟子推辭說：「很不巧，我也患了感冒，明天不能夠上朝廷會面。」

但是第二天，孟子卻前往齊國大夫東郭氏（東郭是複姓）家中去參加喪禮。學生公孫丑問他道：「昨天你說不舒服，推脫不能上朝，今天卻出外弔喪，恐怕不可以吧？」

孟子說：「昨天生了病，今天已經好了，爲甚麼不可以出弔？」

齊宣王派國醫來探視孟子的疾病。醫生來了，孟子卻沒有在家。由孟仲子（孟子的堂弟）接待，答覆說：「昨天有王命寵召，孟子卻感冒了，不能上朝。今天稍許好些了，已經前往造朝，正在路上了。但不知能不能趕上呢？」孟仲子只好權宜用委婉的說辭解釋，以圖圓轉。

爲使託辭兌現，孟仲子趕忙派人到半路上去攔住孟子，告訴他說：「請你不要回家，務必就逕去朝中，會見齊宣王才好。」

孟子堅守自己的原則，未肯上朝，又未便回家，不得已，只好到齊國另一位大夫景丑氏的家裡去過夜（景丑即景子。《漢書藝文志》有《景子》三篇・列儒家）。

景丑說：「家中有父子，國中有君臣，這是人倫中的大倫。父子間以恩情爲主，君臣間以禮敬爲主。我看到齊宣王敬重於你，卻不曾看到你敬重他，似乎不妥吧？」

孟子答道：「啊，這是甚麼話呢？齊國沒有人拿仁義之理說給齊宣王聽的，我則凡不是堯舜的治道，就不敢向他進言，因此沒有人比我更敬重齊宣王的了。」

景丑說：「不，我不是指這一點。《禮記曲禮》說：『父召、無諾（不可隨便哼一聲就算了）。君命召、不俟駕（不待車駕準備好，立刻前往）。』你本來打算要去見齊宣王的，聽到他召喚你就不去了，似乎不太合於禮節呀！」

孟子答道：「你是說這椿事嗎？從前曾子說：『晉楚財富多極了，無人可與相比。他有他的「富」（倚仗財富），我則有我的「仁」（仁統攝萬善，是天下至富）。他有他的「爵」（倚仗官位），我則有我的「義」（義超逾物表，是天下的至貴）。我哪一方面比不上而感到遺憾呢？』普天之下，共同推崇的尊貴項目有三：一是官爵、二是年齒、三是德行。在朝庭裡，以官爵爲尊。在社族裡，以年齒爲尊。在輔導世俗、爲民表率方面，則以德行爲尊。如今齊宣王雖然南面稱孤，爵位極高，但也只具備三項達尊中的一項而已。若論齒論德，我自問都超過他很遠，怎能僅以一項來怠慢其他的兩項呢？」

【原文附參】：孟子將朝王，王使人來曰：寡人如就見者也，有寒疾，不可以風。朝將視朝，不識可使寡人得見乎？對曰：不幸而有疾，不能造朝。明日、出弔於東郭氏。公孫丑曰：昔者辭以病，今日弔，或者不可乎？曰：昔者疾，今日愈，如之何不弔。王使人問疾，醫來。孟仲子對曰：昔者有王命，有采薪之憂，不能造朝。今病小愈，趨造於朝，我不識能至否乎？使數人要於路，曰：請必無歸而造於朝。不得已而之景丑氏宿焉。景子曰：內則父子，外則君臣，人之大倫也。父子主恩，君臣主敬。丑見王之敬子也，未見所以敬王也。曰：惡、是何言也。齊人無以仁義與王言者，我非堯舜之道，不敢以陳於王前，故齊人莫如我敬王也。景子曰：否、非此之謂也。禮曰：父召無諾，君命召，不俟駕。固將朝也，聞王命而遂不果，宜與夫禮，若不相似然。曰：豈謂是歟？曾子曰：晉楚之富，不可及也。彼以其富，我以吾仁；彼以其爵，我以吾義，吾何慊乎哉？天下有達尊三：爵一、齒一、德一。朝廷莫如爵，鄉黨莫如齒，輔世長民莫如德。惡得有其一，以慢其二哉？

（見：《孟子》、公孫丑章句下）

【編者私語】：君王下訪布衣，是尊賢。布衣上謁君王，是慕勢。孟子說過「君爲輕」的話，他是倡「民爲貴」的理論的。「爵、齒、德」三者中，官爵乃是外力所加，年齒只是活得較久，唯有碩德乃是高超修爲，才最值得崇敬。

七九　五百金買馬骨　（求才）

古時候，有位國君，願意用一千鎰黃金買千里馬。過了三年，還未買到。有個侍臣對國君說：「讓我到國外去找一找吧。」國君就同意他去了。過了三個月，侍臣尋訪到一匹千里馬，但馬已經死了。他付了五百鎰黃金，將死馬的骸骨買下，回來向國君覆命。

國君見了大怒，罵道：「我要的是活馬，死馬有何用處？白白損失了五百黃金？」侍臣答道：「死馬骨頭還出價五百金，何況是活馬，更會賞給高價。如今普天之下，都知道你是最愛馬的人，千里馬很快就會來了。」

不到一年，千里馬來了兩匹。

【原文附參】：古之人君，有以千金求千里馬者，三年不能得。涓人言於君曰：請求之。君遣之。三月，得千里馬。馬已死，買其骨五百金。反以報君。君大怒曰：所求者生馬，安用死馬？捐五百金。涓人對曰：死馬且市之五百金，況生馬乎？天下必以王爲能市馬，馬今至矣。於是不期年，千里馬至者二。（見：《新序》、雜事第三）

【另篇錄參】：燕昭王卑身厚幣以招賢者。郭隗曰：臣聞古之人君，有以千金求千里馬者，三年不得。涓人求之，得千里馬，馬已死，買其骨五百金。反、以報君。君怒曰：所求者生馬，安事死馬而捐五百金？對曰：死馬且買之五百金，況生馬乎？馬今至矣。不期年，而千里馬至者三焉。今王誠欲致士，先從隗始。隗且見事，況賢於隗者耶？於是昭王爲隗築宮而師之。樂毅自魏往，鄒衍自齊往，劇辛自趙往，士爭走燕。（見：《戰國策》、燕策）

【編者私語】：五百買下死馬，千金待購活馬；都知吾君愛馬，一年來二好馬。

八〇　升官不按年資（進賢）

北宋寇準（九六一—一〇二三），字平仲，宋太宗（九三九—九九七）時考中進士，宋眞宗（九六八—一〇二二）時，兩度爲宰相，封萊國公，卒謚忠愍。

他對官員的調升晉級，不按年資的先後，只論才識的高低，同仁們頗多不服，認爲他破壞了升官制度。

有一天，又逢到要挑選晉升的官員了。辦事的屬官捧著例簿（按年資長短排列的晉升名簿，如同今時的候選名册）進來給他參照圈選，寇準不看，說道：「宰相的職責，是要進用賢能的人，黜退不肖的人。例簿中只有死板的記載，欠缺靈活的銓衡。如果只按年資的久暫，以排比列隊的方式依序遞升，那宰相只算是個管理人事的佐理員罷了。」

【原文附參】：宋寇準，在相位，用人不以次，同列頗不悅。他日，又除官，同列目吏持例簿以進。準曰：宰相所以進賢退不肖也。若用例，一吏職爾。（見：明、《御製賢臣傳》、相鑑、卷之十一）

【編者私語】：司馬光說：「爲政之要，莫若得人。」如何去考核，這是一門大學問。品德是隱藏的，難以秤量；學識不是一張死文憑，有學歷和學力的不同，難以甄考。怎樣做到公平公正?使賢者進，才士不受壓抑；使劣者黜，小人不能倖進。超出本書討論的範圍，留待專家去研究吧。

八一　升官賀客必多（氣量）

宋代向敏中（字常之，開封人），氣度恢宏，志節遠大。宋眞宗（九六八—一〇二二）天禧年間，詔命他爲右僕射（即宰相），是百官之長。

同在這一天，翰林學士李宗諤（字昌武）輪到和皇上見面談話。宋眞宗說：「我自即位以來，還沒有派過宰相。今天發佈由向敏中升任此職，這是特別對他的隆寵，他應該會十分歡喜才對。」

眞宗又說：「敏中得升首相，今天到他家道賀的人必會很多，你不妨也去看看熱鬧場面。但不要洩露是我的主意便好！」

李宗諤到了向敏中家門前，只見他今天婉謝訪客，不接見賓友，門廊及走道都寂然無人。李宗諤逕自走了進去，態度從容的道賀說：「今天聽到聖旨降下，特任你爲右僕射。朝裡的人，莫不歡欣慶慰，都說皇上選對人了。」

向敏中只是謙遜的應了一聲謝謝。

李宗諤又說：「當今皇上自登位以來，還沒有選過宰相。若不是你的功勳德望最高，怎會被皇上看重？」

向敏中仍舊只是謙遜的答應一聲慚愧。

李宗諤又提到前朝做宰相的德業如何崇隆，皇上的禮敬如何優渥，宰相一職，又如何受人尊仰。向敏中仍舊只是謙遜的應了一聲不敢，沒有多講任何得意的話。

李宗諤告辭了。叫了個下人到向敏中的廚房裡，問那廚師說：「今天有沒有尊親貴賓要來飲酒吃飯？」回答是沒有人會來。

第二天，李宗諤將所見所聞覆奏宋眞宗。眞宗說：「這個向敏中，眞是耐得住性子，確是個合適的宰相！」

他居大位長達三十年，卒謚文簡。

【原文附參】：向敏中，有大志。天禧初，進右僕射。是日，翰林學士李宗諤當對，帝曰：朕自即位，未嘗除僕射，今命敏中，此殊命也，敏中應甚喜。又曰：敏中今日賀客必多，卿往觀之，勿言朕意也。宗諤既至，敏中謝客，門闌寂然。宗諤徑入，徐賀曰：今日聞降詔，士大夫莫不歡慰相慶。敏中但唯唯。又曰：自上即位，未嘗除端揆，非勳德隆重，何以至此？敏中復唯唯。又歷陳前世爲僕射者勳德禮命之重，敏中亦唯唯，卒無一言。既退，使人問庖中，今日有親賓飲宴否？亦無一人。明日，具以所見對。帝曰：向敏中大耐官職。謚文簡。（見：《宋史》、卷二百八十六、列傳第四十五）

【編者私語】：升官是加重責任，只宜戒愼恐懼。因爲大家都睜著眼睛，看你有何表現？不是要你混飯吃的。史載唐代岑文本升官了，親朋爲他慶賀，他說：「責重位高，今天只受弔，不受賀」（見《舊唐書》卷七十）。一般人只看到權勢增高的一面，忽略了義務加重的一面。向敏中和岑文本才是好榜樣。現在則是不管自己行不行，削尖腦袋去鑽營，學政治的可以管交通，至於有沒有建樹和作爲，那以後再說吧！

八二　少正卯兼五惡（除害）

孔子作魯國的司寇（掌刑獄之官），又兼職攝行宰相之事，聽朝才過七日，就將少正卯殺了。

他的弟子問道：「少正卯是魯國有名望的大夫，全國皆知。老師初理政務，首先就殺了他，恐怕有失吧。」

孔子答道：「你們坐下，讓我解釋此中的原故吧。人的惡行有五種，而偷盜並不包括在裡面。第一是心雖通達，但智術凶殘險惡。第二是行爲乖僻，而又堅持頑固。第三是言辭僞詐，卻說得頭頭是道。第四是記憶怪誕，且又通曉廣博。第五是依順不當的作爲，並且故加潤澤文飾。有這五種中的一種，就逃不掉要受誅殺。這少正卯則是五惡俱全，以致他居住之處，足以鳩聚徒衆，成群結黨。而談辯之際，足以掩飾邪惡，蠱惑大衆。他的剛愎之性，又足以反是爲非，獨逞其志。這是小人中的梟桀之尤，不可不繩之以法，斬絕亂根了。」

【原文附參】：孔子爲魯攝相，朝七日而誅少正卯。門人進問曰：夫少正卯，魯之聞人也。夫子爲政而始誅之，得無失乎？孔子曰：居、吾語汝其故。人有惡者五，而盜竊不與焉。一曰心達而險。二曰行辟而堅。三曰言僞而辯。四曰記醜而博。五曰順非而澤。此五者有一於人，則不得免於君子之誅，而少正卯兼有之。故居處足以聚徒成群，言談足以飾邪熒衆，強足以反是獨立。此小人之桀雄也，不可不誅也。（見：《荀子》、宥坐篇。又見：《說苑》、卷十五、指武篇。又見：《尹文子》、卷下）

【編者私語】：評鑑人之善惡：有德而無才者，憑其德還是好人。有才而無德者，仗其才足以濟惡。強盜殺人越貨，只殘害百十人；少正卯之流品劣，將殘害萬千人。

八三　父親比我清廉　（潛德）

胡質，字文德，是漢末以迄三國曹魏時代的人。曾任荆州刺史（荆州約爲今鄂湘二省境。刺史等於州牧、太守），《三國志》裡有傳。

他兒子胡威（字伯武），從京州來探望父親，胡質給他一匹絲絹。胡威跪下請問道：「大人爲官，一生清廉高潔，不知這匹絲絹是從哪裡得到的？」

胡質說：「這是我用歷年薪俸節省下來的餘錢買的，來路清白，不要懷疑。」胡威才恭敬的接了。

其後，胡威在朝爲官，也以清廉著稱。魏武帝曹操（封爲魏王，死後諡武，兒子曹丕篡漢後，追尊爲魏武帝）問胡威道：「你和父親胡質比較，誰最清廉？」

胡威說：「我不及父親高尚。我父一生清廉，但唯恐別人知道（善事不欲人知，免得沽名釣譽）。我也謹守清廉，但唯恐別人不知道（善事要人知曉，不能算是眞善）。」

【原文附參】：晉、胡質，爲荆州刺史。其子威，自京州來省之。質賜絹一匹，威跪曰：大人清高，不省安得此？質曰：是吾俸祿之餘也。威始受之。武帝問威曰：卿與父孰清？威曰：不如也。臣父清恐人知，臣清恐人不知。（見：北齊、魏收：

《魏書》、卷二十七）

【編者私語】：一生廉潔，已經很難了。廉而唯恐人知，碩德潛藏，這是眞善，已臻聖賢之境。由於爲善不願人知，以致史書裡著墨不多。

八四　太陽與長安誰近（幼慧）

司馬炎（二三六——二九〇）篡曹魏開國，是爲晉朝。四傳到了司馬睿（二六七——三二二），是爲晉元帝。

元帝的兒子司馬紹（？——三二五），是未來的晉明帝，這時還是年幼的太子。他小時候，聰明靈智，元帝十分喜愛他。當他還祇幾歲的時候，元帝抱著他坐在膝頭上，正好長安的使者來了（**長安在陝西，晉都在洛陽**），元帝因問明帝道：「你說太陽近，還是長安近？」

明帝說：「長安近。沒聽說有人從太陽裡來，就知道了。」

元帝見他年紀小小，答話滿有理智，心中高興。第二天，朝廷舉行宴會，百官全體到場，元帝想誇耀一下太子的幼聰，便將同一個問題再問他，明帝卻說：「太陽近。」答案正好和昨天相反，出乎意料之外，元帝臉色都變了，追問道：「爲何與昨天講的不一樣呢？」

明帝說：「我抬頭祇看到太陽，卻看不到長安嘛！」

元帝察覺他更爲奇特了。

【原文附參】：晉明帝，幼而聰哲，爲元帝所寵異。年數歲，嘗坐置膝前，屬長安使來，因問帝曰：汝謂日與長安孰遠？對曰：長安近；不聞人從日邊來，可知也。

元帝異之。明日，宴群僚，又問之，對曰：日近。元帝失色，曰：何乃異間者之言乎？對曰：舉頭則見日，不見長安。由是益奇之。（見：房玄齡：《晉書》、卷六、帝紀第六）

【編者私語】：昨天說長安近，今天說太陽近，隨情況而異其詞，都有理由支持。但兩晉明帝是幼童，並未預設立場，只是觀察當時的環境，而推論出不同的結果。但兩次所依據的基礎並不相同，這就與推理原則不符，兩者便不能比較。所謂長安近，是從「有沒有人來」爲著眼點，所謂太陽近，是從「看不看得到」爲著眼點。兩次著眼點不是同一類，得出的結論自會南轅北轍，不合於邏輯。《理則學》中，有所謂「兩端體」，可以說出兩套似是而非的理論來唬人。曾憶有一趣談：詭辯大師收一學生，立下『契約』，等學生助人打官司獲勝後，再交學費。但學生久久不替人訴訟，老師因學費長久未收，乃自訴其徒，說詞理由充足，他說：「我若勝了，你應照『判決』給我學費；我若敗了，你應照『契約』給我學費。所以不論勝敗，你都要給我學費。」自謂輸贏都可拿到學費了。不料該學生已盡得老師詭辯之傳，提出相似卻相反的一套詭辯來駁覆。他說：「如果老師勝了，照「契約」我可不給學費；如果老師敗了，照『判決』我也不給學費。所以不論勝敗，我都可不給學費。」（見吳俊升著《理則學》）它的不合邏輯之處，乃是一時以契約爲著眼點，一時又以判決爲著眼點，就把別人搞迷糊了。

八五　六百里變為六里（狡謀）

戰國時代，秦惠王想攻打齊國，又耽心齊國與楚國合縱之盟緊密，必須先行分化，才好實現他的計劃。

秦惠王派張儀（是鬼谷子的學生，在秦爲相）到楚國，對楚懷王說：「大王若能封閉對齊國的邊關，與齊斷絕合縱條約的往來，我秦國願意將商於（地名、在今河南淅川縣西）的六百里土地送給你楚國。」

楚王大喜，答應了。滿朝大臣都慶賀這椿美事，獨有陳軫（夏人，善說）卻來弔喪。楚懷王大怒說道：「我不費一兵一卒，憑白得到六百里土地，你爲甚麼說要弔喪？」

陳軫說：「天下沒有這等美事。不但商於的土地得不到，而且齊國和秦國會復合。他們一和合，我楚國的禍患就來了。」

楚懷王問道：「你這話有甚麼依據呢？」

陳軫說：「秦國爲甚麼看重我楚國？因爲我們與齊國合縱結盟很密切。如果封閉了邊關，和齊國切斷盟約，我楚國就孤立無助了。秦國爲何還要討好孤立的楚國而奉送六百里土地給我呢？張儀回秦之後，諾言必會變卦。那時大王在北面和齊國斷絕了邦交，而西面和秦國生起了禍患了。」

楚懷王道：「請陳先生閉嘴，等著瞧我接收土地好了。」

懷王厚厚的賞了張儀，於是主動將齊楚之間的邊關封閉，斷絕聯盟。派了一位將軍作使者，隨張儀返回秦國，等待接受六百里土地。

張儀回國後，假裝墜車，受了重傷，不能上朝議事，休養了三個月。割地的事迄無消息。

楚懷王說：「難道張儀認爲我與齊國絕交做得不夠麼？」於是又派了一位勇士叫宋遺的，去辱罵齊王。齊王大怒，竟反轉請求與秦國和好。

齊秦的邦交復合後，張儀才恢復上朝，遇見楚國的使者說道：「你爲甚麼還不去接受土地呢？那是從某某地界到某某地界，長寬一共六里。」

本是六百里，如今只六里，六里哪能交待？使者不敢接受，回國覆報楚懷王。懷王大怒，發兵攻秦，第一仗在丹陽（此係漢中的丹陽）作戰，楚軍大敗。第二仗在藍田（在今陝西境內）交戰，又大敗了。

【原文附參】：秦王欲伐齊，患齊楚之縱親。乃使張儀至楚，說楚王曰：大王誠能閉關絕約於齊，臣請獻商於之地六百里。楚王說而許之，群臣皆賀，陳軫獨弔。王怒曰：寡人不興師而得六百里地，何弔也？對曰：不然。商於之地不可得，而齊秦合。齊秦合則患必至矣。王曰：有說乎？對曰：夫秦之所以重楚者，以其有齊也。

今閉關絕約於齊，則楚孤。秦奚貪夫孤國而與之六百里？張儀至秦，必負王。是北絕齊交，西生患於秦也。王曰：願陳子閉口，毋復言，以待寡人得地。乃厚賜張儀。遂閉關絕約於齊。使一將軍隨張儀至秦。張儀佯墮車，不朝三月。楚王聞之曰：儀以寡人絕齊未甚耶？乃使勇士宋遺北罵齊王。齊王大怒，折節以事秦。齊秦之交合，張儀乃朝。見楚使者曰：子何不受地？從某至某，廣袤六里。使者還報楚王，楚王大怒，伐秦。初戰於丹陽，楚師大敗。再戰於藍田，又大敗。（見：《資治通鑑》、卷三、周紀三）

【編者私語】：先說六百里，改口剩六里；騙死大傻瓜，笑話騰千里。

八六　不以私怨害公義（舉賢）

春秋第二位霸主是晉文公，名叫重耳（元前六九七—前六二八）。晉國強大，與他選賢用能有關。境內西河一地，位居衝要。晉文公問咎犯（亦作舅犯，咎舅古通）說：「你看誰可以做西河太守？」

咎犯答道：「虞子羔可以。」

晉文公說：「他不是你的仇人嗎？」

咎犯答道：「你問的是誰可以做太守，不是問誰是我的仇人哪。」

虞子羔去見咎犯，感謝他薦舉之德，說：「我很幸運，從前我的過錯，已經獲得你的寬恕。你向晉文公推薦我，做了西河太守，內心非常感激，特來專申謝意。」

咎犯答道：「薦舉你做太守，這是公務。我不喜歡你，那是我的私事。爲國舉賢，我不能因私怨而妨害公務。你有才幹，也不必謝我。你去上任吧。不然，我會拿弓箭射你（春秋古代，人人都會射箭）。說不定以後我還會檢舉你的不對哩。」

【原文附參】：晉文公問於咎犯曰：誰可使爲西河守者？咎犯對曰：虞子羔可也。公曰：非汝之讎耶？對曰：君問可爲守者，非問臣之讎也。羔見咎犯而謝之曰：幸赦臣之道，薦之於君，得爲西河守。咎犯曰：薦子者公也。怨子者私也。吾不以私事害公義，子其去矣，顧吾射子也。（見：《說苑》、至公）

【編者私語】：私是私，公是公。不公報私仇，不以私害公。國家選官是公務，個人有怨是私事。薦才是爲國，不必謝我。前怨仍然在，並未勾銷。咎犯者，應是公私分明、固守直道者也。但若進一步探討：咎犯既推舉虞子羔任西河守，則虞子羔的才德應大有可取之處。那末兩人之間的私怨，何以不能寬容而化解呢？如果錯在己方，固應自省而表示歉意；如果錯在對方，亦當原宥而不必追究，這樣豈不更是個眞正的君子了嗎？

八七　不使不耕者穫麥（遠見）

齊國攻打魯國，眼看進攻到單父（單音善，春秋時魯國城邑，今山東單縣）來了。單父的百姓緊急向縣長宓子（即宓不齊）請求：「城外田地裡的麥子都熟了，現在齊兵指日將到，來不及各人收割自己的麥子，請求放人出城，任聽百姓去搶割別人的麥子。一則增加糧食，二則免得以糧資敵。」一連請求了三次，宓子都不允准。

不多久，齊兵來了。果然城外的麥田，都被齊人收割去了。

魯國大夫季孫（官職是正卿），是宓子的長官，聽到這事，大爲震怒，派人責怪宓子說：「老百姓不顧寒冬酷暑，種麥施肥，辛苦了一年，卻一顆麥粒也得不到。有人請求去搶割，你又不肯答應。這豈不是全然不爲百姓著想嗎？」

宓子感慨地回報道：「今年沒有麥子，明年還可再種。倘若任聽百姓去搶收別人的麥子，便是叫那些不耕地的閒民也可以去收割麥子，豈不是讓百姓希望敵人多來幾次，每次都可以不勞而穫嗎。這是鼓勵倖得之心，主政的人，不能如此做的。況且，我單父一年的麥子，數量究竟有限，即使全部收割去了，對敵方齊國而言，不見得增加多少糧食；對我方魯國而言，也不見得會短缺多少糧食。倒是鼓勵百姓任意去搶割別人的麥子，這股歪風一開，敦厚的民俗受到了創傷，恐怕好多年都挽回不了的了。」

季孫聽了這番讜論，慚愧地說：「宓子的遠見很有理。如果有個地洞，我會躲進去，我哪好意思見到宓子呢。」

【原文附參】：齊人攻魯，道由單父。單父之人請曰：麥已熟矣，今齊寇至，不及人人自收其麥。請放民出，任民收割附郭之麥，可以益糧，且不資於寇。三請、而宓子弗聽。俄而齊寇逮于麥。季孫聞之怒，使人讓宓子曰：人民寒耕熱耘，曾不得食，豈不哀哉。有以告者，而子不聽，非所以爲民也。宓子蹙然曰：今年無麥，明年可樹。若使不耕者穫，是使民樂於有寇也。且得單父一歲之麥，於齊不加強，於魯不加弱。若使民有自取之心，其創必數年不息。季孫聞之，赧然而愧曰：地穴可入，吾豈忍見宓子哉。（見：周、宓不齊：《宓子》）

【編者私語】：敵人來了若搶麥，下次更可劫錢帛。看似今年有所失，長遠觀之仍是得。

八八　不是我替你還債（陰善）

後漢時的陳重，字景公。少壯時，和同郡縣的雷義結爲至友。因他名望很好，太守（治理一郡之官叫太守）張雲薦舉他爲孝廉（謂事父母純孝、品節有廉隅者曰孝廉，漢代很受尊重，後世廢了）。陳重不肯接受，反說雷義應當入選，前後十多次上書，使雷義在第二年得與陳重一同舉爲孝廉。

他兩人同時在郎署（郎是官名，有議郎、中郎、侍郎、郎中等多種，統稱郎。辦公之所叫署）服務。同署的另一位郎官，欠了別人的利息，累積達數十萬錢。債主每天都來討債，逼得他走投無路。陳重眼看他無力淸償，便秘密地代他還掉了。

這位欠債郎官終於查覺是陳重幫了他的大忙，特別向他厚厚地道謝。陳重說：「這件事不是我做的，一定是有一位善人與我同姓同名。你不要弄錯了。」始終不認爲是自己的德惠。

又有一位同署的郎官，因爲父母去世，請假回鄉里奔喪。離署時匆匆忙忙，誤將另一郎官的一條長褲帶走了。失主疑心是陳重。陳重也不辯白，在市集裡新買一條長褲給他。後來這位告假奔喪的郎官回來，把那條拿錯的長褲歸還，這件美事也就傳開了。

【原文附參】：陳重，字景公。少與同郡雷義爲友。太守張雲舉重孝廉，重以讓義，前後十餘通記（記、書也），義明年舉孝廉。俱在郎署。有同署郎負息錢數十萬，債主日至，詭（責也）求無已。重乃密以錢代還。郎後覺而厚謝之。重曰：非我之爲，將有同姓名者。終不言惠。又同舍郎有告歸寧者，誤持鄰舍郎褲以去。失主疑重所取，重不自申說，市褲以償之。後寧喪者歸，以褲還原主，其事乃顯。

（見：《後漢書》、卷一百十一、列傳第七十一）

【編者私語】：本篇含義有二：其一、交友要重道義：《後漢書》雷義傳曰：「膠漆自謂堅，不如雷與陳。」（非僅是道義之交，且譽爲膠漆之堅）。其二、爲善不令人知：《隋書》李士謙傳曰：「行善無人知，方可叫陰德。」（爲善要人知曉，那是沽名釣譽）。

八九　不問謗我者是誰（度量）

唐代狄仁傑（六三〇—七〇〇），字懷英，歷仕高宗、武則天、中宗、睿宗諸朝。推薦了張柬之、桓彥範、敬暉、姚崇等人，都為中興名臣。

武后（六二四—七〇五，本高宗之后，高宗崩，后臨朝聽政，後自立為帝）稱帝，用狄仁傑為宰相（六九七）。武后問狄仁傑說：「狄卿，你以前在汝南（屬今河南省）任職時，有特優的政績表現，但也有不少人在誹謗你，謗書（密呈給武后的公文書信，內容是攻擊狄仁傑的壞話）留在我這裡，你想要知道嗎？」

狄仁傑告罪道：「陛下如認為那是我的過失，我當儘力悔改，以報陛下。如認為不算我的過失，那是我的榮寵，十分感幸。至於是誰誹謗我，我倒不想知道，因為一旦知道對方姓名，一生都忘不了，還是不問的好。」

武后慨歎他眞是位純厚的長者。

【原文附參】：唐武后謂狄仁傑曰：卿在汝南，有善政。然有譖卿者，欲知之乎？謝曰：陛下以為過，臣當改之；以為無過，臣之幸也。譖者乃不願知。后歎其長者。（見：明、《御製賢臣傳》、相鑑、卷之七。又見：《新唐書》、卷一百一十五）

【編者私語】：用言語損人，叫誹叫謗。用言語構陷，曰誣曰譖。量小的人受到謗言，多會大怒反駁；量大的人聽到譖語，就常一笑置之。申言之：我自己本質是好是壞，吾心自知。我若本是好人，別人無法破壞我；我若本是壞人，別人也沒法贊美我。假若別人謬獎我，並未增我一塊皮肉，我用不著高興。如果別人誣衊我，也未損我一根汗毛，我也不必懊惱。昔日裡，卞和得了一塊璞玉，獻給楚王，玉工當初說是一塊頑石，一文不值；它本身仍是一塊璞玉（只是未經切琢而已）。玉工後來又說是一塊美玉，價值連城；實則它本身仍是原來那塊璞玉（有待切割琢磨）。人的品格也是一樣，我何必由於別人說我好而竊喜？又何必由於別人說我壞而惱怒？「心」者我之「心」，自己有分寸。我的情緒，不會隨著別人的褒貶而憂樂起伏。既然有這種看法，那麼別人說的是甚麼壞話，內容便不值得去查究；說我壞話的人是誰，也無足輕重，更沒有必要去知道姓名了。

九〇　不為新君罵舊主（私德）

三國時代的袁渙，字曜卿，初爲州郡功曹。劉備（一七〇—二二三）作豫州（約當現今河南省境）牧的時候，薦舉他爲茂才（就是秀才，東漢時避光武帝劉秀的名諱，改稱茂才。唐以後憑考試錄取）。他外溫柔而內果斷，舉措以禮，深得劉備的賞識。後來，袁渙爲呂布（字奉先）所獲，被留在呂布身邊任職。呂布與劉備不和，要袁渙代他撰寫書信來辱罵劉備，袁渙不從。呂布再三強迫他，仍不肯動筆。

呂布大怒，用利刀威脅他說：「能寫就活命，不能寫就死。」

袁渙態度從容，神色不改，笑著回答道：「我聽人說：只有高尙的品德勝過別人時，才可使別人感到屈辱，沒有聽說罵人可以達到目的的。假如對方是個君子，他會認爲你呂將軍罵他是你沒有品格，可恥的是你呂將軍自己。假如對方是個小人，他會把你呂將軍罵他的話回罵你，受羞辱的反而是你而不是他。況且，我袁渙以前在劉備手下服務，正如同今天我在你手下服務一樣。假如將來我離開你了，過一段時候又回頭來罵你呂將軍，可以嗎？」

呂布覺得理屈，就不強迫他了。

【原文附參】：袁渙，字曜卿。劉備爲豫州牧，舉渙茂才。後爲呂布所留。布與劉備離隙，欲使渙作書罵辱備，渙不可。再三強之、不許。布大怒，以兵脅渙曰：爲之則生，不爲則死。渙顏色不變，笑而應之曰：渙聞唯德可以辱人，不聞以罵。使彼固君子耶，且不恥將軍之言，彼誠小人耶，將復將軍之意，則辱在此不在於彼。且渙昔日之事劉將軍，猶今日之事將軍也。如一旦去此，復罵將軍，可乎？布慚而止。（見：魏徵：《群書治要》、魏志上）

【編者私語】：前年辭舊主，今歲事新君。舊主吾懷德，新君我掬誠。若爲新君罵舊主，士子太無行。

九一　不記得老夫了嗎（立節）

清代朱筠（音雲，一七二九—一七八一），字竹筠，乾隆十九年（一七五四）錄取進士。三十四年（一七六九），督安徽學政（任提督學政之職）。

那時陸錫熊（乾隆進士，後爲四庫全書總纂官）、程晉芳（乾隆進士，後爲四庫全書纂修官）、任大椿（進士，官至御史），都是朱筠拔取的儒士。而戴震（即戴東原，清朝一代名儒）、邵晉涵（乾隆進士，後爲四庫全書纂修官）、汪中（拔貢生，博通經史）、章學誠（乾隆進士，邃於史學）等，也先後在朱筠的文幕群中磨鍊出來的。洪亮吉（乾隆進士，授編修）、武億（乾隆進士，號半石山人）、江藩（後爲麗正書院山長），都曾向朱筠執弟子之禮。他門下的文士極多，當世號稱朱派。

朱筠公開宣達說：「翰林（進士文學特優，考得庶吉士的叫翰林）所司何事？應以敦品勵學爲職志，不可趨炎附勢，去巴結權要。」

他在年輕時，曾在劉統勳（字延清，累官至東閣大學士，加太子太保）府宅做過家庭教師，後來離開了，劉統動的官職也步步高升了。有一天，劉統勳在路上不期遇到朱筠，一時高興，喊他道：「不記得我這老頭子了嗎？」

朱筠說：「不是不記得，我因沒有公務，不敢隨便來見你這位貴人呀！」劉統勳不禁贊歎他極有士人的骨氣。

【原文附參】：朱筠，字竹筠，乾隆十九年進士。三十四年，督安徽學政。陸錫熊、程晉芳、任大椿，皆筠所取士。而戴震、邵晉涵、汪中、章學誠等，亦先後在筠幕中。洪亮吉、武億、江藩，皆北面稱弟子。門下號爲極盛，世稱朱派。筠昌言：翰林以立品讀書爲職，不能趨詣勢要。少館於劉統勳家。及統勳遇於途，呼之曰：不念老夫耶？筠曰：非公事不敢見貴人。統勳歎息稱善。（見：《淸史》、卷四百八十四、列傳二百七十、文苑傳二）

【編者私語】：孔子的弟子子游（姓言名偃，子游是其字）做了魯國武城的縣令。孔子問他：「你查訪到賢德的人了嗎？」子游說：「有位澹臺（姓）滅明（名）的人（字子羽），他守正道，不走小路捷徑。不是有公事，不肯到我衙門裡來。」（見《論語》雍也第六）這段故事，足以助本篇同作啓發。因爲政務要以人才爲先，所以孔子以是否得人爲問。《中庸》也說：「爲政在人，取人以身，修身以道，修道以仁。」人才又以品德爲基。像澹臺滅明這個人，子游只舉了兩點小事，他的正直性格就足以代表了。現代我們，如果不愛走小路，別人必以他爲迂腐；如果不造訪權貴，別人必以他爲怠慢。若不是孔子之徒，哪會賞識稱贊如澹臺滅明這種人呢。朱筠不肯和貴官拉關係，正是士君子高尚節操的表現。

九一　天下受害我享名　（敦品）

北宋范鎮，字景仁，以進士第一名入朝為官。後來任職於諫院，司彈劾之責，是個敢言的監察委員。

其時王安石（一〇二一—一〇八六）作宰相，推行新法，引用呂惠卿、章惇、蔡京等人。范鎮糾舉王安石以私人喜怒定賞罰，破壞制度。這一封長篇大論、措辭嚴厲的奏疏呈上朝廷，落到王安石手中。他一看內容，氣得捧著奏疏的手都發抖了。他在大忿之下，自己親筆起草公文駁斥，極力詆毀范鎮，把他的諫官免掉了，廢為平民。

天下人聞知這事，都敬佩范鎮敢於與強權相抗。安石雖然說了他許多壞話，別人卻認為更增加了范鎮的光采與身價。

丟官之後，蘇軾（一〇三七—一一〇一）向范鎮道賀，說：「你雖然丟了官，但聲名反倒增高了。」

范鎮全無得意之色，愀然歎道：「有品德的人，要能消除災難於未起之時，使天下百姓，在不自覺之間受益，這才是最高的德操。由於災難還未發作就阻止了，表面上看不到他有智慧，看不到他有勇氣，無昭昭之名，無赫赫之功，這才是最令人欽敬的。我卻沒有做到這一點。如今王安石的新法，全國受到苛擾，使天下百姓，普受其害，卻讓我獨享高名，我這是甚麼居心呢？」

范鎭平生與司馬光（一〇一九—一〇八六）是好朋友，相交歡洽。而且約好在生前互相替對方寫傳記，死後由對方寫墓誌銘。司馬光生前首先替范鎭寫了傳記，贊佩他的勇敢果決。范鎭也爲司馬光死後寫了墓誌銘，其中有段話說：「熙寧年間（宋神宗年號），奸臣結爲朋黨，縱容邪佞，險詐黠狡，幸賴神宗明察，識破姦宄。」文字嚴峭尖刻，指的便是王安石。司馬光的兒子司馬康（字公休），請蘇軾將這篇墓誌銘寫成碑文。蘇軾說：「寫字我不推辭，但恐寫下此碑之後，對你司馬氏一家、范家、我家、及王安石家，都將不好。」（會引發禍殃）便改用別的墓誌銘了。

【原文附參】：范鎭、字景仁，擢知諫院。糾彈王安石用喜怒爲賞罰，疏入，安石大怒，持其疏至手顫，自草制極詆之，致仕。天下聞而壯之。安石雖詆之深切，人更以爲榮。既退，蘇軾往賀曰：公雖退，而名益重矣。鎭愀然曰：君子消患於未萌，使天下陰受其賜，無智名，無勇功。吾獨不得爲此，使天下受其害而吾享其名，吾何心哉？鎭平生與司馬光相得甚歡，且約生互爲傳，死則作銘。光生爲鎭傳，服其勇決。鎭銘光墓曰：熙寧姦朋淫縱，險詖憸猾，賴神宗洞察於中。其辭肖峻。光子康囑蘇軾書之。軾曰：軾不辭書，懼非三家福。乃易他銘。（見：元、脫克脫：《宋史》、傳三百三十七、列傳第九十六）

【編者私語】：「君子消患於未萌。」這是高超境界。當禍患未起時，消除很容易，大家不覺得他有智，也不覺得他有勇，這是高人，宋太祖杯酒釋兵權似乎近之。至若禍患已大，仍可消除，這是能人，王守仁救平宸濠之亂似乎近之。再若禍患蔓延，無力收拾，空怨天不助我，這是庸人，明思宗自縊於煤山似乎近之。《韓非子》云：「千丈之堤，潰於蟻穴。」《漢書霍光傳》云：「曲突徙薪無恩澤，焦頭爛額爲上客。」都是不曾「消患於未萌」的例子。范鎮生於北宋時代，與韓琦、富弼、文彥博、司馬光、歐陽修、呂公弼、呂公著、程顥、程頤、蘇軾等人同時，可惜名聲被他們所掩蓋了。然而他有憾於「天下普受其害，我卻獨享其名。」這是何等崇偉的胸懷！今日負大責的人，似應以此言自勉。

九三　父子為兩家可乎（雄辯）

李煜，字重光，是南唐（五代十國之一）最後一位君主（南唐起公元九三七，迄九七五），都金陵（即今南京）。他愛好文學，擅長塡詞（有《南唐二主詞集》傳世），「問君能有幾多愁，恰似一江春水向東流」（《虞美人》詞的末兩句），便是他的名作。

宋太祖趙匡胤（九二七—九七六）統一天下之後，想要派兵南征，消滅南唐。李後主煜派遣吏部尚書徐鉉（字鼎臣）帶著表章（下對上的公文書曰表，如《出師表》），去見宋太祖，請求從緩出師，目的是要延長南唐的國祚。

徐鉉久居江南，出身官宦世族，很有名氣，與胞弟徐鍇（字楚金）號稱二徐，都有著作，他也以名臣自負。這次往見太祖，想用口舌雄辯以保全南唐。他日夜籌思，設想出各種理由，模擬了許多應對之說，考慮得十分詳盡。

眼看徐鉉就要抵達京都了，趙宋大臣們提起徐鉉博學多才，長於智謀機辯，建議太祖不妨先作準備，也好對付。

宋太祖笑道：「不妨事，你們退下好了，這不是你們可得而知的。」

第二天，徐鉉到了。在朝中晉見太祖，施禮畢，昂起頭說道：「敝國君王李煜，並未有罪，陛下要發兵南征，併呑南唐，師出無名！」

宋太祖叫他升到階殿之上，好讓他把話說完。徐鉉道：「李煜以小國謹事大國，有如兒子尊敬父親，又從未犯有過錯，何以要討伐他？」徐鉉善於辭令，長篇大論，滔滔不絕數百言，理由都很充分，久久才說完畢。

宋太祖一直靜靜地聽著，也不打斷，等待他說完了，才開口問他一句：「你說說看：父親兒子，分成兩家可以嗎？」

徐鉉語塞，竟答不上話來了。

【原文附參】：李煜，字重光，爲南唐主，立於金陵。太祖出師南征，煜遣其臣徐鉉奉表求緩師。鉉居江南，以名臣自負。其來也，欲以口舌馳說存其國。其日夜計謀思慮言語應對之際詳矣。及其將見也，大臣言鉉博學有才辯，宜有以待之。太祖笑曰：第去，非爾所知也。明日，鉉朝於廷，仰而言曰：李煜無罪，陛下師出無名。太祖徐叫之升，使畢其說。鉉曰：煜以小事大，如子事父，未有過失，奈何見伐？其說累數百言。太祖曰：爾謂父子者爲兩家可乎？鉉無以對。（見：《新五代史》、卷六十二、南唐世家第二）

【編者私語】：宋太祖一言而使徐鉉語塞，《新五代史》評曰：「大哉，何其言之簡也！」我們討論事理，貴在抓住要害。言詞不在長短，而在精警。唐代武則天稱帝，重用娘家姓武的人。其姪武三思，諂媚得歡心，想做太子，幾乎成功了。狄仁傑從容勸武后道：「如立姪（立武三思作皇帝），則陛下千秋萬歲之後（死了），未聞有姪兒爲天子，而附姑（媽）於太廟者也。」（不會立靈牌在皇廟裏供奉）武后乃悟。這也是要言不煩，說得中肯之一例。

九四　夫子之門何其雜（育才）

南郭惠子問子貢道：「孔夫子的門下，爲何賢良與愚鈍的人這般混雜呢？」

子貢回答說：「身爲君子的人，端正自身，等待學生入門求教。對想要來學的人，一概不予拒絕；對想要離去的人，一概不予阻止。試看那醫術高明的醫生門裡，各類求診的病人特別衆；那矯正彎木成直材的大匠身邊，各種歪扭的木料特別多。由是觀之，我老師孔夫子的門下學生，自然就多而雜了。」

【原文附參】：南郭惠子問於子貢曰：夫子之門，何其雜也。子貢曰：君子正身以俟，欲來者不距，欲去者不止。且夫良醫之門多病人，檃栝之側多枉木，是以雜也。（見：《荀子》、法行篇。又見：《說苑》、卷十七、雜言篇）

【編者私語】：孔子作育三千弟子。以國別言：含魯衛齊楚陳秦晉宋吳，乃是國際大學。以年齡言：父子同學有顏路顏淵、曾皙曾參；最小者子張，少孔子四十八歲；最長者顏路曾皙，只少孔子六歲，乃是老幼同堂。以智商言：笨的子羔，鈍的曾參，乖僻的子張，剛勇的子路，聞一知十的顏回，聞一知二的子貢，乃是有教無類，智愚兼收。以教育方法言：弟子請益相同問題，孔子答語無一重複，如論

「仁」四十七解，論「學」四十四解，論「禮」二十五解，論「君子」五十三解。為何問同答異？乃是因材而施教也。育成賢人七十二，不愧是至聖先師。

九五　今夕止可談風月（處事）

南北朝的南朝，由宋齊梁陳遞嬗。有位徐勉，字修仁，孤貧好學，幼勵清操。梁武帝登基時（廟號梁高祖），封爲尚書左丞，官聲甚好。

天監二年（公元五〇三），梁武帝北伐，徐勉掌軍事文牘，夙夜勤勞，幾十天才回家一看。每次到家，一群家犬都驚起吠叫，已不認得主人了。徐勉歎道：「我憂心國事，忘了家庭，竟然到如此地步。也好，將來待我死後，歷史上也當記此一筆。」

天監六年（公元五〇七），徐勉升爲吏部尚書，負責選派官吏，擢用人才。他手操進退之權，處理得公平有序。他既長於書牘，又善於辭令。雖然公文堆積如山，訪客坐滿廳室，也能一面應對賓客，一面筆不停揮，眞可謂手腦兼用，上下稱贊。

有一天夜晚，徐勉和幾位朋友聚會聊天，倒也融洽。一位友人叫虞嵩的，趁機求作詹事五官（掌東宮庶務之官）。徐勉正色說道：「今天夜晚的集會，只合談清風明月，不合談授官派職。各人的才幹，都有公評，尙書府（就是徐勉主管的衙府）自會有處置，此時在這裡不好講論。」大家都佩服他能謹守公私分際。

徐勉的官位雖顯，但未營求產業，家中也無積蓄。一些舊識朋好，勸他積點錢財，徐勉說：「別人留給子孫財富，我卻只希望留給子孫清白。子孫如果成器，他們自會有華車駿馬。子孫如果不肖，錢財最終還不是歸屬別人嗎？」

【原文附參】：徐勉、字修仁，篤志好學。高祖踐阼，拜尚書左丞。天監二年，王師北伐，勉參掌軍書，劬勞夙夜。動經數旬，乃一還宅。每還，群犬驚吠。勉歎曰：吾憂國忘家，乃至於此。若吾亡後，亦是傳中一事。六年，遷吏部尚書。勉居選官，彝倫有序。既閑尺牘，兼善辭令，雖文案塡積，坐客充滿，應對如流，手不停筆。嘗與門人夜集，有虞暠求詹事五官，勉正色答云：今夕止可談風月，不宜及公事。時人咸服其無私。勉雖居顯位，不營產業，家無蓄積。故舊或從容致言，勉答曰：人遺子孫財，我遺之以清白。子孫才也，則自致輜軿；如其不才，終爲他有。（見：唐、姚思廉：《梁書》、卷二十五、列傳第十九）

【編者私語】：好友讌集，乃是聯誼，情止於私，非涉公務也。如果趁勢求官，究是答應好呢？不答應好呢？若逕答應，是私相授受；若予拒絕，會傷了友誼。兩都不妥，便只有談風詠月了。漢代有個刺史蘇章，一生正直，他的太守朋友犯了案，蘇章先天約他吃飯。太守大喜說：「你請我吃飯，死罪有救了。」蘇章道：「今天是多年老友私人歡聚，明天是刺史衙門依法審判，不能扯在一起。」公私分明，如出一轍。史稱後梁宰相，只有徐勉及范雲而已。讀罷此篇，會覺得徐勉眞是位模範的廉直好官。

九六　夫子之牆數丈高（聖讚）

叔孫武叔（叔孫是氏、武是諡、字叔、名州仇）是魯國的大夫。他在上朝之時，對同僚的大夫們說：「子貢比孔子還要賢能。」同僚另一位大夫子服景伯（子服是氏、景是諡、字伯、名何）聽到了，將這段話告訴了子貢。

子貢那敢妄比孔子，解釋道：「我們拿一座宮殿外圍的護牆來作譬喻吧。我的外牆只有肩膀這麼高，在牆外經過的人，都很容易看得到牆裡居室的美好。至於我老師孔子的圍牆，卻有好幾仞高（一仞約高七八尺），牆外的人，如果沒有找到大門進入裡面，是看不到牆內像皇宮聖殿般的美好、和文武百官的富麗的。許多人不知孔子的高深之道，能夠入門一窺的人或許太少了。叔孫武叔也不明孔子的盛德，他不加深思的說我賢於孔子，不是很自然的嗎？」

【原文附參】：叔孫武叔語大夫於朝曰：子貢賢於仲尼。子服景伯以告子貢。子貢曰：譬之宮牆，賜之牆也及肩，窺見室家之好。夫子之牆數仞，不得其門而入，不見宗廟之美，百官之富。得其門者或寡矣，夫子之云，不亦宜乎？（見：《論

語》、子張第十九）

【編者私語】：孔子盛德高深，一般人看不到，就說他不過如此。進而言之，即使看到了，也一知半解，甚或仍然不懂，也只好說不過如此。從古到今，似叔孫武叔的人太多了，徒見其淺薄而已。宋代米元章（米芾一〇五一—一一〇七）有《孔子贊》曰：「孔子孔子，大哉孔子。孔子以前，未有孔子。孔子以後，更無孔子。孔子孔子，大哉孔子。」這才頌贊出孔子的偉大。

九七　中午相會卻不到（失信）

東漢時代陳寔（一〇四—一八七），字仲弓。有志於學，不論坐著或站著，都一直不停的口誦經書。桓帝時，作太丘長，因此人稱陳太丘。

有一次，和友人約同遠行，說好在中午相會。到了那一天，他等到下午四五點鐘了，友人還未露面，他就獨自出發了。

陳寔走後好久，那位朋友才趕到。這時陳寔的兒子陳紀（後來爲尚書令），字元方，纔祇七歲，正在門口玩耍。那位朋友便問元方說：「你父親在家嗎？」

元方答道：「家父等你許久不來，他已經走了。」

那位朋友不自己省察，反而怒氣沖沖地罵道：「這個陳寔眞不是人！與我講好一同遠行，卻丟下我竟自走了。」

元方年紀雖幼，卻很懂事，他責備這位父執說：「你和家父約好中午見面，到時你不來，這是無信，你錯了。現在又對著我當面罵我父親，這是無禮，你又錯了。明明自己不對，怎麼還可罵人呢？」

那位朋友也知理虧，心裡愧疚。連忙下車想對元方這小世姪表示愛撫之意。元方不願理他，竟自轉身進門去了。

【原文附參】：陳太丘與友期行，期日中。過中不至，太丘舍去。去後乃至。元方時年七歲，門外戲。客問元方：尊君在不?答曰：待君久不至，已去。友人怒曰：非人哉!與人期行，相委而去。元方曰：君爲家君期日中，日中不至，則是無信。對子罵父，則是無禮。友人慚，下車引之，元方入門不顧。（見：南宋、劉義慶：《世說新語》、方正第五）

【編者私語】：《論語爲政篇》說：「人而無信，不知其可也。大車無輗（車前橫槓，用以套牛），小車無軏（車前曲鉤，用以套馬），其何以行之哉？」質言之，信有兩解：一是說眞話，二是說了就要辦到。犯了任何一項，朋友都會唾棄他。

九八 太守一人散賊黨（感化）

漢代張綱，字文紀，四川犍爲人。東漢順帝時，廣陵郡（今江蘇江都）強盜頭子張嬰嘯聚徒衆作亂，在揚州徐州一帶騷擾了十多年，歷任郡太守都不能制壓平服。朝廷就派張綱去作廣陵太守（一郡之長）。

以前每一任新太守上任時，莫不請求多派兵馬支援，張綱卻只單人一車去上任。剛一到職，就單身直接前往張嬰的強盜寨子去探訪。張嬰一聽新太守親自來了，大吃一驚，連忙躲開，並把寨門緊閉，唯恐發生直接衝突。

張綱事後送了一封信函給他，辭情懇切，請他前來會面。張嬰覺得這位新太守倒是個誠篤的君子，不會使詐，就大膽前來拜見。

張綱延請他高坐上席，開誠佈公的說：「前幾位太守不好，既凶暴，又貪財，逼得民不潦生，以致你們憤懣冤屈，才聚合一起佔地爲王。這些贓官固然都有罪過，但你們打家劫舍，自也不合於道義，終久這不是條正路吧。如今皇上以仁心爲懷，改採佈恩賜德的政策，所以派了我這位太守來，現在正是轉禍爲福的時機了，盼望大家能改邪歸正。如果這種和平的方法還不願接受，使得皇上生氣了，那一旦集合湖北江蘇山東河南各省的大隊兵馬，讓人人腦袋搬家，也十分不好。這禍福兩方面的利害比較，何去何從，深望你多多考慮。」

張嬰聽畢，眼中含著淚水，回應道：「我們這批小百姓，與朝廷隔得太遠，苦難無由上達，才聚合在一起，找一條活路，暫且偷生，心裡也知道這樣混下去，不可能長久。今天你這位開明的賢太守所說的一席話，句句都是正理，我完全接受。今天就是我等再生的時刻了，容我回去安頓。」張嬰告辭，回歸寨裡商議，決定集體投降。

第二天，張嬰集合徒衆一萬多人，綁著雙手，聲明歸降。張綱得訊，仍舊單人匹馬，前往強盜壘寨裡，召開大會，擺酒吃飯，在歡樂中很順利的把賊衆解散了，讓他們各歸原里，兒子們想來官衙裡找事的，都引進分配些小差事，大衆都很悅服，沒費一兵一卒，這一帶的治安從此就改善了。

張綱死後，張嬰召集了舊屬五百多人爲他送殯，由江蘇江都護行到四川犍爲，大家擔土築好墳墓才離去。

【原文附參】：廣陵賊張嬰寇亂揚徐間，積十餘年，二千石不能制，乃以張綱爲廣陵太守。前太守率多求兵馬，綱獨單車之職。既到，徑詣嬰壘門，嬰大驚，遽走、閉壘。綱以書喻嬰，請予相見。嬰見綱誠，乃出拜謁。綱延置上座，譬之曰：前後二千石多肆貪暴，故致公等懷憤相聚。二千石有罪矣，然爲之者又非義也。今主上仁聖，故遣太守來，今誠轉禍爲福之時也。若聞義不服，天子赫然震怒，荊揚兗豫大兵雲合，身首橫分，二者利害，公其深計之。嬰聞，泣下曰：愚民不能自通朝廷，遂復相聚偷生，知其不可久。今聞明府之言，乃嬰等更生之辰也。乃辭還營。明日，將所部萬餘人，自縛歸降。綱單車入嬰壘，大會，置酒爲樂，散遣部衆。子孫欲爲吏者，皆引召之。人情悅服，南州晏然。綱卒，張嬰等五百餘人爲之行喪，送到犍爲，負土成墳後歸。（見：《資治通鑑》、卷五十二、漢紀四十四）

【編者私語】：寇盜原是良民，也有人性。終身爲賊，自非正途。如能既往不究，開啓一條活路，曉之以義，乃可救寧。但須赤心相對，以德威勸之使服也。

九九　日得百錢好養母（治學）

宋代范仲淹（九八九—一〇五二），謚文正，因稱范文正公。當他在睢陽（今河南商邱縣附近）掌理學政時，有位姓孫的秀才，借遊學之名，前來拜謁。范文正公見他同是讀書人，送了他錢幣一千文。第二年，孫秀才又到睢陽，又來謁訪，范文正除了又送他十個一千文之外，便問他爲甚麼這樣不斷在四方遊訪，令人費解。

孫秀才神色戚然，只好答道：「實因母親年老，無錢盡孝，才出來四處想辦法。如果每天能得一百文，奉養母親就夠了。」

文正公說：「和你幾次談話，我看你的舉止吐屬，不像是個討乞的遊方俗客。這兩年來，在路上風塵僕僕，又能得到多少？可是荒廢治學，卻太多太久了。假如我派你入學館作生員（此時范仲淹正在睢陽掌理學館），每月可領津貼三千文，足以奉養老母了，你能夠安心的做學問嗎？」

孫秀才聽了大喜，趕忙謝恩接受。於是授他《春秋》。這孫生確也努力向學，日夜發憤，行爲也十分規矩，文正公也很歡喜。

再到明年，范文正離開了睢陽，孫秀才也辭館回家（他是平陽人，屬今山東），各自發展了。

歲月不居，各人景況互變，往事因時光流逝，大家也漸漸淡忘了。

隔了十年，傳說山東省東嶽泰山之下，出了一位大學者孫明復（本名孫復，字明復）先生，以他最擅長的《春秋》經義教授學生，名氣很大，道德很高，而且有許多著作。朝廷知道了，便召他進京，范仲淹一看，原來就是當年遊學的那位孫秀才哩。

【原文附參】：范文正在睢陽掌學。有孫秀才者上謁，文正贈錢一千。明年、孫生復道睢陽，謁文正，又贈十千。因問何爲汲汲於道路？孫生戚然動色，曰：母老、無以養。若日得百錢，則甘旨足矣。文正曰：吾觀子辭氣，非乞客也。二年僕僕，所得幾何？而廢學多矣。吾今補子爲學職，月可得三千，以供奉養，子能安於學乎？孫生大喜。於是授以春秋。而孫生篤學，不捨晝夜，行復修謹，文正甚愛之。明年，文正去睢陽，孫亦辭歸。後十年，聞泰山下有孫明復先生，以春秋教授學者，道德高邁。朝廷召至，乃昔日孫秀才也。（見：宋、朱熹：《五朝名臣言行錄》、第十卷、十之三、泰山孫先生復）

【編者私語】：宋代杜衍有言：「人無生事，則不能不俯仰。」是說若無治生之道，則爲了衣食，難免要低頭求人，自己的抱負便受了影響。安得有百十位范仲淹，培育天下無數位像孫秀才這樣的碩學專家。

一〇〇 古人糟粕（文障）

春秋時代五霸之首的齊桓公（名小白。他九合諸侯，尊王攘夷）在殿堂上讀書，有個叫輪扁（《韓詩外傳》中稱爲倫扁）的木工，同時在堂廡下做車輪子。

輪扁見桓公讀書專心，頗爲好奇，就放下刀錐鑿子，走上殿堂，問道：「請問君王你讀的是甚麼書呢？」

桓公說：「是聖人講的話呀。」

輪扁問道：「這聖人今天還在不在呢？」

桓公說：「聖人早已經死了，不在了。」

輪扁道：「如此一來，你讀的書，只不過是古人留下來的渣滓而已。」

桓公怒聲道：「我身爲國君，正在讀聖人之書，何等嚴肅。你這個木匠，竟敢妄加評議，侮辱古人。若有解釋，倒還罷了，若無解釋，我要判你死罪。」

輪扁答道：「我嘛，只是拿我的工作經驗來推想罷了。當我做車輪時，如果太鬆了，就裝不牢穩。如果太緊了，又裝不進去。必須不鬆不緊，才能恰到好處。這是靠經驗來體會，我得之於手，而應之於心。我口裡說不出來，但其中有它的奧妙。這些技巧，我不能明白地用言語講給我兒子聽，我兒子也無法單單從我的口述中學得來。所以我快要七十歲了，仍然只能做個製車輪的老頭子而已。依此推想，那些古代的聖人，他們擁有的高深思想，很難用語言文字留傳下來，那些奧妙的精髓不但講不透徹，也是寫不出來的，已隨同他們身體一齊死了。你現在讀的聖人之言，只不過是古人的糟粕罷了。」

【原文附參】：桓公讀書於堂上，輪扁斲輪於堂下，釋椎鑿而上，問桓公曰：敢問公之所讀者、何言耶？公曰：聖人之言也。曰：聖人在乎？公曰：已死矣。曰：然則君之所讀者，古人之糟魄（同粕）已夫。桓公曰：寡人讀書，輪人安得議乎？有說則可，無說則死。輪扁曰：臣也、以臣之事觀之：斲輪徐，則甘而不固。疾，則苦而不入。不徐不疾，得之於手，而應於心。口不能言，有數存焉於其間。臣不能以喻臣之子，臣之子亦不能受之於臣。是以行年七十而老斲輪。古之人，與其不可傳也、死矣。然則君之所讀者，古人之糟魄已夫。（見：戰國、莊周：《莊子》、天道）

【另篇錄參】：楚成王讀書於殿上，而倫扁在下，作而問曰：不審主君所讀何書也？成王曰：先聖之書。倫扁曰：此眞先聖王之糟粕耳，非美者也。成王曰：子何以言之？倫扁曰：以臣輪言之：夫以規爲圓，矩爲方，此其可付乎子孫者也；若夫合三木而爲一，應乎心，動乎體，其不可得而傳者也。則凡所傳，眞糟粕耳。故唐虞之法，可得而考也；其喻人心，不可及矣。詩曰：上天之載，無聲無臭，其孰能

及之。（見：漢、韓嬰：《韓詩外傳》、卷五）

【編者私語】：《易經繫辭》：子曰：「書不盡言，言不盡意。」《莊子天道篇》曰：「世之所貴者書也，書不過語。語之所貴者意也，意有所隨。意之所隨者，不可以言傳也。」申言之：「思想」是翻騰澎湃，起伏萬端，像電光火石般瞬息萬變的；而「文字」受詞句的侷限，實在無法確切地表達思想的全部。而且思想太活動，每天在變。文字是死的，一落紙就定型了。可是下週或下月，說不定思想又有了變化哩，而文字卻來不及修正補充了。所以文字不但難以完整正確地描述出思想的精髓，而且也老是跟不上思想的運轉。再說「感覺」吧：譬如我喝了一口水，你沒有喝，你要我用文字說明這水的溫度，我雖寫上千言萬語，也無法說得恰切，除非你自己來喝一口。再看那「出師表」「祭妹文」「陳情表」，我們都讀過的，文雖感人，表達還未能寫盡諸葛、袁、李內心的深意，這便是文字的技窮之處。今天我們透過文字，間接去體察古人的思想，能吸收到文字表面意義的幾成呢？即使全部吸收了，懂了，又能領略到文字背後沒有寫出來的古人原有的思想又有幾成呢？

一〇一 白馬非馬（名實）

問：「有人說：『白馬不是馬。』這話對嗎？」

答：「對。」

問：「爲甚麼？」

答：「馬是名詞，是指它的形狀。白是形容詞，是指它的顏色。顏色和形狀乃是兩回事。在這句話裏，顏色有所限指，形狀則是泛指。兩者的範圍不同，所以說『白馬不是馬』，這話是成立的。」

問：「假如有一匹白馬在這裡，不能說這裡沒有馬呀。也不能說它不是馬呀。既有白馬在此，而你說『白馬不是馬』。這又如何解釋呢？」

答：「要找『馬』的人，黃馬黑馬都可以。要找『白馬』的人，黃馬黑馬就不合。我們談到馬，應該是指所有的『馬』，而不可以應該只指『白馬』。因此『白馬不是馬』，就很明白了。」

問：「如果馬有了顏色就不是『馬』，那依我看來，世上並無沒有顏色的馬呀。若照你的話推論下去，則世上沒有馬了，豈不是說不通嗎？」

答：「馬當然有顏色，所以其中就有『白馬』。如果不談馬的顏色，那就只叫『馬』豈不就夠了，爲何要說『白馬』呢？所以白的馬不是馬，就很明顯了。再者：所謂『白馬』，是指『馬』和『白』兩樣東西；或者是『馬』和『白馬』兩樣東西。兩者既不同，所以說『白馬不是馬』。懂了吧。申言之：我們說『馬』，是不論它的顏色，因而黃馬黑馬都合；如果說『白馬』，就是定了顏色，黃馬黑馬因顏色相異而都不合，只有白色的馬才合，這當然不能代表全體的『馬』，理由不是很明白了嗎。總之：『白馬』者，只是馬的一種，它不足以統括全部馬群，所以才說『白馬不是馬』呀！」

【原文附參】：白馬非馬，可乎？曰：可。曰：何哉？曰：馬者，所以命形也。白者，所以命色也。命色者非命形也。故曰：白馬非馬。曰：有白馬，不可謂無馬也，不可謂無馬者非馬也。有白馬爲有白馬之非馬，何也？曰：求馬、黃黑馬皆可致。求白馬、黃黑馬不可致。可以應有馬，而不可以應有白馬。是白馬之非馬審矣。曰：以馬之有色爲非馬，天下非有無色之馬也。天下無馬，可乎？曰：馬固有色，故有白馬。使馬無色，有馬而已耳，安取白馬？故白者非馬也。白馬者、馬與白也，馬與白馬也。故曰白馬非馬也。馬者，無去取於色，故黃黑皆所以應。白馬者，有去取於色，黃黑馬皆所以色去，故唯白馬獨可以應耳。故曰：白馬非馬。

（見：戰國、趙、公孫龍：《公孫龍子》、白馬論）

【編者私語】：馬是統稱，白是顏色群中的一色。白馬「限」指白色的馬，不能

「泛」指一切的馬。他認爲白馬不周延，故說白馬非馬。全篇強調「白馬」只是馬的一種，而「馬」則是涵蓋所有的馬；兩者廣狹定義不同，乃有此辯。公孫龍是戰國時人，在距今兩千三百多年之前，就有此番卓識，古人眞是了不起。他旨在辯正名實，今人切不可以怪論視之。讀者如有興趣，亦可與第三七二「堅白石」篇並參。

一〇二 只為一堵牆（睦鄰）

清代張英，字敦復，號樂圃，桐城人（今安徽省桐城縣。鄉儒方苞倡古文，號桐城派）。康熙進士，爲起居注官（掌皇帝起居，記述其言行），入直南書房（在乾清宮之右，又稱南齋，入直者爲皇帝近臣）。官至文華殿大學士，著述甚多，卒謚文端。

他供職北京，老家還在安徽桐城，四周有大片空地。有一年，鄰家新建房屋，起造圍牆，不經意誤佔了張家三尺土地，等到完工才發現。錯誤已經鑄成，無法退讓。雙方弄成僵局。

這時張英已是禮部尙書（中央政府六部首長之一），官位顯赫。桐城家裡人便寫信告訴他，指斥鄰居蠻橫無禮，要張英轉囑桐城縣長出面，由地方首長評斷，拆牆還地。

張英接信後，沒有正面作答，只寄回七言絕句一首，詩云：

「千里修書祇爲牆（馳書告狀，僅是一牆）
讓他三尺又何妨（睦鄰爲上，三尺無傷）
長城萬里今猶在（長城萬里，聳峙朔方）
不見當年秦始皇」（始皇安在？政去人亡）

家人接到這首詩，便不再追訴了。鄰居獲知了這段經過，也由感動而生愧疚，便自動打掉圍牆重建，除退出張府的三尺地界之外，又再退縮三尺，空出一條寬敞的巷道來，方便大家行走。

雙方禮讓，傳爲美談，後人便將這條通道稱爲「六尺巷」。

【原文附參】：桐城張英故居，鄰家建屋，圍牆誤侵張家界址。錯已鑄成，無法退讓。張時已位居顯要，供職京師。家人馳書以告，指陳鄰户蠻横，要求轉囑地方官出面評斷。張得書，未置可否，僅寄七絕一首作覆，云：千里修書祇爲牆，讓他三尺又何妨；長城萬里今猶在，不見當年秦始皇。家人得書，謹遵指示，未再追究。事爲鄰家得知，深感愧疚，乃拆除圍牆重建，除退還張府三尺地界外，復自行再退進三尺，空出一條巷道。後人遂以六尺巷名之。（見：清、朱綱正：《朱氏淘沙》、卷三）

【編者私語】：一堵牆，三尺地，活時就算爭贏了，死後也是帶不走。退一步想，海闊天空。假如大家都看淡一點，世界上的戰亂紛爭都沒有了。但反面例子卻多：明代大臣楊士奇，與楊榮楊溥同輔國政，時號三楊，士奇爲首，晉封少師，官聲最著（參《明史》卷一百四十八）。但他兒子在家鄉（泰和）恃勢凌人，多行不法。士奇屢戒，兒子不聽，終於被殺，楊士奇也憂憤而死。同是家鄉事，張英家人從善如流，不但感化鄰居向善，而且佔地自動縮退。這一美舉，我們不妨牢記。

一〇三　外舉不避仇（公正）

【一】

春秋時代，晉國有位大夫祁奚。晉悼公在位時，任中軍尉（約等於總司令）。當他年歲老了，晉悼公請問他誰能接任，祁奚答道：「解狐可以。」

晉悼公說：「解狐不是你的仇人嗎？」

祁奚答道：「你是問何人可以，不是問我的仇人是誰呀！」晉悼公便叫解狐來接替中軍尉，做得很好。

過不多久，晉悼公又請問他誰能接任國尉，祁奚答道：「祁午可以。」

晉悼公說：「祁午不是你的兒子嗎？」

祁奚答道：「你是問何人可以，不是問我的兒子是誰呀！」後來祁午做了國尉，也十分稱職。終其官，軍無秕政。

君子評曰：祁奚能夠薦良舉善，值得欽佩。稱賞他的仇人，這不是獻媚。保薦他的兒子，這不是包庇。像這樣外舉不避仇，內舉不避親的作爲，可稱是大公無私了。

【二】

中牟縣（古代邑名，在晉國境內，非今河南中牟縣）缺了縣令，晉平公（春秋晉悼公之子，名彪）問趙武（趙盾之孫，趙朔之子，搜孤救孤便是他）說：「中牟居衝要之地，乃是趙齊燕的股肱（股肱是身體的重要部位），又是邯鄲（戰國趙的都城）的肩髀（肩髀是身體著力的樞鍵），我很想派一位優良的縣令去治理，你看誰最適合呢？」

趙武答道：「邢伯子（邢伯又叫狐庸，《左傳》襄公十八年有記）可以。」

晉平公問：「邢伯子不正是你的仇人嗎？」

趙武答道：「私人的仇恨，不可以帶進公門，這是爲政的原則呀！」

晉平公又問：「中府令（中府是指內庫，是掌理錢財的主管）現在也缺人，你看誰可擔此重任呢？」

趙武答道：「我的兒子可以。」

君子評斷說：正直的人，外舉不避仇，內舉不避親。可謂千古美談了。（此外，咎犯也外舉不避仇，因已錄，不重述，請參第八十六「不以私怨害公義」篇）

【原文附參之一】：晉大夫祁奚老，晉君問曰：孰可使嗣？祁奚對曰：解狐可。君曰：非子之仇耶？對曰：君問可，非問仇也。晉遂舉解狐。後又問：孰可以爲國尉？祁奚對曰：午也可。君曰：非子之子耶？對曰：君問可，非問子也。君子謂祁奚能舉善矣。稱其仇不爲諂，立其子不爲比。外舉不避仇，內舉不迴親，可謂至公矣。（見《新序》、雜事第一。又見：《呂氏春秋》、卷一、去私、係晉平公問祁黃

羊）

【原文附參之二】：中牟無令，晉平公問趙武曰：中牟、三國之股肱，邯鄲之肩髀，寡人欲得其良令也，誰使而可？武曰：邢伯子可。公曰：非子之仇耶？曰：私仇不入公門。又問曰：中府之令，誰使而可？曰：臣子可。故曰：外舉不避仇，內舉不避子。（見：《韓非子》、卷十二、外儲說左第二十三）

【編者私語】：外舉不避仇，內舉不避親。史書充棟，錄此二人。千載之後，猶有直聲。今則澆薄，私念存心。逆我者死，順我者生。打擊仇敵，袒護家人。是非何在，忠恕當崇，見賢思齊，郅治昇平。

一〇四　可惜張師德（敦品）

宋代張師德（字尚賢，張去華之子），官居諫議大夫（掌議論朝政）之職。兩次造訪宰相王旦（王祐之子，封魏國公，謚文正）的私人府第，都未蒙會見。他以爲可能遭人說了壞話，以致如此。便請託向敏中（字常之，開封人，謚文簡），央他趁便從容替自己向王旦說個明白。

後來要商議推薦知制誥（專掌皇帝詔命誥諭的撰寫之官職）人選，王旦停筆歎息道：「張師德可惜了！」

向敏中同時在座，便問他爲甚麼如此歎息？

王旦說：「我屢次在皇帝面前，都誇贊張師德是名門子弟出身，家世不凡，而且有士君子的德行修養。想不到他兩次造訪我家，要見我。是不是想建立親密關係，以便貪圖個甚麼好處呢？這就有欠檢點了。我知道張師德在考進士時，是第一名狀元及第（廷試一甲第一名爲狀元）。他將來步步高昇，光榮的加官晉爵，乃是注定的。只要他謹守本位，寧靜的等待就可以了。如果奔走於權貴之門，用這種拉關係的方法來競爭，對那些不懂得門路、沒有人事關係的士子，又將如何辦呢？」

【原文附參】：諫議大夫張師德，兩詣旦門，不得見，意爲人所毀，以告向敏中，爲從容明之。及議知制誥，旦曰：可惜張師德。敏中問故。旦曰：累於上前，言師德名家子，有士行。不意兩及吾門。師德狀元及第，榮進素定。但當靜以待之爾。若復奔競，使無階而入者，又當如何也？（見：《宋史》、卷二百八十二、列傳第四十一）

【編者私語】：儒家強調做人先要敦品，然後勵學。若以樹爲譬，品是根幹，學是花葉，本固乃能枝榮。所以說「行有餘力（品德已立之後），則以學文」《論語學而》。品德好了之餘，「雖曰未學（學力雖未大進），吾必謂之學矣」《論語學而》。宋代馮京（岳父是富弼），不願去拜謁宰相韓琦，韓琦錯怪馮京太傲，馮京說：「你是宰輔，我沒有公務不敢請見，乃所以尊重你，不是我驕傲自大。」司馬光想推薦李周作御史，要他先來見一面。李周說：「以司馬公之賢，我極想拜見他。但見面爲了做御史，這是獻身來交換升官，不可以吧！」始終不去。清代朱筠，昔日在劉統勳（字延淸，謚文正）家做家庭教師，及後劉爲東閣大學士，途中相遇，劉問道：「不記得我了嗎？」朱筠說：「我沒有公務，怎敢謁見貴人？」可見古人大都能潔身自愛。往後風氣就壞了。《古文觀止》裡，收了明代宗臣（字子相，嘉靖進士）一篇《報劉一丈書》，描述士人見高官的諂媚嘴臉，大可一閱。

一〇五　民無信不立（治國）

子貢（孔子學生，姓端木，名賜，字子貢）最善於提問題，有一次，他問孔子道：「治理國家的要務有那些？」

孔子說：「糧食生產充足，國防兵備精練，人民信仰政府，這是治國最重要的三個條件。」

子貢再問道：「如果這三個條件不能都做到，而不得已，要少掉一項，這三項裡哪一項可以暫時先去掉呢？」

孔子答：「去掉兵備，犧牲國防武力。」

子貢再追向到底：「如果『食』和『信』兩者也不能同時做到，萬不得已，還要少掉一項，哪一項可暫先去掉呢？」

也只有孔子才能回答這等刁尖難決的問題，還加以解釋道：「去『食』、留『信』。一般人都以為缺食可能會餓死，須知死是生命的必然，人人所不能免的。如果人民能信仰政府，政府也信任人民，即令糧食不足，軍備不多，也能上下相孚，大家互信，與國家共存亡。轉機必然很大也。」

【原文附參】：子貢問政，子曰：足食足兵，民信之矣。子貢曰：必不得已而去，於斯三者何先？曰：去兵。子貢曰：必不得已而去，於斯二者何先？曰：去食。自古皆有死，民無信不立。（見：《論語》、顏淵第十二）

【編者私語】：信仰信任和互信，此之謂三信心。孔子另外又說：「人而無信，不知其可也。」（見《論語爲政篇》）美國早已進入「信用社會」，嫌身懷鉅款不安全，又嫌鈔票點數太麻煩，大家都用信用卡了。信用卡推廣迅速，已遍及全球。單以其中之一的VISA卡來看，一九九一年全世界消費金額，即達三千九百億美元之巨。由於使用普遍，故又稱「塑膠貨幣」，這也泛指一切簽帳卡、貴賓卡、提款卡、金融卡、轉帳卡、預付卡。使用方便簡單，「刷卡」就可付帳。但如信任破產，那就寸步難行，眞的比沒有飯吃還難受。如今信用卡已推行到我國了，信之爲用大矣哉。

一〇六　白龍變鯉魚（化身）

吳王夫差（闔廬之子）聽說孔子和子貢到了吳國，正在國內遊觀。他想看一看聖哲賢人究竟有甚麼行止言貌，便換穿了平民便服，獨自出外混在人群中觀察。不料遇到一個不相識的閒人，對吳王開了個小玩笑，戲娛時將吳王的手指頭弄傷了。

吳王回到宮裡，覺得平白皮肉受傷，帝王的尊嚴何在？要派兵去搜捕那個閒人，打算抓來殺掉。

伍子胥（公元前？—前四八五）諫奏道：「大王請先聽我講個故事：從前、天帝有個少子，本是一條白龍，想到塵世間遊玩。他化爲一條鯉魚，在澄清涼爽的淵溪裡游泳，快樂極了。不料有個漁夫，名叫豫沮，發現這條鯉魚，便用魚叉射傷了他。少子趕忙逃走，回到天庭，向天帝投訴。

「天帝問他說：『你在淵裡游泳時，化成甚麼形狀？』

「少子答道：『我化成一條鯉魚。』

「天帝說：『你原是天上白龍，卻要化成鯉魚，怪不得漁夫射你，那也不足怪呀，有甚麼好埋怨的呢？』

「如今大王你脫下萬乘之尊的王服，穿上尋常老百姓的便裝，別人從何認識？被一個閒人無意間傷了你，這也不足怪呀，有甚麼好追究的呢？」

吳王夫差一想，沒有話好說，便不再計較了。

【原文附參】：吳王夫差聞孔子與子貢游於吳，出求觀其形。變服而行，爲或人所戲而傷其指。夫差還，發兵索於國中，欲誅或人。子胥諫曰：臣聞昔上帝之少子，下游青泠之淵，化爲鯉魚，隨流而戲。漁者豫沮射而中之，上訴天帝。天帝曰：汝方游之時，何衣而行？少子曰：我爲鯉魚。上帝曰：汝乃白龍也，而變爲魚。漁者射汝，是其宜也，又何怨焉。今大王棄萬乘之服而從匹夫之服，而爲或人所刑，亦其宜也。於是吳王默而不言。（見：後漢、趙曄：《吳越春秋》。又見：魏徵：《群書治要》、卷十二）

【編者私語】：皇帝街頭被戲傷，只因微服隱行藏。世事猶如戲一場，白龍化鯉也遭殃。昨日我扮唐明皇，今天改演武大郎。既然身是武大郎，就該忘記唐明皇。暫時容忍又何妨，宏觀自會海天寬。

一〇七　以天地為棺槨（曠達）

莊子（莊周，戰國時人）快要死了，學生們打算要厚葬他。

莊子說：「我是用高高的藍天和厚厚的大地，當作上覆下托的棺槨。用和煦的太陽和皎潔的月亮，當作陪葬的一雙玉璧。用閃燿的星星和晶亮的銀河串起來，當作我的珍珠鍊飾。天地萬物，都當作我殯殮入土的禮品。我的葬具難道還不完備嗎？還有什麼排場會超過這份光彩呢？」

學生們解釋道：「我們是恐怕老師這種露天而葬，那野地裡的烏鴉和高空中的鳶鷲，會啄壞你的身體呀。」

莊子說：「你們還沒有想通吧！試問：屍體露在地上時，擔心會被烏鴉飛鳶啄食，豈不知埋在地下，還不是會被螻蛄螞蟻蛀食嗎？為甚麼只防避烏鳶而卻方便螻蟻呢？你們的思想未免太偏了。」

【原文附參】：莊子將死，弟子欲厚葬之。莊子曰：吾以天地爲棺槨，以日月爲連璧，星辰爲珠璣，萬物爲賫送，吾葬具豈不備耶？何以加此？弟子曰：吾恐烏鳶之食夫子也。莊子曰：在上爲烏鳶食，在下爲螻蟻食，奪彼與此，何其偏也。（見：

《莊子》、列禦寇篇）

【編者私語】：葬有多種。埃及人用香料殮屍，作爲木乃伊，西藏人信奉天葬，僰人僚族有懸棺葬（今江西貴溪仙水岩、長江三峽、及印尼的蘇那瓦西島，江西鷹潭，仍可看到懸棺葬），西南夷及印度有水葬，島國土人有海葬，普通的有火葬，多數人要土葬。入土爲安，但有兩點顧慮：一、費用高，死不起。二、全球五十億人，如都土葬，想來可怕；舊塚纍纍見，新墳處處增；與活人搶地皮，後歿者將死無葬身之地了。

一〇八　可不可以伐蜀（假譎）

劉曄（音葉），字子揚，是三國曹魏時代淮南人。他很受魏明帝（曹丕之子曹叡）的器重，做了侍中（是皇帝左右親信之官）。

明帝要攻伐蜀國（蜀主劉備稱帝在成都，此時是兒子劉禪繼位）。朝臣們都不贊成，說不可伐。劉曄在宮中和明帝商議時，就說可以伐。出宮和大臣談話時，就說不可以伐。因為他素有膽識，又有智慧，說的話都能叫人信服。

中領軍楊曁，是明帝親近的大臣。楊曁很尊重劉曄，而楊曁是主張不可伐蜀最堅持的人。他每次從皇宮出來，總會和劉曄見面，劉曄也老是附和不可伐蜀的主張。

有一天，楊曁陪魏明帝前往天淵池。明帝談起伐蜀的事，楊曁不主張伐蜀，故極力諫止。明帝說：「你是個讀書的文人，哪會懂得作戰的大計呢？」

楊曁道：「我的確不太懂得軍事大計，說話不足採信，但侍中劉曄，乃是先帝的智謀之臣，他也主張不可伐蜀呀！」

明帝說：「劉曄和我談話時，卻是說可以伐蜀的。」

楊曁道：「何不召喚劉曄來對質，不就知道了。」

明帝果然召喚劉曄前來。當面問他，他一直不肯說話。等到單獨和明帝相處時，劉曄才說：「攻伐蜀國是國家的大事，我有幸參與這項大謀，常怕在睡夢中洩露，加深我的罪過，哪裡敢向別人吐露眞話呢。我們都知道，用兵作戰，是要講詭譎狡詐的。軍隊沒有開拔之前，保密措施要儘量嚴緊。你顯然隨便就洩露出去了，我恐怕敵人早就知道了呀！」

明帝醒悟過來，還向他謝過。

劉曄辭出皇宮，又責怪楊暨說：「一個釣到大魚的人，要放鬆釣魚線，讓大魚拖著線跑，等牠力氣耗盡了，再慢慢收線，那大魚才不會釣不上來的。皇帝的威儀赫赫，豈祇是大魚而已。你是個直爽的大臣，但是你沒有深深地思考過呀。」楊暨也醒悟了，連忙向他謝罪。

劉曄才華很高，應變能力很強，左右兩種說詞，都能言之成理，還常常把別人說得服服貼貼。

有人不喜歡劉曄，便向皇帝獻計說：「劉曄這人不是忠臣，他長於窺測皇帝的心意，說些迎合奉承的話。你不妨試一試，把你的話反過來問他。如果他順著你的反意回答，就表示他總是迎合你的聖意，這樣就顯出他的眞面目了。」

魏明帝果然試了幾次，確如別人所講的，劉曄是順著己意來討好，從此就疏遠他了。

劉曄失勢後，不能寬解，後來變成了瘋癲，不久就因憂傷而去世了。

【原文附參】：曄事明帝，大見親重，帝將伐蜀，朝臣皆曰不可。曄入與帝議，因曰可伐。出與朝臣言，則曰不可伐。中領軍楊暨，帝之親臣，又重曄，持不可伐之議最堅。每從內出輒過曄，曄講不可伐之意。後暨從駕行天淵池，帝論伐蜀事，暨切諫。帝曰：卿書生，焉知兵事？暨曰：臣言誠不足採，侍中劉曄，先帝謀臣，常曰蜀不可伐。帝曰：曄與吾言蜀可伐。暨曰：曄可召質也。詔召曄，帝問之，曄終不言。後獨見，曄曰：伐國，大謀也。臣得與聞大謀，常恐眯夢漏洩，以益臣罪，焉敢向人言之？夫兵，詭道也。軍事未發，不厭其密。陛下顯然露之，臣恐敵國已聞之矣。於是帝謝之。曄出責暨曰：夫釣者中大魚，則縱而隨之，須可制而後牽，則無不得也。人主之威，豈徒大魚而已。子誠直臣，然不可不精思也。暨亦謝之。曄能應變持兩端如此。或惡曄於帝曰：曄不盡忠，善伺上意所趨而合之。陛下試與曄言，皆反意而問之，若皆與所問反者，是曄常與聖意合也，曄之情必無所逃矣。帝如言以驗之，果得其情，從此疏焉。曄遂發狂，以憂死。（見：《群書治要》、魏志上。又見：《資治通鑑》、卷七十二、魏紀四）

【編者私語】：本篇可得兩點鑑戒。其一：《孫子》說：「兵者、國之大事，死生之地，存亡之道，不可不察也。」又說：「兵者詭道也。」我有力量，事前要故意顯示力量不夠。我欲伐國，事前要故意顯示不伐。這是欺敵，這是保密。「不可先傳也。」劉曄之諫明帝、責楊暨，理由甚是，吾人當引以爲鑑也。其二：以劉曄之才智，兩朝重臣，卻專伺主人臉色心意，作兩可之說，假面孔終被戳穿，「巧詐不如拙誠」，信矣。當今之世，像劉曄的人更多，仗點小聰明，專伺主管的顏色，以取私利。這種部屬，我們要提防以免受愚；這種朋友，我們要注意以免受騙。也當引以為戒也。

一〇九　用小斛扣軍糧（奸狡）

曹操（公元一五五—二二〇、字孟德，小字阿瞞）帶領大軍征戰，軍糧存量不多，難以維持這次戰役。他私下裡密喚那軍糧庫長前來，詢問可有甚麼方法解決？

庫長建議說：「存糧不足，一時運補也接濟不上。只有用小斛（量米用的容器，口小肚大，一斛等於十斗）來發米，就可以應付過去。」

曹操點頭說：「那就這樣做好了。」

如此過不多久，有人發覺了，便說曹操用小斛發米，欺騙他們。大家傳了開來，士氣大受影響。

曹操聞之不妙，即刻把軍糧庫長找來，對他說：「如今要借你身上一件東西，好平息大家的怨恨。」下令將庫長斬首，取下頭顱示衆，判道：「這乃是軍糧庫長私用小斛發軍糧，剋扣官穀，今斬首以平衆怒。」

全軍不安之忿，便撫平了。

【原文附參】：曹操行軍，倉穀不足，私召主者問如何？主者曰：可行小斛足之。操曰：善。後軍中言操欺衆，操謂主者曰：借汝一物，以厭衆心。乃斬之，取首判

曰：行小斛，盜官穀。軍心遂定。（見：《朱氏淘沙》、卷二）

【編者私語】：曹操是奸雄，兩面爲人。一面私下同意小斛發糧，以紓不足之困（若非曹操准許，糧官那敢作主）。及至事發，又擺出另一副面孔，將過錯全部推給糧官，自己脫落得一乾二淨，做得俐落，不露痕跡。我們若深一層探討，則糧官實在非死不可。其一：殺糧官可以滅口，免得他嘴吧不緊，洩露曹操同意照辦的實情，那就不妙；早日除掉糧官，以護自己，這是棄車保帥之法，故糧官不得不死。其二：把責任全推給糧官，借糧官之頭，以平衆怒，軍心得以安定，這是推卸責任之法，故糧官又不得不死。其三：糧官若死，便一了百了，沒有向死人追糧之理，欠糧不要補了，這是一筆勾銷之法，故糧官更不得不死。由此觀之，殺糧官有諸多利益，故他死定了。這才是曹操的眞面目，奸雄的作爲，大都如是。

一一〇　未聞教子以貳（盡忠）

明末鄭芝龍，福建南安人。明熹宗時，盤據福建海島當強盜，受明朝招撫，累官至總兵（鎮守一方的統兵官）。後奉唐王（朱元璋九世孫，即位福州，改元隆武），圖恢復明朝天下，被封爲南安伯，晉爵平國公。

他看到清兵南來，又受了洪承疇（一五九三—一六六五，與鄭同鄉，早已降清）的勸誘，就一心要歸順清朝。召來弟弟鄭鴻逵和兒子鄭成功（一六二四—一六六二），共同密商投降的事。

鄭成功，初名森，字大木（唐王賜他姓朱，故又稱國姓爺）。他對父親痛陳厲害，不論天時、地利、人心，都大有可爲，極力反對投降。最後泣諫道：「猛虎不可離山，大魚不能離水。虎落平陽受犬欺，魚困淺灘遭蝦戲，那時後悔就來不及了。」

鄭芝龍說：「你年紀還輕，哪能懂得人間世事？」

鄭鴻逵也勸阻道：「大哥得封公爵，位極人臣，又帶領了數萬甲兵，何必低聲下氣，去聽命於敵人的指揮調遣呢？這是我做弟弟所極不贊成的。」兩人哭著諫阻都聽不進耳，鄭芝龍終於寫了降書，決定歸順清朝。

鄭鴻逵恐怕姪兒鄭成功遭到挾持，暗地裡幫助他逃走。他遁入海島，屯駐金門抗清，仍奉明朝的年號。

鄭芝龍寫了家諭，書示鄭成功，促他降附清廷。鄭成功悲憤的修書回稟道：「從來父親教訓兒子，都是勉勵他盡忠盡孝的，沒有聽說教訓兒子做貳臣（出仕兩個朝代的叫貳臣）叛賊的。況且清廷只是利用漢人，又哪裡會守信諾呢？如今大人不聽我做兒子的忠諫，將來倘若發生不測的變化，我只有帶孝來替大人復仇吧。」他將儒服都燒掉了，由是斷絕了父子的關係。他據有南澳（今屬廣東省），桂王（唐王被俘，桂王立於肇慶，改元永曆）賜封他爲延平郡王，繼自荷蘭人手中取得台灣（荷人自一六二四—一六六一據台），銳意建設爲反清復明的基地。不幸英年早逝，死時才三十九歲。

鄭芝龍投降清朝後（一六二八），因爲沒有達成勸降鄭成功，清廷一則起了疑心，二則利用價値已少，終於被殺。

【原文附參】：鄭芝龍爲洪承疇所誘，必欲降附。乃召其弟鴻逵及子成功，共商降清之事。成功反覆痛陳天時地利人心仍有可爲。諫曰：夫虎不可離山，魚不可脫淵。離山不威，脫淵則困。芝龍曰：若幼，惡識人事？鴻逵曰：吾兄位極人臣，帶甲數萬，何委身於人，此弟爲兄所不取也。泣諫不聽，芝龍遂進降表。鴻逵恐成功被挾，陰使之逃去，屯住金門。芝龍召之，成功憤慨覆書曰：從來父教子以忠，未聞教子以貳。且北朝何信之有？今大人不聽兒言，倘有不測，惟有縞素復仇而已。

遂與父絕。芝龍降清，終被殺。（見：《清史》、卷五百三十七、鄭成功載記一。又見：連橫：《台灣通史》、卷二十九、列傳一、顏鄭列傳）

【編者私語】：鄭成功年少穎敏，倜儻志宏。惜乎遭時不洽，丁無可如何之厄運，得未曾有之貞忠。明室衰頹，一木焉能支大廈；清廷氣盛，孤臣無計挽狂瀾。誠堪浩歎。台北市襄陽路新公園內，建有「大木亭」，金碧輝耀，乃紀念鄭成功（鄭字大木）者也。兩旁門柱懸聯曰：「騎鯨海上憶英風，重看一旅中興，更無遺憾留天地。焚服世間留偉業，願種十圍大木，長有奇材作棟梁。」又台南市開山路建有「延平郡王祠」，已數百年，堂內正壁間，有大幅彩繪荷蘭人進降表圖，及供奉鄭成功坐姿塑像，瞻仰者衆。廳中高懸清代名臣沈葆禎木刻巨聯云：「開萬古得未曾有之奇，洪荒留此山川，作遺民世界。積一生無可如何之遇，缺憾還諸天地，是創格完人。」兩聯都寫得沈痛悲壯極了。台灣原稱「福摩莎」，意爲寶島。卻一佔於荷蘭（三十七年），再割於日本（五十年）。但願從此政安民富，不再有驚濤駭浪來沖激了。謹錄鄭成功《出師討滿夷，自瓜洲至金陵》詩作結：「縞素臨江誓滅胡（鄭在焦山，著白素喪服，遙祭明太祖、崇禎帝及隆武帝），雄獅十萬氣吞吳（鄭踞台閩，古爲三國吳境，含江浙鄂湘閩粵），試看天塹投鞭渡，不信中原不姓朱（明爲朱姓，成功亦賜姓朱）。」

一一一　目不識丁張曜（發憤）

張曜字朗齋，清朝直隸省（即今河北省）宛平縣人。天生具有神力，兩臂能舉千斤。但家境貧寒，未曾入學唸過書。爲了謀生，只好流浪到河南省固始縣混日子，也沒有固定工作。

那時正當清朝咸豐年代，捻匪作亂，蔓延於山東、安徽、江蘇、湖北、河南一帶。頭目是張洛型，與太平天國洪秀全（一八一四—一八六四）楊秀清（一八二〇—一八五六）互通聲氣，騷擾了十多年。

捻匪竄到固始，圍攻縣城，情勢危急，百姓逃難的很多。張曜年富力強，便就地集合了百來人，抵抗捻匪。因他孔武有勇，竟將匪徒打敗，保全了固始。縣長見他表現不凡，十分欣賞，還將女兒許配給他，從此順利的展開帶兵作戰的志業。

左宗棠（一八一二—一八八五）西征新疆，張曜與劉錦棠同爲大將，倚重兩人爲左右手，立了殊勳。新疆平定後，左宗棠保薦張曜爲布政使（掌一省的政令宣導）。但遇到一位御史劉楠極力反對，甚至在朝廷上公開說：「張曜一介粗夫，目不識丁，怎麼有能力勝任文職？」抗阻之下，自然沒有通過。

此刻張曜武官地位不低，歷任總兵和提督，名氣也算不小，受不了目不識丁的羞辱，沉痛的想了一夜，爲要出這口氣，下定決心，第二天一早，自己將朝服衣帽穿戴整齊，把夫人恭請到正廳高坐，尊她爲老師，叩拜行弟子禮，誠心受教。夫人本是官家閨秀出身，學養豐富。接受叩拜後，說道：「既然打算唸書，就要聽從老師的教誨，若有不遵，要嚴施重罰。」張曜低頭應允，完全接受。

他努力向學，還自雕了一顆印章，刻的是「目不識丁」四個字，不管任何公文私信，都一律蓋印，藉以激勵自己上進。如此經過三年的苦讀，居然文章通暢，詩句典雅，書法也甚爲可觀了。

左宗棠再次檢附他的詩文，重行奏稟推薦，已非吳下阿蒙，朝中無人反對，詔授張曜河南布政使，後又升山東巡撫（總攬全省民政軍事，職權皆重）。他在政務上的表現，極具聲望。

張曜調職赴任時，經過首都北京。這時那位批斥他目不識丁的老御史劉楠已經死了。張曜認爲如不是老御史的一句重話，自己何能有今日？爲感念他的恩賜，便以學生之禮，尊老御史爲恩師，親自到墳前弔祭。祭典完畢，才去上任。

【原文附參】：張曜，清直隸宛平人。生有神力，能舉千斤。家貧，未入學，流浪河南固始。時捻匪圍城，甚急。曜募百人，逐匪遠退，縣令以女妻之。左宗棠西征新疆，張曜與劉錦棠同爲大將，左公倚之如左右手。新疆定後，左保薦張曜出任布政使，爲某御史所阻，謂張目不識丁，何能勝任文職？曜受此刺激，經一夜深思，次日，乃整肅衣冠，將夫人請出，執禮拜師。夫人原係宦家閨秀，熟知書文，受拜之後，乃曰：既欲讀書，須遵師命，違者重罰。張曜俯首應命。並自雕一目不識丁小章，不拘公牘私函，咸蓋印，俾自警。經三年苦學，居然詩文雅麗，書法亦佳。左宗棠乃檢具詩文，再爲呈薦。廷授河南布政使，復擢山東巡撫，極有政聲。曜過北京，時老御史已故，因持弟子禮，親往弔祭，然後赴任。（見：《湘軍掌故》）

【編者私語】：鑽研學問，祇要咬牙發狠，必會有成。受到難堪，罵他不識之無，更是激奮的動力。詩清文麗，斐然可觀，固屬難能之極；而尊仇作師，專程拜祭，尤顯品德之崇。

一一二　目不識丁樊燮（勵學）

清代左宗棠（一八一二—一八八五），湖南湘陰人，字季高。當他初出仕時，在駱秉章（一七九三—一八六七）的撫衙裡作幕友（有似秘書）。那時永州府（在湖南省，轄零陵等七縣）總兵官（大約相當於軍長，旗下所轄爲鎮、協、標、營）名叫樊燮（恩施人），有事來參見左師爺，卻因話不投機，左宗棠竟然當面罵他說：「你目不識丁，不要再囉嗦了，滾出去！」

樊燮退出府門，心想這次受到的羞辱太利害了。然而目不識丁，也是事實，要如何才能一雪此恥？唯有反求諸已。他雖未死，就預先立起一塊神主牌位（即木主，中行書寫姓名，讓晚輩供奉），上寫「目不識丁樊燮之神位」，供在家中正廳的神龕裡，以資警惕。

樊燮有個兒子，名叫樊增祥（一八四六—一九三一），字嘉父，別號樊樊山，那時只十來歲，長得聰敏過人。樊燮花費重金，禮聘了一位學識淵博的老翰林（清代最高等考試錄取的叫進士，朝考得庶吉士的叫翰林），作西席家庭教師，專責教子，命他苦讀。到了十八歲，樊燮告誡兒子說：「你若考不上翰林，就不是我的兒子；我這個目不識丁的神主牌位，必須繼續保留，天天上香供奉，直到你的兒子考取翰林後才可撤掉。」他心裡的傷痛，眞是到了極點。

老總兵樊燮死後，樊增祥愈加發憤，終於在光緒三年（一八七七）考上了，後來還做到江寧布政使。他文詞典雅，著作很多，學者稱爲樊樊山先生。他點了翰林後，自己恭寫祭文，到亡父墳前哀告拜祭，情詞哀惻，聽的人都掉下了眼淚。

左宗棠罵樊燮目不識丁，按理樊增祥應該記恨。但他對左，不但沒有抱怨的話，反而對左宗棠西征勝利一事，極力揄揚。由此可見古人的胸懷寬大，確實有過人之處。

【原文附參】：左宗棠在駱秉章幕府時，有永州總兵樊燮，因事參見，左面斥以目不識丁。及樊退出，自以受辱太甚，乃於生前先立一靈牌曰：目不識丁樊燮之神位。樊燮有一子名增祥，年十餘歲，聰敏過人。樊燮以重金聘一老翰林，課子苦讀。至十八歲，樊燮告其子曰：汝如不點翰林，便非吾子，此目不識丁之神位，便須俟汝子點翰林後始可撤去。其傷痛之情極矣。老總兵死後，增祥愈加發憤，卒點翰林。爲文祭父，哀惻不忍卒聽。樊增祥對左，非但無怨恨之詞，且於西北軍事成就，備極頌揚。足見前人胸襟，確有過人之處。（見：淸、朱綱正：《朱氏淘沙》、卷三）

【編者私語】：罵我目不識丁，誓必洗此羞愧。自己年歲已高，厚植兒子遂願。每晨靈位供香，痛澈兩代心肺。皇天得中翰林，墓前哀哀告慰。

一一三　毋在鄰家磨麵（廉正）

劉大夏（一四三六—一五一六），字時雍，華容人，卒謚忠宣。明孝宗時，做過兵部尚書，《明史》裡有他的傳（請參第二四二尚書當小兵篇）。

他父親劉仁宅，在瑞昌縣（屬江西）作縣令時，有一次，與高安縣（同屬江西）嚴縣令一同進京謁見皇上。那時宰相楊恭襄主理國政，和劉嚴兩家都有姻親關係，就派了一位差役，私下去觀察他倆人。回來報告說：「那嚴縣令十分富厚，眞稱得上是位大官人。至於劉縣令，只有草蓆子、布被子、瓦盆子，煤爐子，還只是個窮人而已。」

嚴縣令搶個先機，瞞著劉仁宅，特別提前去拜見宰相，奉上一盒金幣，作爲贄禮。楊恭襄婉卻了，沒有收下。劉仁宅以後才來，送上兩件菲薄的土產：一筒茶葉，一罐蜂蜜。楊恭襄很歡喜，都收納了。

不多久，劉仁宅被舉爲御史，他上任後，在柏臺署中請同僚吃飯，桌上像樣的菜，只有一條乾魚而已。

之後，宰相楊恭襄回鄉掃墓，返程時，順道探望劉仁宅的家。這時忠宣公劉大夏還是個小孩，在門口遊戲。

楊恭襄問他：「你爸爸在家嗎？」

劉大夏答道：「還在官署裡辦公。」

楊又問：「你媽媽安好吧？」

劉大夏答道：「正在隔壁鄰家磨麵。」

楊恭襄進入屋內，看到寢室床上，只有一張用蒲葦編成的草薦，和一床用粗布做的被子而已。他很感動，也很高興，贊歎說：「這樣守分安貧，可以稱爲眞正的御史了！」

【原文附參】：劉忠宣公大夏，尊人名仁宅，令瑞昌，與高安令嚴某同入覲。時楊恭襄當國，與劉嚴皆姻親也。遣一介往瞰，介還報曰：嚴富厚，雅稱一官。劉草薦布被，瓦盆煤灶，猶然窮人耳。嚴責劉，特先見，贄以金幣，公卻之。劉嗣見，具茗一封，蜜一罐耳，公嘉納之。尋擢劉爲御史，在臺中饗同僚，一枯魚而已。後楊展墓還朝，便道造劉，時忠宣公（劉大夏）尚幼。問：父在否？曰：在署中。母安否？曰：在鄰家磨麵。詣寢處，床上唯蒲薦布被。喜曰：可稱眞御史矣。（見：《朱氏淘沙》。又見：《崇儉篇》）

【編者私語】：吃的是親手磨的粗麵（家無石磨，要去鄰居借用），睡的是草墊布被。淡泊自甘，耿介自勵，身爲御史，職司糾彈百官，本身堅守儉樸，這很感動人，如今已少有。

一一四　未聞甘羅寫字好　（書法）

高湝（音由），字子深，是高歡（後尊爲北齊神武帝）的第五個兒子。元象二年（五三九，東魏孝靜帝年號），封爲長樂郡公。

這時他年齡尚幼，博士（官名，掌治經史）韓毅教他寫字。見他用筆還欠功夫，戲言道：「五郎（他排行第五）寫字如此力拙，而小小年紀，忽然做了常侍（天子近臣），又開國稱公（因係皇子，封爲長樂郡公）；自今以後，應該在書法上多用點心思罷！」

高湝正色答道：「從前戰國時代，甘羅（秦國下蔡人）十二歲就做了秦國上卿，任爲丞相，沒有聽說他寫字好呀！大凡一個人出道，只論他的才具如何，難道一定要勤於練習寫字嗎？你今官爲博士，是當朝的學者，字也寫得極好，爲甚麼沒有作到三公呢（漢以大司馬、大司徒、大司空爲三公）？」那時高湝還只八歲，韓毅甚感慚愧。

武定六年（五四九），他出任滄州刺史（今河北滄縣）。到天保四年（五五四，這時他哥哥高洋爲北齊皇帝了），升爲侍中（哥哥將他調來朝中），將回首都，接任新職。

他離開滄州時，百姓和屬僚都來送行。有當地父老數百人，聯合設了酒宴餞別。大家向高湝請道：「自從殿下（對天子稱陛下，對王爺稱殿下）到滄州，已有五年了。由於從不擾民，以致百姓都不認識州官，州官們也不欺凌百姓，眞是人民的好父母官。我們自出世以來，現在才受到你的德化，十分感激。你這五年之中，只喝過滄州地方的清水，還從未嚐過滄州百姓奉敬的菜餚。今天你要高升離開了，我們聊備一點蔬食和淡酒，獻請嚐一嚐！」

高湝感到情濃意重，就每道菜吃了一口才離去。

【原文附參】：高湝、神武第五子也。元象二年，封長樂郡公。博士韓毅教湝書，見湝筆跡未工，戲湝曰：五郎書畫如此，忽爲常侍開國；今日後，宜更用心！湝正色答曰：昔甘羅爲秦相，未聞能書。凡人唯論才具何如，豈必勤於練字？博士當今能者，何爲不作三公？時年蓋八歲矣，毅甚慚。武定六年，出爲滄州刺史。天保四年，徵爲侍中。人吏送別，有老公數百人，相率具饌，白湝曰：自殿下至來五載，人不識吏，吏不欺人。百姓有識以來，始逢今化。殿下唯飲此鄉水，未食百姓食，聊獻疏薄。湝重其意，爲食一口。（見：《北史》、卷五十一、列傳第三十九）

【編者私語】：世稱鍾繇耽於習字：「坐則畫地，臥則畫被」。又晉代宋翼也善於寫字：「畫一橫，如百鈞硬弩；作一直，如百歲枯藤；作一放縱，如驚蛇投水」。都是我們效法的榜樣。吾鄉有句諺語：「字無百日功。」是說如要學習寫字，只須專心，不出一百天，就可寫得不錯了。習字先要臨摹，然後開創。所謂臨，是將字帖擺在寫字紙的左邊作範本，看著帖上的筆法來學。所謂摹，是用薄紙蒙蓋在帖上，透著帖上的構架來描。初學先求形似，再進悟其神髓。然後自創風格，終乃獨樹一幟。無論顏筋柳骨，學全了仍只是顏柳的徒弟，永遠是第二名。必須脫胎換骨，有個變化，乃成一派書家。我們看鄭板橋的字，別人批評爲或正或斜，似傾欲倒，笑他是「亂石鋪街」；實則他已自闢蹊徑，既雅且美，愈看愈覺好看。但是時代在變，今日生活節奏緊湊，能夠抽出時間學習寫字的人已經不多了。書法雖是國粹，卻不吃香。字寫得好的人，很難以此求得溫飽。行見拿毛筆的人日少，豈不爲中華文化之難以傳承而憂心乎？

一一五　只說寄存三十萬（誠信）

漢代閻敞，字子張。任職爲郡掾（一郡管轄許多縣，首長叫太守，掾是輔佐太守的屬官）。郡太守叫第五嘗（第五是複姓，嘗是名）。皇命徵召他調升別處，即須離開任所。由於京令急切，一時只得將所積的俸祿錢幣一百三十萬，寄存在閻敞處。閻敞將錢埋在堂屋地下，旁人也不知道。

第五嘗離任不久，全家突然得了急病都死了，僅存活了一個孫兒，纔九歲。第五嘗在臨終時，曾留言提到有錢三十萬寄存在閻敞手中。等到孫兒長大成年了，便來拜訪閻敞。他見孫兒到來，即刻把藏錢還他。

孫兒說：「先祖父只說存錢三十萬，不曾說是一百三十萬，是不是你還我多了？」閻敞道：「令先祖也許是在重病之際，大概把錢數說錯了，你不必多疑，一百三十萬都該歸還給你。」

【原文附參】：閻敞，字子張，爲郡掾。太守第五嘗被徵，以俸錢百三十萬寄敞。敞埋置堂上。後嘗舉家病死，惟餘孤孫九歲。嘗未死時，曾說有錢三十萬寄敞。及孫長大求敞，敞見之，即取錢還孫。孫曰：祖惟言三十萬，無百三十萬。敞曰：府

君病困謬言耳，郎君勿疑。（見：《朱氏淘沙》、卷三）

【編者私語】：一百萬不是小數目。閻敞若先問數字於其孫，然後照數奉還，則一百萬多餘的錢，就可乾沒，後半輩子的生活無憂了。無如這位閻敞先生，認爲「苟非吾之所有，雖一毫而莫取」，全數歸還，一文不要。他不過是個郡掾，大約不過是現今省政府的專員或秘書，官位並不顯赫，品德卻很崇高，行事令人敬仰。不像現代人，因爲受物慾的沾染，一切向「錢」看，謀財不擇手段，或者明搶暗偷，綁票勒索，走私販毒。或者投機倒把，無所不用其極，豈不聞有人唱「十億人民九億倒，還有一億正在找」的順口溜嗎?別人只看你有沒有錢，不管你的錢來自何處?這樣發展下去，每個人都變成了豺狼狗彘，請問這國家社會如何得了?

一一六　正由幼兒掌天下（卓識）

趙匡胤（公元九二七—九七六），原在殘唐五代（梁唐晉漢周五朝）的後周，任殿前都點檢，掌管禁軍，大權在握。周世宗（名榮）死後，傳位給年僅七歲、乳臭未乾的兒子宗訓，是爲恭帝（九五九年）。還來不及改元，北漢（當時北方十國之一，都太原）引遼兵入寇，趙匡胤率兵禦敵，行至陳橋驛（首都汴京東四十里），黃袍加身，逼恭帝禪位，改國號爲宋，是爲宋太祖，時在公元九六〇年。

建隆二年（宋太祖年號，公元九六一），皇太后（趙匡胤之母）年老生病，病況嚴重了，召喚趙普（九二二—九九二，參第四四三「論語爲師」篇）進入寢宮，料想會有重要後事交待。

太后先向床前侍疾的宋太祖問道：「你知道你得天下登帝位的原因嗎？」

宋太祖傷心悲泣，咽喉噎塞了，不能回答。太后一直問他，才說：「這都是託祖宗的洪福，和太后您積的陰德善慶所致。」

太后道：「這話不對。眞正的原因，乃是周世宗死後，傳位給幼小的兒子（恭帝）來掌天下的緣故。假使他有年長的後代繼位，天下哪會爲你所有呢？因此，你百歲之後（死的代稱），應當傳位給你弟弟（趙光義）。四海這麼廣大，國事這麼繁重，能夠立年長的來繼承，這才是國家的幸福。」

太祖叩頭，哭著應道：「我哪敢不照您的慈訓行事？」

太后又轉頭對趙普說：「你也在這裡同作見證。要記住我的話，不可違背。」命趙普在床邊寫下約誓書，並且在文尾簽上「臣普書」的字樣。交待將約誓書封藏在金匱裡（金製寶櫃，愼保珍藏），指定一位穩當可靠的宮人保管守護它。

【原文附參】：建隆二年，太后不豫。疾亟，召趙普入受遺命。太后因問太祖曰：汝知所以得天下乎？太祖嗚噎不能對。太后固問之，太祖曰：此皆祖考及太后之積慶也。太后曰：不然。正由於周世宗使幼兒主天下耳。使周氏有長君，天下豈爲汝有乎？汝百歲後，當傳位於汝弟。四海至廣，萬機至衆，能立長君，社稷之福也。太祖頓首泣曰：敢不如教。太后顧謂趙普曰：爾同記吾言，不可違也。命普於榻前爲約誓書，普於紙尾書：臣普書。藏之金匱，命謹密宮人掌之。（見：托克托：《宋史》、卷二百四十二、列傳第一）

【編者私語】：皇太后有此卓識，強過許多鬚眉男子。史載趙匡胤初登帝位時，太后並不欣喜。左右問她：「子爲天子，胡爲不樂？」她說：「吾聞爲君難。若治得其道，則此位可尊；苟或失馭，求爲匹夫不可得。所以憂也。」（見《宋史》卷二四二）這種看得深慮得遠的見解，常人哪可幾及？家天下將邦國視同私產，末代都腐敗而亡。今天是民主時代，陋制已經絕了。但不少的大企業，仍是家天下，然而子孫爭氣的並不多。所以有學者提出大企業的所有權與經營權要分開，才可維持於久遠。這種新觀念，大可深思。

一一七　半個剩桃給我吃（愛憎）

春秋時，衛國有個彌子瑕，是衛君的幸臣（以變倖獲得寵愛）。衛靈公十分歡喜他。

衛國的法律規定，凡是未經許可，私自駕駛國君御車的，要砍去雙足以爲處罰。彌子瑕的母親生病了，別人在晚上才告訴他。他來不及稟告衛靈公，就假傳命令，駕著衛君的座車出去了。衛靈公知道後，不但不罰他，反而贊美道：「他很孝順嘛。爲了母親，竟連砍足都不顧了。」

又有一天，他陪同衛靈公在果園裡遊玩。彌子瑕吃到一個桃子，覺得桃味甘美，便把還未咬完的半個桃子給衛君嚐鮮。魏靈公又贊美道：「他很愛我嘛。爲了桃子味道好，竟留下半個給我吃。」

到後來，彌子瑕的寵愛衰退了，而且因事得罪了衛靈公。衛靈公記起從前的事，責備道：「這個彌子瑕很壞。以往他曾經假傳命令，偷駕我的御車出去，對我不忠。又曾經拿吃剩的半個桃子給我，對我不敬。我要辦他。」

由這兩件事看來，彌子瑕的行爲，始終沒有改變。以前認爲是好的，以後卻認爲是壞的，這全是喜歡和厭惡的心情變化所招致的。

【原文附參】：昔者，彌子瑕有寵於衛君。衛國之法：竊駕君車者罪刖。彌子瑕母病，人聞之，夜告彌子，彌子矯駕君車以出。君聞而賢之曰：孝哉！爲母之故，忘其犯刖罪。異日：與君遊於果園，食桃而甘，不盡，以其半啗君。君曰：愛我哉！忘其口味，以啗寡人。及彌子色衰愛弛，得罪於君，君曰：是固嘗矯駕吾車，又嘗啗我以餘桃。故彌子之行，未變於初也。前之所以見賢，而後之所以獲罪者，愛憎之變也。（見：戰國、韓非：《韓非子》、說難第十二。又見：《說苑》、卷十七、雜言篇）

【編者私語】：愛之欲其生，憎之欲其死《論語顏淵篇》；趙孟之所貴，趙孟能賤之《孟子告子篇》。同一行爲，可毀可譽。但我仍是我，別人說我好，說我壞，我實在管不到，也不必去管他。只要我問心無愧，就可擇善而行。唯有堅守自己的原則，眞金才不怕火燒也。

一一八　匹夫從者萬餘人（譖傷）

曾國藩（一八一一—一八七二），字滌生，清嘉慶十六年生於湖南省湘鄉縣，二十八歲考中進士，卒諡文正。

道光三十年（一八五〇），洪秀全（一八一四—一八六四）起兵反清，號爲太平天國（勢侵十六省，歷時十五年）。天兵攻下長沙（湖南省會），佔了武漢（湖北省會），威勢正盛，清兵屢敗。清廷乃詔諭曾國藩，組訓地方團練（在家鄉徵集壯丁，籌辦自衛武力），保衛湖南，肅清盜匪。

曾國藩鑒於時局太亂，若不用嚴刑峻法，不足以綏靖地方，便採用治亂世用重典的辦法，十旬之內，殺了兩百多人，梟首示衆。治安算是好轉了，但怨謗四起，給他取了個壞的綽號，叫「曾剃頭」，譏刺他殺人太多了。

咸豐四年（一八五四），湖南盜寇，已全部肅清，於是奉令督師出湘，北上克復了武昌。清廷論功行賞，頒給曾國藩二品頂戴（清朝官服，帽頂珠子用珊瑚、寶石、水晶等以別官品，稱爲頂戴，二品頂珠是紅寶石），署理湖北巡撫（總攬全省民政、軍政）。

當初，咸豐帝看到收復武昌的捷報時，喜形於色，對軍機大臣（清廷設軍機處於隆宗門內，以親王爲軍機大臣）說：「想不到曾國藩只是個儒學書生，竟能立下這件奇功！」

正想要打破常規，超擢曾國藩升任高職，好使他有權獨當一面。卻有位漢官，任職體仁閣（太和殿之東爲體仁閣）大學士（清代在內閣設大學士四人，約等於行政院政務委員）祁雋藻（字實甫）說道：「這個曾國藩，以吏部侍郎身分，因爲丁憂（遭父母之喪，須回家守孝），回到原籍，閒住在家，只算是單人一個。他以匹夫之身，處鄉里之間，一聲么喝，跟隨他起來參軍的竟然有一萬多人，號召力之強，豈能忽視，這恐怕不是國家之福吧？」咸豐帝一聽，沈默了好久好久，臉色都變了，沒有講半句話。

清廷是滿族，最怕漢族奪權。由於這席話的阻撓，以後的七年多日子裡，曾國藩得不到實權實授的官職，只是徒擁虛銜，轉戰長江各省。雖然統御了龐大的部隊，僅屬客帥身分，受盡了委屈，不能夠伸展他的大抱負。

【原文附參】：曾國藩，清嘉慶十六年生於湖南湘鄉，廿八歲成進士。太平天國攻長沙，佔武漢，清廷諭國藩幫辦團練，以肅奸匪。國藩採治亂世用重典之原則，嚴刑峻法，十旬之內，殺人二百餘，因此謗怨四起，稱爲曾薙頭。咸豐四年，以湖南全無敵蹤，督軍北上，克服武昌。清廷賞功，曾國藩賞二品頂戴，署理湖北巡撫。當清帝初聞捷音，喜形於色，謂軍機大臣曰：不意曾國藩一書生，乃能建此奇功。方擬不次擢陞，使能獨當一面，乃有漢人大學士祁雋藻對曰：曾國藩以侍郎在籍，猶匹夫耳。匹夫居閭里，一呼蹶起，從之者萬餘人，恐非國家之福也。清帝爲之默然變色者久之。由此一阻，以後時逾七載，國藩不得實權實職，衹擁虛銜。轉戰各省，都爲客帥。受盡委曲，不得伸其大志。（見：國防研究院：《清史》、卷五百四十二、補篇十三、洪秀全載記四）

【編者私語】：想那曾國藩，只唸過線裝書，沒有進過軍校。也無步兵操典、射擊教範、陣中勤務令（簡稱典範令）。幾乎連立正稍息都不知道，如何去編組部隊，操演訓練？對進攻防守，水陸戰法，都是外行。全靠摸索，要費多少功夫？非有過人之能，曷克臻此？其平定太平天國後，尚有幾則齊東野語：《無象庵雜記》說：「胡林翼、左宗棠、王闓運都欲擁立曾國藩爲帝。胡林翼專送密函給他說：「今東南半壁無主，我公其有意乎？」」（曾國藩連忙把信撕碎嚼爛吞了）。左宗棠給他「題神鼎山」嵌字對聯云：「神所憑依，將在德矣。鼎之輕重，似可問焉。」（這都是《左傳》裡的句子，想見古人之飽學，我輩如何？但曾國藩把「似」字改爲「未」字還他）。王闓運當面密勸他作皇帝，曾國藩連說荒唐荒唐以謝。《笑笑錄》說：南京克服後，大家都以詩文高捧頌贊曾國藩，而且集印成書。曾國藩害怕功高震主，位極招危，既不能阻止，便題書名叫《米湯大全》，視同遊戲文字，以求沖淡其嚴重性。又那時清廷流行兩句話：「去了一個洪秀全，來了一個曾國藩。」如果他有異志，天下非積弱腐敗的愛新覺羅氏所有也。

一一九　出任太守以求安　（睿識）

三國時代的劉表，字景升，任荆州牧（今湖北湖南省境），封成武侯。他的大兒子劉琦，對諸葛亮（公元一八〇—二三四）十分敬佩。

劉表聽信後妻的話，偏愛少子劉琮，不喜歡劉琦。劉琦心裡不安，屢次想向諸葛亮請教自保的方法。但諸葛亮不是迴避、就是拒絕談及這個問題，不替他出主意。

有一天，劉琦邀約諸葛亮到府後的花園裡遊觀，信步一同登上一座高的樓臺。兩人在樓中酒宴之時，劉琦命人把登樓的梯子撤走了。

劉琦說道：「今天的情況，上不至天，下不著地，只有你我兩人在此，先生能否對我略賜指教？話只出自你口，也只進入我耳，並無第三人聞知，你可以放心說了吧！」

諸葛亮道：「你沒有看見前人的往事嗎？那春秋時代，晉獻公寵信驪姬，驪姬屢次進讒言，晉獻公要殺掉兒子申生。他弟弟重耳（公元前六九七—前六二八，即晉文公）勸申生逃走。申生說：『我不能出奔。父親說我要弑他，天下哪有無父之國？』終於死掉了，可見在宮廷裡是很危險的。再看那重耳，跑去狄國躲避，遠離了危險。終於找到機會，回國繼位爲晉文公。察古以觀今，你難道不明白嗎？」

劉琦猛然醒悟，暗地裡策劃著要離開。正好遇到江夏太守（在今湖北雲夢縣）黃祖（殺掉孫堅彌衡的人）死了。劉琦獲准外放，接任江夏太守去了。

【原文附參】：劉表長子琦，深器亮。表受後妻之言，愛少子琮，不悅於琦。琦每欲與亮謀自安之術，亮輒拒塞，未與處畫。琦乃邀亮游觀後園，共上高樓。飲宴之間，琦令人去梯，因謂亮曰：今日上不至天，下不接地。言出子口，入於吾耳，可以言未？亮答曰：君不見申生在內而危，重耳在外而安乎？琦意感悟，陰規出計。會黃祖死，得出，遂為江夏太守。（見：《三國志》、卷三十五、蜀書、諸葛亮傳第五）

【編者私語】：複雜的大官家，常會勾心鬥角。那時受禮教的束縛，黑白莫辯。唯有遠離是非圈，才能自保。在外建立起基業，羽翼豐滿後，便進退自如了。劉琦素知諸葛亮智高，但別人州牧侯府裡的家務事，豈能由外人隨便表示意見，最好避談。劉琦巧施絕招，逼他非指教不可。諸葛先生只是舉例，原文僅說了兩句話：「申生在內而危，重耳在外而安」。簡潔得儘夠了。使劉琦茅塞頓開，歡然醒悟。我們於一千七百年後的今天，開卷展讀，仍讀覺得有栩栩如生的臨場感。

一二〇　奴叛主者下油鍋（賞罰）

何眞，字邦佐，廣東省東莞縣人。少時英武偉岸，好讀書學劍。元朝末期，作廣東行省右丞（右丞高於左丞，這是佐理省政的首席官），任事幹練。

元代末，天下大亂。至正年間（元順帝年號），廣東東莞縣人王成、陳仲玉連合起來倡亂。何眞率兵進剿，殺了陳仲玉，但王成築寨憑險固守，久久不能攻破。

何眞懸出賞格：凡是捉到王成的，獎賞錢鈔十千。王成的貼身奴僕，將王成綑綁，押送出寨，獻給何眞。

何眞帶著笑容，向王成說道：「你的親信僕人，竟然把你賣了，爲甚麼養虎貽禍呢？」只見他滿臉羞慚，無話可答。

奴僕請賞，何眞信守諾言，照賞格如數給付。一面命部下準備油鍋（昔時，用巨鍋煮油使沸，將人犯投入之刑），王成以爲油鍋是對付自己的，極爲害怕。

何眞下令，叫人將奴僕綁住，當衆將他下鍋烹了，大聲宣告說：「家奴叛逆主人者，以此爲鑑。」將王成另作處置。

大家都敬服何眞賞罰有則，廣東沿海一帶作亂的，都歸順了。明太祖（一三二八——一三九八，即朱元璋）時，何眞官至湖廣布政使，很有政聲，《明史》有傳。

【原文附參】：何眞，東莞人。縣人王成、陳仲玉作亂，眞攻成，誅陳仲玉而成固守。眞募擒成者，予鈔十千。成奴縛成以出。眞予之鈔。命具湯鑊，趨烹奴。號於衆曰：奴叛主者視此。沿海叛者皆降。（見：《明史》、卷一百三十、列傳第十八）

【編者私語】：誰都可以領取賞格，唯獨這位貼身奴僕不可以。倘若要貪領賞金而竟出賣主人，則何事不可爲？按六百年前的道德標準衡量，必得下油鍋也。但這中間尚有一種情況要弄明白：那就是王成是否有負於此僕？古昔有一實例：春秋時代，宋國統帥華元，與鄭國交戰。出戰之前，華元殺羊犒士，羊肉沒有分給他的駕駛兵名叫羊斟的，這只算是一點小小的疏失吧？到作戰時，羊斟說：「昨日分羊肉，是由你作主；今天駕車，輪到由我作主了。」竟把車子開到敵軍鄭國的陣地裡去了，華元因而被囚（見《左傳》宣公二年）。姑不論這樣的報復是否過分，但華元的疏忽仍有錯失。我們由此應該警惕到：即使是貼身貼心的人，也要在緊要關頭注意他。

一二二　用豬蹄祈求豐收（慳吝）

戰國時代，七雄相爭。齊威王（齊桓公之子）八年，南方楚國，出動大軍要進攻齊國。齊威王請淳于髡（淳于複姓，髡音坤，滑稽多辯）充任使臣，隨帶黃金一百斤，四馬同駕一車的豪華新車十輛（古時的車，有一四馬拉的。有兩馬拉的，叫麗。三馬的叫驂，四馬叫駟），作爲禮物，往趙國請求救援。

淳于髡聽到這項安排，不禁仰天大笑，竟然把那頸項下面繫住帽子的絲帶都笑斷了。

齊威王問他道：「先生難道是覺得禮物太少了嗎？」

淳于髡說：「我哪敢嫌棄禮物薄少呀！」

齊威王問道：「你仰天大笑，那是爲甚麼呢？」

淳于髡解釋說：「大王有所不知。今天我從東方來，看見田邊有個農人，想要收成增多，祈禱老天賜福。他用小豬蹄一隻，白水酒一杯，對天帝禱求說：『高處田裡，收成要滿籠；低處田裡，收成要滿車；五穀都蕃茂，豐盛到家裡穀倉都滿滿的。』我看他備辦的供品太少，而要求的回報卻太多，我是在笑那個農夫呀。」

齊威王知道他是借喻諷己，便增給黃金爲一千鎰（二十四兩爲鎰），馬車爲一百輛，另加純白的玉璧十對，這是十分豐厚的禮物了。淳于髡辭別，前往趙國，說動趙王，派出精兵十萬，裝甲車一千輛來援。楚國知道不能求勝，乘夜便退兵了。

【原文附參】：威王八年，楚大發兵加齊，齊王使淳于髡之趙請救兵。齎金百斤，車馬十駟。淳于髡仰天大笑，冠纓索絕。王曰：先生少之乎？髡曰：何敢！王曰：笑豈有說乎？髡曰：今者臣從東方來，見道傍有禳田者，操一豚蹄，酒一盂，祝曰：甌窶滿篝，汙邪滿車，五穀蕃熟，穰穰滿家。臣見其所持者狹，而所欲者奢，故笑之。於是齊威王乃益齎黃金千鎰，白璧十雙，車馬百駟。髡辭而行，至趙。趙王與之精兵十萬，革車千乘。楚聞之，夜引兵而去。（見：《史記》、卷一百二十六，滑稽列傳第六十六。）

【編者私語】：太史公說：淳于髡祇是個齊之贅婿，身長不滿七尺（古時尺短）。可知他的身分和狀貌，都乏深厚的憑藉，憑藉的則是口辯。大凡要正面指出君王的不是，可能會把大事弄僵。如今設一譬喻來暗示，就順利達到目的了。我們處事，有時也宜採委婉途徑，反而容易成功。再者，付出與取受之間，也應衡量其可行性。秦始皇欲以五百里土地交換安陵一隅（見第三九千里不易故國篇），付出太多而回收太少，所許乃是騙局也。呂不韋以千金爲子楚脱困（見第二三二奇貨可居篇），由商人終爲宰相，是投下大本錢換來利益回收也。視彼操豬蹄一隻，水酒一杯，就想求豐收者，受譏豈不宜乎？

一二三 任人任力 （爲政）

孔子弟子宓子賤（姓宓，名不齊，字子賤），做過單父縣城的邑令。他每天彈彈琴，不必走下廳堂，單父便治理好了。

孔子另一位弟子巫馬期，（姓巫馬，名施，字子期或期），也做過單父的縣令。他清早當晨星還未落下時就外出治事，忙到晚上那夜星已經升空了才回來，單父也治理好了。兩人的治道相異，勞逸也大不相同，巫馬期請問宓子賤原因何在？

宓子賤道：「我的方法是指揮別人，你的方法是辛苦自己。辛苦自己自然會勞累，指揮別人自然就清閒了。」

有人評斷說：「宓子賤是位君子，懂得將手足四體放寬鬆，但耳目聞見卻全未遺漏，而且心胸意氣保持平和，就可以騰出時間，潛思宏察，擘劃大政；以致人人都有事做，事事都有人做，輕易的治好了。巫馬期就不及，每天精疲力竭，有些事必會顧慮不到，雖然勉力治好了，但卻未到化境，還不是最好的領導方法。

【原文附參】：宓子賤治單父，彈鳴琴，身不下堂，而單父治。巫馬期亦治單父，以星出，以星入，日夜以身親之，而單父亦治。巫馬期問其故於宓子，宓子曰：我之謂任人，子之謂任力。任力者故勞，任人者故逸。人曰：宓子賤則君子矣，佚四肢，全耳目，平心氣，而百官以治。巫馬期則不然，雖治猶未致也。（見：周、景氏：《景子》）

【**編者私語**】：現代政務，繁而且雜。若事事想要插手，己力既有未逮，時間亦不允許。事必躬親的時代已過，要變爲團隊協力，才可衆擎易舉。考之「現代管理」的學說，身爲領導人者，應借屬下群力之助，去達成我預計的目標。我只要定謀、劃策、督導和驗收成果而已。爲政應當如是，主持工商企業，也當如是，必須任人，不能任力。

一二三　刎頸之交（高義）

廉頗是趙國大將。趙惠文王時，打敗了齊兵，拜爲上卿。藺相如也是趙臣。趙惠文王得了楚國的和氏璧，秦昭王要以十五個城邑交換。相如護著玉璧到秦國，竟能在威逼之下完璧歸趙，拜爲上大夫。第二年，秦昭王和趙惠文王在澠池會宴，想羞辱趙王。因相如的智勇，反佔上風。回國後，因功拜相如爲上卿，朝中地位反而在廉頗之上。

廉頗很不服氣，揚言道：「我是趙國大將，作戰屢打勝仗，有殺敵衛國之功。那藺相如只是個舍人，不過憑口舌之利，算得上甚麼能耐？官位竟然比我還高，我不能忍受這種屈居人下的恥辱。哪一天我遇到他，一定給他難看。」相如聽到了，便刻意避開他。每當上朝時，就常藉口生病，兩不碰面。

過了不久，藺相如坐車外出，遠遠看見廉頗的車隊從對面來了，連忙將自己的坐車轉到巷子裏躲著，免得面對面發生衝突。

藺相如的隨從人員，見主人如此軟弱怕事，覺得很不服氣，對相如說：「我們離開家人親友而追隨你，是仰慕你的義行，能夠爲國家爭光榮的緣故。今天你與廉將軍同列爲卿，廉將軍放出狠惡的話，要羞辱你，你卻一味躲藏，似乎也害怕得過分了。這種舉動，平民百姓尚且覺得羞恥，何況你是執掌國政的上卿呢？我們雖然識見不高，也覺得忍受不了這種窩囊氣，都想辭別你回家去算了。」

藺相如懇切要求他們不要離開，並反問他們道：「請各位想一想，若論威權地位和影響力，廉將軍比秦昭王哪一個厲害呢？」

隨員們都說：「那廉將軍當然是比不上秦昭王的。」

藺相如道：「即使秦昭王那樣的赫赫威風，我也敢在秦國朝廷裡當衆對他怒吼，羞辱他滿朝的大臣。我相如雖然不夠長進，哪會獨獨害怕一個廉將軍呢？再想一想吧，那強悍的秦國，一直不敢對我趙國動武，乃是由於有我和廉將軍兩人同時都在輔政的原故呀。倘若我們兩虎相鬥，勢必互有傷害，豈是國家之福？我之所以避開，乃是以國事危急爲先，而以私怨計較爲後呀！」

這席話傳到廉頗耳中，深感自己胸襟太狹隘了，翻然醒悟。便褪去上衣，露著肉背，帶了鞭子，集合賓客，一同親到相如府上領受責罰，對相如說：「我是個鄙陋卑賤的人，不曉得你的思慮是這樣的深遠，待我又是這樣的寬厚，負荆請罪，任你處置。」

兩人都具有高義，前嫌盡釋，聯歡修好，結成了刎頸之交。就是誓死不變的好朋友。

【原文附參】：廉頗者，趙之良將也。藺相如者，趙人也。趙王與秦王會澠池，既罷歸國，以相如爲上卿，位在廉頗之右。頗曰：我爲趙將，有攻城野戰之功。而藺相如徒以口舌爲勞，位居我上，吾羞不忍爲之下。我見相如，必辱之。相如聞之，每朝，常稱病。已而相如出，望見廉頗，引車避匿。舍人相與諫曰：臣等所以去親戚而事君者，徒慕君之高義也。今君與廉頗同列，廉君宣惡言，而君畏匿之，恐懼殊甚，庸人尚且羞之，況於將相乎？臣等不肖，請辭。相如固止之，曰：公等視廉將軍，孰與秦王？曰：不若也。相如曰：夫以秦王之威，而相如廷叱之，辱其群臣。相如雖駑，何獨畏廉將軍哉？顧吾念之，強秦之所以不敢加兵於趙者，徒以吾兩人在也。今兩虎相鬥，其勢不俱生。吾所以爲此，先公家之急而後私讎也。頗聞之，肉袒負荊，因賓客至相如門謝罪，曰：鄙賤之人，不知將軍寬之至此也。卒相與歡，爲刎頸之交。（見：魏徵：《群書治要》卷十二。又見《史記》、列傳第二十一、廉頗藺相如列傳。又見：《資治通鑑》、卷四、周紀四）

【編者私語】：趙秦盟會鬥雙雄，智勇相如佔上風，謙讓避爭廉頗悟，交深刎頸耀長虹。

一二四　守道非貧（固窮）

孔子有位弟子，姓原名憲，字子思，又叫原思。他是春秋時代魯國人，又說他是宋國人。清靜守貞，安貧樂道，孔子很賞識他。孔子作魯相時，他作過魯國邑宰。孔子死後，他退隱於衛國鄉間，過著淡泊自適的生活。

孔子另一位有名的弟子子貢（元前五二〇——元前四五六），姓端木，名賜，子貢是號。衛國人，有口才，是孔子門下言語科的高材生，也是孔子門中最富有的人。《史記》說他結駟連騎，聘享諸侯，與各國國君，分庭抗禮（見《史記》卷一百二十九）。魯國大夫叔孫武叔，還贊他說：子貢賢於仲尼（見《論語子張篇》），可見他聲名遠播。

子貢出仕衛國，作了百官之長。想起了同窗原憲，正也住在衛國鄉下，便帶著盛大的車隊，前往探望。他通過鄉間的小道，分開雜亂的野蔬，進入那殘破的里門，去尋訪原憲的居寓。久別重聚，也好暢叙離情。

原憲晤面了，只見他穿了件破衣裳，戴了頂舊帽子，景況似乎不好。子貢替他難過，順口問道：「你可是生病了，爲甚麼這樣潦倒呢？」

那知原憲回答道：「我聽人說過：『沒有錢的人，只是物質上的貧乏，仍然可以享受精神上的富足呀！唯有那學了善道而不去實行的人，心生愧疚，那才是有病。』這話是有道理的。像我原憲，只是缺少點錢財罷了，可是財富卻不能買到幸福呀！如今我守道安貧，過得很快樂，並不是生了病呀。」

原憲守貧，做到了所謂君子固窮，不改其樂，這是何等高尙的修養。子貢處在順境，體會還不夠深切，不免心生慚疚。辭別之後，一輩子都在懺悔講話逾越了分寸，顯出自己的淺薄，始終愧怍不已，引爲終身之鑑。

【原文附參】：原憲、字子思。孔子卒，原憲隱在草澤中。子貢相衛，而結駟連騎，排藜藿，入窮閻，過謝原憲。憲攝敝衣冠見子貢。子貢恥之。曰：夫子豈病乎？原憲曰：吾聞之：無財者謂之貧，學道而未能行者謂之病。若憲、貧也，非病也。子貢慚而去，終身恥其言之過也。（見：《史記》、仲尼弟子列傳第七。按《韓詩外傳》《新序》《黔婁子》《旡能子》《皇甫謐高士傳》《莊子·讓王》皆有此篇，事同而文略異）

【編者私語】：守道憲不貧，失言賜也懺。「古」人申其「事」，「今」世宜爲「鑑」。

一一五　安得不貪（戒奢）

仇悆（音豫），字泰然，宋徽宗大觀三年（一一〇九）登進士。品性端方，志氣挺拔，且廉潔自持。從初任官職一直到高位，都沒有依附任何後臺力量。

當他擔任明州（今浙江鄞縣）一郡之長的期間，原想舉薦他的一位幕僚官員升任高職，偶而問他道：「你的家中用費，每天要花多少錢？」

那幕官回答說：「吾家共有十口，每日要花用二千錢。」

仇悆吃了一驚，想道：「我現在官居郡守，日用都沒有這麼多，不超過一千錢而已。部屬的日費比我高了一倍，錢從何處來，哪會不貪污呢？」便不舉薦他了。

【原文附參】：仇悆，字泰然，大觀三年進士。端方挺持。自初官訖通顯，無所附麗。悆在明州，嘗欲薦一幕官，問曰：君日費幾何？對曰：十口之家，日用二千。悆驚曰：吾爲郡守，費不及此，屬僚所費倍之，安得不貪？遂止。（見：《宋史》、列傳第一百五十八）

【編者私語】：家用大開銷騰貴，非貪婪不敷支配。儻來物太易到手，愈揮霍愈增糜費。

一二六　此何刑也（奸惡）

三國時代，魏蜀吳鼎立。後來魏（曹氏）被晉（司馬氏）取代了，吳（孫氏）被晉攻破了。此時吳主孫皓（孫權之孫）投降，晉軍帶著降王回來，削封孫皓爲歸命侯。回都（晉都洛陽）後，晉武帝司馬炎在皇宮的廣臺上大會群臣，文武百官及各國使節都到了，讓歸命侯孫皓，與大家見面。

這時晉國有位尚書令，名叫賈充（公元二一七—二八二），他本是曹魏的臣子，官職做到廷尉，深受魏恩，算是重臣了。當晉王司馬炎篡奪曹魏的皇位時，賈充阿附司馬炎，帶人弒殺了魏國的末朝君主高貴鄉公（曹髦），順利的讓司馬炎即位爲帝，以此立了大功，歷史上卻是個奸賊。

賈充見到孫皓，心存刻薄，挖苦他道：「聽說你在南方（吳都建業，即今南京，在長江南岸），對不喜歡的人，就常挖掉他的眼睛，剝掉他的臉皮，這算是哪一種刑罰？」

孫皓也未示弱，回應說：「凡是爲人臣子的，如果弒殺了他的君王，以及姦邪惡毒、不忠不義的，就用這種重刑伺候。」

孫皓答語似刀，正刺到賈充的痛處。他半天答不出話來，心中暗暗湧起了愧疚。

【原文附參】：孫吳降晉，詔賜孫皓爲歸命候。帝臨軒，大會文武及四方使者，引見歸命侯。賈充謂孫皓曰：聞君在南方，鑿人目，剝人面皮，此何刑也？皓曰：人臣有弒其君及姦回不忠者，則加此刑，充默然心愧。（見：《資治通鑑》、卷八十一、晉紀三）

【編者私語】：孫皓與賈充，都令人齒冷。兩惡相識，更無好話。孫皓身爲邦主，卻是暴君；賈充位居大臣，卻是奸賊。吾人處世，首重立品。但仁義道德，乃係抽象名詞，無法丈量，觸摸不到，卻是做人的基本條件。人若無德，則位愈高便惡愈重，權愈大便毒愈劇，不可不察也。錄此短篇，以爲鑑戒。

一二七 晨讀百篇（勤學）

墨子（元前？—元前三七六。即墨翟，戰國魯人）往南到衛國去遊歷。他車裡裝載了許多書籍，以便隨時閱讀。

有位弦唐子（弦是姓）見了，感到奇怪，問道：「這次你是出遊，卻帶了這麼多書，幹甚麼呢？」

墨子回答說：「從前周武王之弟周公旦（元前？—元前一一〇四，姓姬，又叫周公），創禮法，定官制；他那樣忙碌，還每天自晨到午，讀書百篇。自午到晚，接見七十位賢士，所以能輔佐幼主（周公旦的姪兒周成王），天下大治。我墨翟現在無官職在身，對上沒有君王施壓、操勞政務的麻煩；對下沒有土地待耕、除草施肥的困擾。我這樣空閒，哪敢不趁時多讀書籍呢？」

【原文附參】：墨子南遊於衛，關中載書甚多。弦唐子怪而問之，曰：今夫子載書甚多，何爲也？墨子曰：昔者周公旦，朝讀書百篇，夕見七十士，故佐相天子。翟上無君上之事，下無耕農之難，吾安敢廢此。（見：戰國、墨翟：《墨子》、貴義）

【編者私語】：《抱扑子勗學篇》贊曰：「周公上聖，日讀百篇。墨翟大賢；載書盈車。」可知不讀書無以破愚，不多讀難以迪智。他們聖哲都如此發憤，我輩下愚，安敢廢學。申言之，生為中國人，豈可不讀中國書？但一般想讀中國書的人，誤以為古籍太厚太繁，心生害怕。其實，基本的國學書籍，字數並不多，我們挑選幾本主要的書將它讀通，就成專才了。依據那注解《三字經》的賀思輿之統計：《論語》二十篇，共一五、九一七字。《孟子》七篇，共三五、三七七字。《中庸》三十三章，共三、五六八字。《大學》十章，共一、七五三字。《詩經》三〇五篇，共三九、二二二字。《書經》十三卷，共二五、七〇〇字。《易經》上下經十翼，共二四、七〇七字。《禮記》二十卷，共九九、〇二〇字。《春秋》十六卷，共一八、〇〇〇字。比起那流行的厚似磚頭的長篇小說，簡薄得太多了。

一二八　江上丈人　（高士）

春秋時代，楚平王聽信讒言，殺了大臣伍奢（公元前？—前五二二，爲太子太傅），和他的長子伍尙（元前？—前五二二楚國大夫），通國懸賞，要斬全家。次子伍員，字子胥（元前？—前四八五），匆忙逃走，到了江邊，急欲渡河。江水滔滔，沒有舟楫。只見一位老人，獨撐一條小船，正要捕魚。伍員求他，那老人便渡他過江，在中流順便問及伍員的姓名氏族。伍員不便說出，只解下隨身佩劍，送與老人說：「這是價値千金的寶劍，送給你以表謝意。」

那老人不肯接劍，說道：「楚國有命令：誰能抓到伍員，封官作侯，可執圭版。俸糧頒給一萬擔，另賜黃金千鎰。早嚮、伍子胥經過這裡，我都不貪圖那些賞賜，今天要你這千金的寶劍做甚麼呢？」老人明知他就是伍子胥，故意不講破，用這話來拒絕他。

伍員過了江，投奔到吳國，感激老人的恩德，派人到江邊去尋訪，一直查不到。伍員每次飯前，必定先祝祭這位恩人，尊稱爲「江上丈人」。丈人者，老人之尊稱也。

【原文附參】：伍員亡，至江上，欲涉。見一丈人，刺小船，方將漁。從而請焉，丈人度之絕江。問其名族，則不肯告。解其劍以予丈人，曰：此千金之劍也，願獻之丈人。丈人不肯受，曰：荆國之法，得伍員者，爵執圭，祿萬擔，金千鎰。昔者、子胥過，吾猶不取。今我何以子之千金劍爲哉？伍員適於吳，使人求之江上，則不能得也。每食，必祭之，祝曰：江上之丈人。（見：《呂氏春秋》、異寶）

【編者私語】：江上丈人，做了改變歷的大事，卻姓名不得聞，人身不知處。終生埋隱，見首不見尾。看來無爲，但大有爲。封侯不要，寶劍不愛。須知幫助國犯脫逃，是要殺頭的。對自己一無好處，爲了甚麼？俗人不懂，他自有其崇高的理念。超哉偉矣，江上之丈人！

一二九　汗出如漿（惶懼）

三國時代，魏國的大書法家鍾繇（一五一—二三〇），穎川人，在朝做到太傅。他有兩個兒子，長子鍾毓，字犀叔，做到車騎將軍。次子鍾會，字士季，做到司徒，滅掉蜀後主劉禪的就是鍾會。

兩兄弟小的時候，大約十三歲左右，那時曹操已去世了，由兒子曹丕（一八七—二二六），於公元二二〇年篡漢自立為魏文帝。曹丕很忌才，曾經要殺害親弟曹植（一九二—二三二），那是七步成詩的故事。

曹丕聽說鍾家二子很有文名，便對鍾繇說：「可以叫你那兩個兒子來見我一見好了。」

於是下達皇命，召見兩個小兄弟。鍾毓朝見時，臉上滿是汗珠。皇帝問道：「你臉上為何大汗？」

鍾毓回奏說：「戰戰惶惶，汗出如漿。因為我太緊張了，又抖顫，又震恐，禁不住就冒出大汗來了。」

皇帝轉頭看那鍾會，卻全不出汗，又問鍾會道：「你為何沒有出汗？」

鍾會回奏說：「戰戰慄慄，汗不敢出。因爲我太緊張了，又驚懼，又害怕，汗被嚇住了，哪敢流出來呢？」

【原文附參】：鍾毓鍾會，少有令譽。年十三，魏文帝聞之，語其父鍾繇曰：可令二子來。於是敕見。毓面有汗，帝曰：卿面何以汗？毓對曰：戰戰惶惶，汗出如漿。復問會：卿何以不汗？對曰：戰戰慄慄，汗不敢出。（見：《世說新語》、言語）

【編者私語】：《孟子盡心》曰：「說大人，則藐之，勿視其巍巍然，吾何畏彼哉？」意謂面對高官，毋須懼怕。他雖有權有勢，我也有學有才；各有千秋，不會比他低遜。這要憑仗識見，才能以布衣抗侯王。鍾家二子，尚在幼年；一個怕得汗出如漿，一個怕得汗不敢出，讀之亦饒逸趣。

一三〇 自結襪帶（禮賢）

周文王討伐崇國。崇國是遠在堯舜時代，就封給那治理洪水的鯀（大禹的父親）的小國家。到商朝時，崇國還出了一個崇侯虎，很有名氣，約在今陝西省鄠縣境內。時當公元前一一三六年。

大軍行到黃鳳墟這個地方時，周文王的襪帶鬆開了。文王停了下來，環顧左右隨軍的人，沒有一個可以叫來結紮的，就自己彎下腰來，結繫散掉的襪帶子。

呂尚（就是姜太公）看見了，問道：「君王你怎麼自己親手來結襪帶，難道不可叫人代勞嗎？」

周文王道：「我聽說：『賢聖之君，所相處的，都是可以尊爲老師、可以請教的人。仁德之君，所相處的，都是可以當作益友、可以輔國的人。昏庸之君，所相處的，都是可以任意使喚、可以差遣的人。』現在你看，我雖然德望不隆，但和我相處的，都是我已故父親所留下來的師友，沒有任何一位我敢於要他替我結襪帶的哩。」

【原文附參】：文王伐崇，至黃鳳墟而襪繫解。左右顧無可令結繫者，文王自結之。太公曰：君何爲自結繫？文王曰：吾聞之：上君之所與處者，盡其師也。中君之所與處者，盡其友也。下君之所與處者，盡其使也。今寡人雖不肖，所與處者皆先君之人也，故無可令結之者也。（見：《韓非子》、外儲說左下）

【編者私語】：有一趣談：美國第十六任總統林肯，在擦皮鞋。一位參議員問道：「這是侍役的工作，總統怎麼親自擦鞋呢？」林肯答道：「我擦我的鞋呀，你擦誰的鞋呢？」擦鞋與結帶，本都是小事，能提供我們啓發的，乃是這群與我一同相處的人，非師即友，都是定大計決大謀的賢士。這類人圍繞在身邊，事業哪有不成功的？如果圍繞在身邊的盡是聽命使喚的下人，除了會替我結襪帶之外，又能有甚麼幫助呢？

一三一　老馬識途（經驗）

春秋時代，齊國（今山東省）的管仲（元前？—前六四五）和隰朋（隰音習），隨齊桓公（元前？—前六四三，春秋霸主）去討伐孤竹（古時小國，自商代就有，在今河北盧龍縣一帶。伯夷叔齊，便是孤竹君的二子）。

他們春天出征，冬天才返，去國將近一年。由河北北部回山東中部，千里迢迢，在半途山區中，竟然迷失了方向，找不到回程的道路。

多虧管仲經驗豐富，知識廣博，他說：「老的戰馬，有辨識道路的天賦。今天就讓它的智慧派上用場吧。」便放開老馬，任它在前面領路，大家跟著它，居然就找到歸途了。

【原文附參】：管仲隰朋，從桓公而伐孤竹，春往冬返，迷惑失道。管仲曰：老馬之智可用也。乃放老馬，而隨之，遂得道。（見：《韓非子》、說難）

【編者私語】：老馬能識歸途，回程充當前導。老人經驗豐富，也宜奉爲倚靠。

一三二　曲高和寡（大志）

楚襄王問宋玉（屈原弟子、楚國大夫）說：「宋先生的品行，是不是還有些缺憾，或有些美中不足麼？爲何士民百姓，都很不贊賞你呢？」

宋玉答道：「啊，是呀，確實有的。但願君王寬恕我的罪過，讓我能說完我的意見：

「有一位客人，在我們楚國首都唱歌。第一首歌曲叫『下里巴人』，這首歌曲調通俗，國都內聚攏來跟著唱和的有幾千人。次一曲叫『陽阿薤露』，這首歌節奏漸繁，聚集唱和的僅有幾百人。再次一曲叫『陽春白雪』，這首歌旋律更深，聚唱的就只有幾十人了。最後將宮商角徵羽五音參合變化，譜出協律最難的歌曲時，能跟著唱的就只剩幾個人而已。可見曲調愈高深，唱和的愈稀少。所以鳥類中有最高貴的鳳，魚群中也有最魁偉的鯤呀。

「那鳳凰騰飛在九千里的高空，隔絕了雲霓，背負著蒼天，腳一蹬把浮雲都攪亂了。他翱翔在曠遠絕塵之上，那些在籬笆間跳來跳去的小鷃雀，又哪能與她來猜度天地的高度呢？至於那鯤魚，早晨從崑崙出發，游到碣石，才露出他的鰭脊，曬一曬太陽。傍晚時，便宿在孟諸大澤裡去了。一天游程萬里，那些在尺來深池沼裡鑽來鑽去的泥鰍，又哪能與他測量江海的廣大呢？

「由此可以推知，不獨鳥類中有鳳，魚群中有鯤而已，讀書人中也有出類拔萃的高士呀。想那聖哲之人，其瑰偉的思想，高潔的行徑，超乎流俗，離群獨立，那些淺陋的凡夫俗子，又怎會知道我的所作所爲呢？」

【原文附參】：楚襄王問於宋玉曰：先生其有遺行歟？何士民衆庶不譽之甚也？宋玉對曰：唯、然、有之。願大王寬其罪，使得畢其辭。客有歌於郢中者，其始曰下里巴人，國中屬而和者數千人。其爲陽阿薤露，國中屬而和者數百人。其爲陽春白雪，國中屬而和者，不過數十人。引商刻羽，雜以流徵，國中屬而和者，不過數人而已。是其曲彌高，其和彌寡。故鳥有鳳而魚有鯤。鳳凰上擊九千里，絕雲霓，負蒼天，足亂浮雲，翱翔乎杳冥之上，夫藩籬之鷃，豈能與之料天地之高哉？鯤魚朝發崑崙之墟，暴鬐於碣石，暮宿於孟諸。夫尺澤之鯢，豈能與之量江海之大哉？故非獨鳥有鳳而魚有鯤也，士亦有之。夫聖人瑰意琦行，超然獨處，世俗之民，又安知臣之所爲哉？（見：《文選》、楚辭）

【編者私語】：籬鷃豈知鵬鵠志，井蛙難測海天舒；曲高和寡誰能賞，不懂狂歌笑接輿。

一三三　伐莒聞於國（高識）

齊桓公（元前？—前六四三）和管仲（元前？—六四五），關起門來秘密商議，要攻打莒國（春秋古小國，在齊國境內，即今山東莒縣）。計謀還未發動，全國都知道了。

桓公大爲生氣，怒問管仲說：「我與你在密室裡謀伐莒國，事情尚未實行，竟然通國皆知，是何緣故？」

管仲答道：「國境之內，必然有了聖人，猜中了我倆的心意。」

桓公說：「恐怕確然是這樣。」

於是召集宮裡有關的執役人員。一會兒，東郭郵（《說苑》作東郭垂）也姍姍來了。

桓公問東郭郵道：「是你講的要伐莒嗎？」

東郭郵回答說：「是的。」

桓公問道：「我沒有說要伐莒，而你卻說要伐莒，根據甚麼呢？」

東郭郵回答說：「我聽人講過：『君子（高位者）長於決策定謀，小人（低卑者）長於察言觀色』。我是猜出來的。」

桓公問道：「你是如何猜到的？」

東郭郵回答說：「大凡露出歡樂高興臉色的，是鐘鼓慶賀的預兆。露出沉默肅靜臉色的，是喪亡哀痛的預兆。若是信心飽滿而手腳指頭彎動的，是干戈兵刀的預兆。前天，我偶然瞧到你們兩位議事時，嘴唇半合（《說苑》作吁而不吟），我猜想你們說的是莒。手勢方向，我猜指的是莒。再者、如今小國諸侯不服從的，我猜只有莒國。所以我判斷君王與仲父定謀要伐莒了。」

桓公道：「猜得很高明呀。用精微的觀察，得出明確的結論，這不就是個好例子嗎？」

【原文附參】：桓公與管仲，闔門而謀伐莒，未發也，而已聞於國矣。桓公怒謂管仲曰：寡人與仲父闔門而謀伐莒，未發也，而已聞於國，其故何也？管仲曰：國必有聖人。桓公曰：然。於是乃令役者。少焉、東郭郵至。桓公問焉曰：子言伐莒者乎？東郭郵曰：然。桓公曰：寡人不言伐莒，而子言伐莒，其故何也？東郭郵對曰：臣聞之：君子善謀，而小人善意。臣意之也。桓公曰：子奚以意之？東郭郵曰：夫欣然喜樂者，鐘鼓之色也。淵然清靜者，縗絰之色也。漻然豐滿而手足拇動者，兵甲之色也。日者、臣視二君之在台上也，口開而不闔，是言莒也。舉手而指，勢當莒也。且臣觀小國諸侯之不服者惟莒，於是臣故曰伐莒。桓公曰：善哉。以微射明，此之謂乎？（見：春秋、管仲：《管子》、小問雜篇。又見：漢、劉向：《說苑》、卷十三、權謀篇。又見：東漢、王充：《論衡》）

【編者私語】：從音容笑貌，可窺探內心：眉頭的挑或蹙，嘴角的翹或垂，語調的緩或急，眼神的正或邪，臉色的哀或樂，心神的鬱或暢，態度的凝或朗，情緒的喜或怒，由智者察言觀色，細心研判，可得近似結論。

一三四　匈奴不可擊（明察）

劉邦（公元前二四七—前一九五）即帝位的第七年，韓王信（與淮陰侯韓信同時又同名，封爲韓王，故稱韓王信）謀反，劉邦親自去討伐他。兵到晉陽（今山西太原），獲悉韓王信與匈奴勾結，要聯合夾擊漢軍。劉邦大怒，派遣使者，先往匈奴去查看虛實。那匈奴狡黠，把強悍的士卒和精壯的牛馬都藏匿起來，見到的全是老弱的士兵和瘦瘠的牛馬。使者陸續回來了十位，都說匈奴力弱，容易被打敗。

劉邦又派婁敬（賜他姓劉，又叫劉敬，隨營出征）再去察看，回來說：「兩國備戰，理應誇示自己的力量，如今只看到殘疲老弱，想是故意將短處示人，必然另伏奇兵以取勝，依愚臣之意，不可輕易進擊。」

劉邦聽到這番洩氣的話，心生忿怒，大罵婁敬一頓，還將他枷梏起來，關在廣武縣的監獄裡，等待出征得勝回來，再行定罪。

劉邦帶著四十萬大軍，先進擊匈攻，匈奴果然突出奇兵，將劉邦圍困在白登（山名，在山西省大同縣），經過七天，幸賴陳平巧施妙計才脫險。

劉邦回到廣武，把婁敬從監獄裡請出來，對他說：「我沒有聽信你的話，以致被困平城（即今山西大同），是我錯怪你了。」於是賜封婁敬爲建信侯。

【原文附參】：漢七年，韓王信反，高帝自往擊之。至晉陽，聞信與匈奴欲共擊漢。上大怒，使人使匈奴。匈奴匿其壯丁肥牛馬，但見老弱及羸畜。使者十輩來，皆言匈奴可擊。上使婁敬復往使匈奴，還報曰：兩國相擊，此宜夸矜見所長。今臣往，徒見羸瘠老弱，此必欲見短，伏奇兵以爭利，愚以爲匈奴不可擊也。高帝怒，罵婁敬，械繫廣武。匈奴果出奇兵，圍高帝白登，七日然後得解。高帝至廣武，赦敬曰：吾不用公言，以困平城。迺封敬爲建信侯。（見：《史記》、卷九十九、劉敬列傳第三十九）

【編者私語】：《孫子謀攻篇》說：「知彼知己，百戰不殆。」知彼要靠情報。有了情報，尚須研判，才得正確之敵情，免除誤導。漢使者親赴匈奴敵境，所見自是第一手資料，但忽於分析研判，此是大失著。我們看往例：《公羊傳》宣公十五年，司馬子罕說：「柑馬而秣之（餵馬時，暗中在馬嘴裡銜一根木棒，使馬不能嚼嚥，僞示糧足，其實早就缺糧了），使肥者應客（用肥馬伺候客人，表示健飽）」。兩國交兵，都故意誇矜強處。匈奴當時勢盛，卻故示其弱，這違反常理常情，其中必藏狡詐，至少也是可疑。惜乎劉邦不予深思，只認爲親率四十萬大軍，何堅不克？這是粗疏僨事，不但軍事戰、情報戰如此，其他貿易競爭、體育競賽也同樣如此，吾人當引以爲鑑也。

一三五　吉人之辭寡（修養）

東晉時代的王氏一家，是當時貴族，人才輩出，譽滿天下。有一天，王羲之（公元三二二—三七九，字逸少，工書法）的大兒子王徽之（公元？—三八八，字子猷，做過黃門侍郎，故原文稱王黃門）、二兒子王操之（字子重，做過侍中）、三兒子王獻之（字子敬，做過中書令）三人一同到謝安（公元三二〇—三八五，淝水之戰，大破苻堅）的府第去拜謁。交談之際，王徽之王操之兩人大多爭說一些世俗之事，王獻之則僅請安及問候起居而已。

三人告辭出門後，相陪的客人問謝安說：「方才這三位才俊，誰個最優？」

謝安答道：「那位小的王獻之最好。」

客人再問：「你是如何知道的呢？」

謝安解釋道：「《易經繫辭》說：有修養的人，性情祥和，講話很少，說時中肯而得體。沒有修養的人，性情躁急，講話很多，說時急切而隨便。從這個原則去觀察，就可以知道了。」

【原文附參之一】：王黃門兄弟三人，俱詣謝公。子猷子重多説俗事，子敬寒溫而已。既出，座客問謝公：向三賢孰勝？謝公曰：小者最勝。客曰：何以知之？謝公曰：吉人之辭寡，躁人之辭多。推此知之。（見：南宋、劉義慶：《世說新語》、品藻第九）

【原文附參之二】：王獻之，字子敬。嘗與兄徽之、操之俱詣謝安。二兄多言俗事，獻之寒溫而已。既出，客問安以王氏兄弟優劣，安曰：小者佳。客問其故，安曰：吉人之辭寡，以其少言，故知之。嘗夜臥齋中，有偷入其室，盜物都盡。獻之徐曰：偷兒、青氈我家舊物，可特置之，群偷驚走。（見：唐、房玄齡：《晉書》、卷八十、列傳第五十，文稍異）

【編者私語】：說話是一項專門學問。孔門四科，言語佔其一（《論語先進篇》：孔子曰：「言語：宰我、子貢。」其他三科，爲德行、政事、文學）。公叔文子做到了時然後言（《論語憲問篇》：「夫子時然後言，人不厭其言」）。欲達到言之有物，要言不煩，須有深厚的修養。趙國平原君與楚王辯論合縱抗秦，從早晨談到中午，一直未定。毛遂上階吼曰：「合縱爲楚，非爲趙也。」一言而決。平原君贊他一言九鼎。此必須平日有所蘊蓄，才可一箭中鵠。否則無的放矢，或言不及義，衹顯淺薄，那還是藏拙的好。

一三六　后悅則帝喜（高智）

隋代封倫，字德彝，渤海人。隋文帝（五四一—六〇四，名楊堅，隋朝開國之君）開皇年間，越國公楊素（？—六〇六）奉派替皇帝新建一座仁壽宮，委令封倫負責土木工程及裝璜監造。規模宏偉，構建豪奢，糜費很大。

宮殿建造完成了，隋文帝一看大怒，叱責道：「楊素耗竭了全國百姓的人力財力，築成這個花了大錢的新宮，毫不體䘏民困，卻替我招來天下人的怨懟，很是不當。」

楊素見皇上責怪下來，恐將獲罪，心中大爲害怕。封倫卻說：「用不著驚慌，等皇后看過之後，自然就會沒事了。」

第二天，隋文帝果然改變了態度，慰勉楊素道：「楊卿、你知道我們夫婦年歲老了，晚來無可悅樂，所以才極力裝飾這個新宮吧？」語氣十分讚喜。

楊素回來，馬上請教封倫：「你怎麼事先會料到沒事的呢？」

封倫說：「皇上一生節儉，這新宮花費太多，他初見時，必然要發脾氣。但皇上極肯聽皇后的話，皇后乃是女流，只要是奢豪華麗的東西，都很喜愛。皇后一滿意，皇上就和悅了。」

楊素贊賞道：「你的猜斷高明，連我都趕不上呀！」

【原文附參】：封倫，字德彝。隋開皇間，楊素營仁壽宮，封倫為土工監，規構鴻侈。宮成，文帝怒曰：素殫百姓力，為吾掊怨天下。素大懼。倫曰：毋恐。皇后至，自當免。明日，帝果勞素曰：公知吾夫婦老，無以自娛樂，而盛飾此宮耶？因大悅。素退問：何料而知？倫曰：上節儉，故始見必怒。然雅聽后言。后、婦人，唯侈麗是好。后悅、則帝喜矣。素曰：吾不及也。（見：《新唐書》、卷一百、列傳第二十五）

【編者私語】：楊素歷仕北周及隋朝，兩代重臣，以詐智得寵。他對別人都瞧不上眼，獨降格禮遇封德彝。封德彝則歷仕隋唐，後雖作過丞相，但死後諡號曰繆，含意是名美而實不好，可見他品德欠佳。大凡才智高明的人，若用於正道，可以定國安邦。若用來揣合長官的心意，那僅是討歡喜而已，這是我們要認識清楚的。

一三七　四知拒受金　（廉正）

東漢楊震（五四—一二四），字伯起，弘農人（舊地名，在函谷關之西）。小時候便沒有父親，家境貧窮，卻很好學。終於熟通經史，博覽群書，成爲一代大儒。許多讀書人都贊譽他，尊他是「關西孔子楊伯起」（關西指函谷關之西，伯起是楊震的字）。

他傳經授業二十多年，不接受州郡的延聘之禮，和徵辟之命，而他的志節更加誠篤。那時大將軍鄧騭（？—一二一，漢和帝的國舅，封上蔡侯）聽到他的賢名，便向朝廷推薦。這時他已五十多歲了。

皇上授予官職，不便拒絕。他做過荊州刺史（在湖北省），又調職東萊太守（在今山東半島）。當他由湖北往山東赴任途中，經過昌邑縣（屬今山東），天色已晚，便在昌邑過夜。

楊震以前的門生，由他錄取的荊州茂才（就是秀才，因避光武帝劉秀諱，改稱茂才）王密，恰巧任昌邑縣長。晚上，王密隨身帶著黃金十斤來拜見他，專程爲了報答提拔之德，獻上金錠，請恩師收納。

楊震說：「我倆相知好久了。我了解你，你爲何還不了解我呢？」拒受私贈。

王密柔聲道：「在夜裏，無人知道！」

楊震正色說：「天知、地知、我知、你知，怎說無人知道呢？」

老師廉正，王密羞慚，只好帶著黃金回去了。

【原文附參】：弘農楊震，孤貧好學，通達博覽，諸儒爲語曰：關西孔子楊伯起。教授二十餘年，不答州郡禮命。而震志愈篤，鷺聞而辟之，時震年已五十餘。累遷荆州刺史，東萊太守。當之郡，道經昌邑，故所舉荆州茂才王密，爲昌邑令，夜懷金十斤，以遺震。震曰：故人知君，君不知故人，何也？密曰：暮夜無知者。震曰：天知、地知、我知、子知，何謂無知者？密愧而出。（見：《資治通鑑》、卷四十九、漢紀四十一。又見：《後漢書》、卷八十四、楊震列傳。又見：尹會一：《四鑑錄》、卷一、師儒）

【編者私語】：楊震提出「天地你我」四知，至今楊姓叫「楊四知堂」本此。由於有四方面的炯鑑，就不敢做虧心事了。比這個更進一層的，是《中庸》所說「莫現乎隱，莫顯乎微，故君子愼其獨也」（第一章。獨是別人不知而已自知的欲念將萌之處）。又說「君子内省不疚，君子所不可及者，其唯人之所不見乎（別人看不到的地方也不内疚）。《詩》云：「相在爾室，尚不愧于屋漏」（第三十三章）。這就是「愼獨」。屋漏是室内西北角上陰暗無人之處，要「不欺暗室」。含意是君子獨處一室，雖然無人，也不要亂生歪念。一個人獨自有歪念，別人是不知道的，如果在別人看不到的地方都不生歪念，那末在有人之處便更加正派了。《中庸》用「愼獨」來端正自己，與《大學》的誠意正心，實相表裏，比四知更難。陳義似乎太高，但「愼獨」的原則，還是該努力去修爲達成的。

一三八　回刺看門人（高智）

春秋時代，魯國有位大夫陽虎（又叫陽貨，貌似孔子，見《論語》），專魯國之政。他劫持了魯定公，失敗了。魯國關閉城門來搜捕他。陽虎跑到城門口，看管城門的人私自開門放走他。他舉著寶劍，提著戈矛，出城逃了。

他已經走出了城門，卻又臨時起意，轉身回來，用戈矛刺傷了那個放他出城的看門人，再行逃去。

這位管門人自怨自艾地說：「我並非你的相知好友，今天私自放了你，免你一死，爲何反要刺傷我呢？」

過不多久，魯君得知陽虎逃脫了，大爲震怒，查問是從哪個城門出去的？命人將管門的那一小組人都抓來，沒有受傷的都判了罪，獨有那刺傷的得到了厚賞。

【原文附參】：陽虎爲亂於魯，敗。魯人閉城而捕之。虎奔及門，門者出之，虎揚劍提戈而出，顧反、取戈以傷出之者。出之者怨之曰：我非故與子友也，爲子脱死，而反傷我？既、魯君聞虎脱，大怒，問所出之門，有司拘之，不傷者被罪，而傷者獨蒙厚賞。（見：《朱氏淘沙》、卷三）

【編者私語】：我們常說以德報德，哪有以怨報德之理？殊不知此中有深意藏焉。傷人反是護其人，護其人則是利其人也。蓋私縱逃犯，事後定會追究。陽虎料到未來發展的必然，如何酬恩？只好回頭刺傷他；既脱其罪，且得厚賞。表面看來，似是以怨報德，實則爲以德報德。陽虎在逃命之頃，還有心想到此點，豈淺人所可及哉？

一三九　好劍加好學　（求知）

孔子有位學生叫子路（元前五四二—前四八〇），是春秋魯國人，姓仲名由，又叫季路。好勇，尤重然諾，答應的事，一定辦到。

他在未學之前，初次去見孔子。孔子問道：「你有甚麼喜好？」

子路說：「喜好長劍。」

孔子道：「我不是問你的癖好或是愛甚麼東西。我的本意是說：以你所具備的資質和才能，如再加上好學，那就不是任何人可以及得上的了。」

子路問道：「你說的『好學』，果眞有益嗎？」

孔子說：「人生必須好學，而且要不斷的學。例如貴爲皇帝，如果沒有諫臣來指出錯誤，就會蔽而失正。即使是個讀書士子，如果沒有益友來切磋學行，就會偏而失德。檃栝因有繩墨才會豎得正直，做人因有規勸才會品格端方。身爲君子的人，也都不可不學，何況那些還不夠稱爲君子的人呢？」

子路反問道：「南山出產的桂竹，不必加工，竹性本就挺直。有人砍了下來，製成竹箭，就可以射穿犀牛的皮革。這樣看來，何必再要去學呢？」

孔子說：「這竹箭固然算是不錯的了。但如果再將箭身刨削光滑，就能減少阻力；箭尾加裝羽毛，就能使射程穩定；箭頭配上利鏃（金屬的尖端），再把箭鏃磨尖，那不是射得更遠更深嗎？爲何不須學呢？」

子路聽了，拜倒在地，說道：「老師的指教極是，我從此就隨夫子學習，收我做弟子吧。」

【原文附參】：子路初見孔子，子曰：汝何好？對曰：好長劍。子曰：吾非此之問也。謂以汝之所能，加以好學，豈可及乎？子路曰：學有益乎？孔子曰：爲人君而無諫臣，則失正。士而無教友，則失德。木受繩則直，人受諫則聖。君子不可不學也。子路曰：南山有竹，不揉自直，斬而射之，通乎犀革。以此言之，何學之有？孔子曰：括而羽之，鏃而砥礪之，其入不益深乎？子路再拜曰：敬受教。（見：《孔子家語》、顏回第十八。又見：《說苑》、卷三、建本篇）

【編者私語】：孔伋撰有《子思子》一書，無憂第四曰：「學所以益才也，礪所以致刃也。吾嘗幽處而深思，不若學之速也。故順風而呼，聲不加疾，而聞者衆。登高而招，臂不加長，而見者遠。故雖有本性，而加之以學，則無惑矣。」《荀子勸學篇》曰：「學不可以已。青、取之於藍，而青於藍。冰、水爲之，而寒於水。木受繩則直，金就礪則利。君子博學而日三省乎已，則智明而行無過矣。」都可互相發揮。

一四〇　此判不能改（嚴正）

唐朝武氏則天皇帝時代，有位李元紘，字大綱，官任雍州司戶參軍（雍州在長安西北。司户參軍是官名：在府叫户曹參軍，在州叫司户參軍，在縣叫司户），是主理戶籍的州官。

當時有位太平公主，是唐高宗的愛女，且是武則天所生，威勢很大，甚至宰相的進用或免職，憑他一句話就能決定。朝廷百官，都順著他的心意來辦事，誰若忤逆了她，誰的職位就保不住。

長安附近，有人利用水流的衝擊力，轉動水輪，建造水碾磨坊（碾音輦，就是石磨子。將上下兩扇圓形厚石盤相疊合，石磨轉動時，所夾的豆麥就可磨碎），替農民磨麥，收取工價。這是一種新式工業，獲利十分豐厚。擁有一座水力磨坊，就可發財。

太平公主與一位平民（《續世説》一書則説是和尚）爲爭一處水力磨坊打官司，李元紘負責審理。他查出是太平公主仗勢想奪歸己有，李元紘主持正義，判決應該還給平民。長史（府裡設有長史，監督一切政務之官）竇懷貞（字從一，阿附太平公主）知道了，大爲驚慌，得罪了太平公主，哪能擔待得起？急忙曉諭李元紘，要他趕緊更改判詞，判歸太平公主。

這李元紘守正不阿，竟在原判決書末尾，用大字加批說：「南山可移，判不能改」。以示不可枉法的決心。

【原文附參】：李元紘，字大綱，仕爲雍州司户參軍。時太平公主勢震天下，百司順望風指。嘗與民競碾磑，元紘斷還之民。長史竇懷貞大驚，趣改判。元紘大署判後曰：南山可移，判不可搖也。（見：《新唐書》、卷一百二十六、列傳第五十一）

【另文附參】：李元紘爲雍州司户。太平公主與僧寺爭碾磑，元紘斷還僧寺。竇懷貞爲雍州長史，懼太平公主勢促，令改斷。元紘大書判後曰：南山或可改移，此判終無搖動。懷貞不能奪。（見：宋、孔平仲：《續世說》、卷第三、方正）

【編者私語】：《管子》說：「法者，所以興功懼暴；律者，所以定分止爭。」法律本是維持社會秩序的準則。一般人卻多說情理法，以至人情高於理且勝於法。今日功利主義抬頭，更冒出拜金和媚勢兩大巨魔，形成財勢情理法之倒序，財勢壓頂，法附末位，社會因此而亂，尚須大力挽救。

一四一　永禁遊荆臺（婉諫）

楚王有意離開京都，去荆臺遊玩。司馬子祺（司馬是掌兵權之官，名子祺）在朝廷裡直言諫爭反對，楚王大怒。這時令尹子西（令尹是楚國稱宰相之官，名子西）奏道：「往荆臺去遊觀一番，這個機會很好，不要因爲不去而失掉了。」

楚王見令尹贊同出遊，心中大喜。用手撫著子西的背說道：「今天我與你一同去歡樂幾天吧。」

子西陪著楚王，一同騎馬出發上路了。走了大約十里，子西將轡繩勒住，馬停了，對楚王說：「我有幾句話想說，大王肯不肯聽呢？」

楚王說：「我這時心情正好，你有話儘管說吧。」

子西回道：「我聽別人說：作爲一個臣子，如果盡忠君王，即使加封官爵，猶不足以報償他的忠心。如果諂媚君王，即使加以殺戮，也不足以抵銷他的罪惡。那司馬子祺，乃是個忠於你的直臣，而我子西呢，只是個諂媚你的諛臣。但願大王能夠賞忠而誅諛才好。」

楚王說：「那司馬子祺，諫我不遊荆臺。即使我聽從他的諫言，也只是單獨禁止我一人而已。若是我的後代要遊荊臺，豈非仍是禁止不了嗎？」

子西回道：「要禁後代也容易呀，願你在百年（逝世）之後，遵照你的遺囑所示，將大王的墳墓修建在荊臺山上，那麼後世的子孫，必不忍心在父祖的墳墓上遊玩尋樂了。」

楚王說：「這就對了。」於是在半途掉轉馬頭回來了。

孔子聽到這事，贊美說：「令尹子西規勸楚王的方法，眞是太好了。過了十里才婉轉進言，君王一定聽得入耳。禁令延續到百世之久，更是防杜了後患。」

【原文附參】：楚王將遊荊臺，司馬子祺諫，王怒之。令尹子西曰：荊臺之觀，不可失也。王喜，拊子西之背曰：與子共樂之矣。子西與王，策馬十里，引轡而止，曰：臣願有言，王肯聽之乎？王曰：子其言之。子西曰：臣聞之：爲人臣而忠其君者，爵祿不足以賞也。諛其君者，刑罰不足誅也。夫子祺者，忠臣也。而臣者，諛臣也。願王賞忠而誅諛焉。王曰：今我聽司馬之諫，是獨能禁我也，若後世遊之何？子西曰：禁後世易耳。大王萬歲後，起山陵於荊臺之上，即子孫必不忍遊於父母之墓以爲歡樂也。王曰：善。乃還。孔子聞之曰：至哉子西之諫也。入之於十里之上，抑之於百世之後者也。（見王肅：《孔子家語》、辨政）

【編者私語】：要勸今君罷遊，要禁後代免遊，妙哉令尹子西，幾句溫言建猷。

一四二　死獄想求生（仁心）

歐陽修（一〇七一一〇七二），字永叔，宋代廬陵人。自號醉翁，晚號六一居士（謂集古錄一千卷、書一萬卷、琴一張、棋一局、酒一壺、添吾一翁，是爲六一），死後謚文忠。他博通群書，詩文兼韓愈及李白杜甫之長，爲一代文宗。

歐陽修四歲時，父親歐陽觀（封爲崇國公）便去世了。以後歐陽修進入仕途，母親鄭太夫人告誡他說：「你父親任官職時，常於夜晚在燭光下獨自研究公文，多次擱下筆來歎氣。我問他有甚麼事？你父親說：『這是一件死罪的案子，我想爲他求出一條生路，卻怎樣找也找不到。』

「我問他：『生路可以求到嗎？』你父親說：『如果找遍了法律條文，還不能求得生路時，那囚犯和我，都不會有怨言了。還有一層：雖然常想求他再生，但偶一失察，漏了一條寬減的法律，又會疏忽掉而仍舊維持死罪了，良心總是不安呀！況且當今之世，輕率判人死罪的卻多著呢。』你父親平日教誨他人，常常提到這段話，我聽熟了，所以記得很眞切哩。」

歐陽修聽了，知他父親是位仁厚長者，非常敬服，感動得眼眶都潤濕了，他在滁州、揚州及穎州任上，始終不敢忘記。

【原文附參】：修幼失父，母嘗謂曰：汝父爲吏，嘗夜獨治官書，屢廢而歎。吾問之，則曰：死獄也，我求其生不得爾。吾曰：生可求乎？曰：求其生而不得，則死者與我皆無恨。夫常求其生，猶失之死，而世常求其死也。其平居教他子弟，常用此語，吾耳熟焉。修聞而服之。（見：《宋史》、卷三百十九、列傳第七十八。又見：歐陽修自撰「瀧岡阡表」中亦述此事）

【編者私語】：《宋史》評歐陽修曰：「歐陽修論大道似韓愈，論事似陸贄，記事似司馬遷，詩賦似李白。識者以爲知言。」無怪乎他的政聲文學，極受推崇，有其父乃有其子。死獄想求生，仁者之懷也。歐陽修幼時既是孤兒，家境也很不好，其母鄭太夫人親誨之學，無錢買紙買筆，母親就用荻（蘆葦的莖桿）作筆，畫地認字（見《宋史》歐陽修傳）。我們仰慕歐陽修之餘，也不可忘記歐母畫荻之教。

一四三　衣服有鬼嗎（質疑）

阮宣子，晉代人，名阮修，是阮籍的姪孫。好讀《易經》《老子》，善於淸談，曾經作《大鵬贊》以自況，做過太子洗馬的官（在太子東宮任官，又稱先馬。太子出宮時，他騎馬先導）。

阮宣子與人談論世間有沒有鬼神。別人認爲有鬼。因爲《禮記祭法篇》說「人死曰鬼」。《易經·睽》說「載鬼一車」。《楚辭九歌國殤》說「身旣死兮神以靈，子魂魄兮爲鬼雄」。二十八宿中有「鬼宿」。《論語先進篇》孔子說「未能事人，焉能事鬼」。《淮南子兵略》說「神出而鬼沒」。曹丕《與吳質書》說「觀其姓名，已爲鬼錄」。以後宋代阮閱（字閎休）在《詩話總龜》一書中評唐人詩說「太白（李白）仙才，長吉（李賀）鬼才」。皮日休（八三四—八八三）說「鬼斧神工」。《琵琶記》說「鬼使神差」。《紅樓夢》七十二回說「心懷鬼胎」。還有「鬼哭神號」「鬼頭鬼腦」「鬼話連篇」「鬼鬼祟祟」等語，想必鬼是有的。

阮宣子獨以爲沒有鬼。他說：「自稱見過鬼的人，都說鬼穿了在陽世間活著時一樣的衣服。如果人死變了鬼，就姑且認爲眞的有鬼存在的話，那些衣服從何而來？鬼域中何處有責？難道衣服也有鬼靈而跟著人變成鬼衣了嗎？」

【原文附參】：阮宣子論鬼神有無者。或以人死有鬼。宣子獨以爲無，曰：人見鬼者云著生時衣服。若人死有鬼，衣服復有鬼耶？（見：《世説新語》、方正第五）

【編者私語】：誰曾親眼見過鬼？恐是疑心生暗鬼。紛紛擾擾塵世中，魑魅魍魎數不清。人間事還沒搞通，鍾馗捉鬼哪是眞？我們看昔日漢文帝在未央宮，召見長沙王傅賈誼談話。李商隱有詩譏諷他説：「宣室求賢訪逐臣，賈生才調更無倫。可憐夜半虛前席，不問蒼生問鬼神。」《論語先進篇》中，孔子也説：「未能事人，焉能事鬼？」吾人應該先把陽世間的「如何做人」的問題，修持到端端正正以後，行有餘力，再涉其他吧！

一四四　至誠感回紇　（誠信）

唐朝代宗永泰元年（七六五），河北副元帥、太寧郡王僕固懷恩（僕固是複姓，匈奴鐵勒族人）因怨恨皇帝，乃誘騙諸夷，夥同吐蕃（西藏族）回紇（突厥族，在賀蘭山一帶）黨項（西藏族，又叫唐古特族）羌（五胡之一，在甘肅一帶）渾奴（吐谷渾之省稱，陰山一帶）等族，聯合了三十多萬衆，南侵京都。

唐室滿朝震驚，無人敢擋。急忙召喚汾陽王郭子儀（六九七—七八一）從河中府（在汾河與黃河之間，故名）趕赴涇陽（今甘肅平涼縣），匆忙佈置防務。這時敵軍已集結完成，展開攻勢了。

郭子儀只有一萬多部衆，被三十多萬敵軍團團地圍了好幾圈。只是還沒有白刃交鋒而已。郭子儀帶了兩千騎兵，常在雙方對峙的中間地帶觀察情勢，也多次在己方軍營的前後左右進出巡查，佈署防守工事。敵方回紇軍看到了，問道：「這個帶兵官是甚麼人？」

探子（斥候兵）報告：「那是郭令公（郭子儀爲太尉中書令，人稱令公）。」

回紇乃是敵方聯軍的主力，指揮官（《通鑑》：其大帥曰合胡祿，都督曰藥葛羅）詫問道：「郭令公還在世嗎？僕固懷恩告訴我們說：『天可汗（對唐天子的尊稱）已死，郭令公也去世了，中國已經無主。』所以我們跟來打天下。如今令公仍在，那是僕固懷恩騙使我們來的，這中間定有問題。能否見一見郭令公呢？」

郭子儀以往深得回紇人的敬重，這時便想親去見面。將軍們勸阻他道：「戎狄反覆無常，不能相信他們，令公不可冒險！」

郭子儀說：「我兵只有一萬，他們有幾十萬，差了幾十倍，硬拼絕對抵抗不了，只有用誠意去感化他們。俗語說：『至誠可以格天。』何況北虜也是人嘛。」

將軍們又建議道：「那末挑選五百甲冑騎兵做衛隊，護送你去好了。」

郭子儀說：「帶這許多甲士，不但無助於我，反而增添壞處，不必了。」

於是出營，一面朝敵營徐行，一面使人趨前喊話說：「郭子儀特來探望老朋友來了。」

回紇軍起初很爲懷疑，不知是眞是假。都把強弓拉滿，把弩箭瞄準，等待來人接近就射。

郭子儀和隨行的十多位馬隊，慢慢地挨近敵陣，他脫下了鎧甲（《通鑑》說：子儀免冑、釋甲、投槍而進），向前慰問回紇軍道：「大夥兒安好吧？以前我們雙方同心向義，一齊剿平了安史（指安祿山與史思明）之亂，合作無間。何至於今天彼此以刀兵相見呢？」

回紇人認出果是郭子儀，都丟下了武器，下得馬來，一同伏拜在地，說：「果然是老令公。想起從前，令公愛護我們，如同父母一樣，我們沒有忘記呀！」

郭子儀請來回紇軍的一群首領（頭目），大家一同喝酒，分送他們彩緞錦帛（《通鑑》說：贈與三千匹）。暢談往事，極盡歡愉，疑慮冰釋，敵意全消。分別後，回紇部隊休兵回去了，其他北族也散了。一場衆寡懸殊的惡戰，弭之於無形。

【原文附參】：永泰元年，僕固懷恩誘吐蕃回紇黨項羌渾奴等三十餘萬，南下，寇京畿。京師震恐，急召郭子儀，自河中至涇陽。而虜騎已合。子儀軍萬餘，而雜虜圍之數重。子儀率甲騎二千，出沒於左右前後。虜見而問曰：此誰也？報曰：郭令公也。回紇曰：令公存乎？僕固懷恩言：天可汗已棄四海，令公亦謝世，中國無主，故從其來。今令公存，懷恩欺我。安得而見令公？子儀將出，諸將諫曰：戎狄之心，不可信也。請無往。子儀曰：虜有數十倍之衆，今力固不敵。且至誠感神，況虜輩乎？諸將曰：請選鐵騎五百衛從。子儀曰：適足以爲害也。乃傳呼曰：令公來！虜初疑，持滿注矢以待。子儀以十數騎徐出，免冑而勞之曰：安乎？久同忠義，何至於是？回紇皆捨兵，下馬齊拜曰：果吾父也。子儀召其首領，各飲之酒，與之羅錦，歡言如初，遂退軍。（見：《舊唐書》、卷一百二十、列傳第七十。又見：《資治通鑑》、卷第二百二十三、唐紀三十九）

【編者私語】：郭子儀平安史之亂（七五七），敗吐蕃（七六三），感回紇（七六五）。唐朝那段時期，內有藩鎮的跋扈驕縱（如李懷仙田承嗣等），及宦官的寖橫用事（如程元振魚朝恩等），外有異族的入侵蹂躪（如吐蕃回紇等）。虧得郭子儀多方對付得宜，維持唐室江山於不墜。他對皇室忠誠（代宗誠昇平公主說：郭子儀若要做天子，天下早已不是你我的了）。他遇事小心（盧杞臉醜，來訪郭子儀時，必定將侍姬遣避才會見）。他能化解仇敵（魚朝恩要殺他，他卻坦誠親往，感動了對方）。他保持一個大家庭的和睦（有七子八婿，孫數十。每次問安，子儀不能遍認，只好點頷而已）。身繫天下安危垂二十年，德宗時賜號尚父。能得壽終，豈偶然哉？

一四五　交友結親託孤　（誠篤）

【一】

左宗棠（一八一二——一八八五），字季高，湘陰人。初時很不得志，只做個醴陵（湖南省醴陵縣）書院的山長（等於校長）。縣城小，薪資微薄，幾乎不能維持生活。

那時有位陶澍（一七七九——一八三九），字子霖，號雲汀，安化人，正任兩江總督（指江南和江西。今江蘇安徽，清初爲江南省，設江南總督。康熙間分爲兩省，但江南總督之名未變。後兼轄江西省，改稱兩江總督），請了假，回湖南掃墓。清朝道光年代，長江輪船尚未開通，往來都取陸路回湘。陶督是皇帝親准的恩假，從馬驛官道回家。醴陵在湘東，是贛湘孔道，陶澍要在這裡住宿，縣長不敢怠慢，就選定醴陵書院，作爲陶總督的臨時行館，囑咐左宗堂撰寫對聯，以表歡迎之盛意。

懸在陶澍「上房」的對聯，寫的是「春殿語從容，廿載家山，印心石在。」——「大江流日夜，八州子弟，翹首公歸。」那印心石，是陶澍家中有一尊古老的大石，呈正方形，取名印心石，是陶家之寶。陶澍還把他的書齋命名爲印心石屋。道光皇帝召見陶澍在便殿中談話時，也從容的問起了這尊巨石，還替他題字，可見皇帝對他的知遇。

陶澍一見這付對聯，氣勢偉礡，對仗工整，文句扼要，描述恰切，贊爲了不起的文筆，就問縣令是誰做的？縣長回稟是此間山長左宗棠的手筆。陶澍甚爲欣賞，當即派出車駕，把左宗棠從住處接了過來，兩人交談了一天一夜，十分融洽。就把左宗棠聘請到總督幕府裡去，以禮相待，當作上賓好友了。

【二】

陶澍得子很晚，兒子還在童年。左宗棠也有一女，年紀約略小一點。有一天，陶澍備了酒菜，邀請左宗棠來餐叙。吃到一半，陶澍提出兩家結親的心意。左宗棠一聽，連忙恭謹的婉言推謝。因爲那時陶澍身爲兩江總督，是皇帝眷顧的人，而左宗棠只是一名普通的舉人，門第、財富及官位都相差太遠，根本不能相配。

陶澍說道：「季高兄不必謙辭。以你的才氣，將來功名必會在我這老頭子之上。我已年邁，但小犬尙幼，可能等不到他名成業立的那一天，因此想將敎誨小兒的事勞累你。而且我的家事，也想一併付託給你操心。今天坦誠相懇，這乃是我深思熟慮後眞摯的一番奉託。」

左宗棠聽後，十分感動，陶澍折節下交，推辭未免見外，就慨然承諾了。

果眞隔不多年，陶澍在任上過世，死後諡號文毅。左宗棠幫助經營了喪禮，帶領了這位小公子，回到陶澍故鄉安化家中，親自敎他讀書。並且代管陶府的家業，裡裡外外，秩序井然，如同陶澍生前一樣。

陶家的族人衆多，都欺負陶府人丁單薄，下代幼弱，族人屢次出此歪主意來謀奪產業，都靠左宗棠的攔阻和化解，得以平安無事。

陶澍印心石屋的書齋中，藏書極富。左宗棠日夜用功，都讀遍了。自己經世治國的學識，與日俱進。他未來一生的事業，剿太平天國，平回亂，定新疆，都是在這段時期中奠定基礎的。

【原文附參之一】：左文襄，侘傺甚，充醴陵書院山長。修脯至菲，幾無以給朝夕。時安化陶文毅公澍，方督兩江，乞假回籍省墓。當時輪船未通，吳楚往來，皆遵陸取道江西。文毅奉優詔，馳驛回籍，地方官吏，供張悉有加。醴陵爲贛湘孔道，縣令特假書院爲別館，囑文襄撰書楹帖。其上房聯曰：春殿語從容，廿載家山，印心石在。大江流日夜，八州子弟，翹首公歸。印心者，文毅家有古石一，其形正方，名之曰印心石，故文毅齋名，即以印心石屋命之。召見時，宣宗（道光帝）嘗從容詢及也。文毅睹楹聯，激賞不已。問縣令：孰所撰？令具以文襄姓名對。即遣輿馬迎之至，談一日夜，大洽，即延入幕府，禮爲上賓。（見：清、徐珂：《清稗類鈔》、知遇類）

【原文附參之二】：文毅得子晚，其公子尚在髫齡。而文襄有一女，年相若。文毅一日置酒。邀文襄至。酒半，爲述求婚意，文襄遜謝不敢當。文毅曰：君毋然，君他日功名，必在老夫上。吾老而子幼，不及睹其成立。欲以教誨累君，且將以家事相付託也。文襄知不可辭，即慨然允諾。未幾，文毅騎箕，文襄經紀喪事，絜公子歸里，親爲課讀，且部署其家事，内外井井，如文毅在時。陶氏族人欺公子年幼，群謀染指，賴文襄之禦侮，得無事。文毅藏書綦富，文襄暇日，皆遍讀之，學力由是日進，一生勛業，蓋悉植基於是時也。（見：淸、徐珂：《淸稗類鈔》、知遇類）

【編者私語】：擇友：論才氣，不分貴賤。選媳：看家規，不問財富。託孤：找端士，不計官位。咸同時代，湘人曾（文正國藩湘鄉）、左（文襄宗棠湘陰）、彭（剛直玉麟衡陽）、胡（文忠林翼益陽），崛起布衣，全無憑藉，竟能奠中興之功，成不世之業，率皆正誠卓躒，淳厚篤實，譽爲國士，當亦無愧也。

一四六　地者國之本也　（護土）

匈奴的冒頓（音墨毒）自立爲單于（音蟬余，匈奴君長也）。那時東胡（胡族之國，在匈奴之東，故名）很強，派人告知冒頓，想要他的千里馬。冒頓問臣子的意見，臣子們都說：「千里馬是匈奴的寶馬，不能給。」冒頓說：「我們和東胡爲鄰，何必要吝惜一匹馬而得罪鄰國呢？」便將千里馬送給了東胡。

過了一陣，東胡以爲匈奴怕他，又派人通知冒頓，想要單于的一位閼氏（音煙支。名義考：單于妻號）。冒頓又問左右，左右的人怒道：「東胡太無理了，竟然想要一位皇妻，請出兵攻打。」冒頓說：「爲甚麼與人爲鄰而又吝惜一個女人呢？」於是選了一位皇妻送給東胡君王。

東胡與匈奴之間，有一大塊荒棄的土地，沒有人居住，面積廣達千多方里。東胡派人知會冒頓說：「你和我國交界處閒廢的那片土地，你也到達不了，我想要它。」冒頓再問群臣，有的臣子說：「那是一塊棄置的地，給也可，不給也行。」冒頓大怒，喝道：「土地是立國的基本，爲甚麼給予別人？」把那些主張給的都殺了。

冒頓騎上戰馬，傳下命令：「全國軍人，隨我出戰，有敢落後的，斬首無赦。」於是向東進擊東胡。東胡王一直輕視匈奴，未作戰備，匈奴大軍來到，不堪一擊，打得大敗，滅了東胡。冒頓又向西擊走了月氏（音肉支，西域國名），再向南併吞了樓煩（北狄國名），繼而收復了秦朝時代蒙恬所奪去的匈奴故地。

那時中國正值劉邦與項羽楚漢相爭，難分高下之際，無暇北顧，冒頓得以強大。後來竟發生圍困漢高祖於白登，及寄信羞辱呂后的事。

【原文附參】：冒頓既立，是時東胡強盛，乃使使謂冒頓，欲得頭曼時有千里馬。冒頓問群臣，群臣皆曰：千里馬，匈奴寶馬也，勿與。冒頓曰：奈何與人鄰國而愛一馬乎？遂與之。居頃之，東胡以爲冒頓畏之，乃使使謂冒頓，欲得單于一閼氏。冒頓復問左右，左右皆怒曰：東胡無道，乃求閼氏，請擊之。冒頓曰：奈何與人鄰國而愛一女子乎？遂取閼氏予之。東胡與匈奴間，中有棄地，莫居，千餘里。東胡使使謂冒頓曰：匈奴與我界外棄地，匈奴非能至也，吾欲有之。冒頓問群臣，群臣或曰：此棄地，予之亦可，勿予亦可。冒頓大怒曰：地者、國之本也，奈何予之。諸言予之者，皆斬之。冒頓上馬，令國中有後者斬。遂東擊東胡。東胡初輕冒頓，不爲備。及冒頓兵至，大破，滅東胡。西擊走月氏，南併樓煩，悉復收秦蒙恬所奪匈奴地者。是時漢兵與項羽相距，以故冒頓得自彊。（見：《史記》、匈奴列傳）

【編者私語】：好馬可再求，美女能再得，土地國之本，一尺不應失。

一四七　此子亦參政耶　（度量）

北宋呂蒙正，字聖功，宋太宗（九三九—九九七）時，取進士第一。自太宗到眞宗（九六八—一〇二二）兩朝，凡三次入相，時稱賢宰。

當呂蒙正初進朝堂時，百官聚集殿中，有位朝官遠遠指著他說：「這小子也當了參知政事嗎（參掌軍國大政）？」

大家都聽見了，呂蒙正卻假裝沒有聽到，氣定神閒的走向他的正位。同列友人不服氣，要去質問那人的姓名。呂蒙正連忙止住他說：「不必計較了，一旦知道姓名，終生不會忘記，還是不知道的好。」別人聽了，都佩服他的寬宏大量。

那時北方遼國（契丹），兵精馬壯，國力比宋代還強，屢次寇邊，宋軍連打敗仗。皇上（此時是宋太宗趙光義在位）要派一位外交使節去遼國談判，命中書府（宋置中書爲政事堂）遴選有才幹有口辯能夠達成任務的人員呈報，呂蒙正薦奏一人，皇上認爲不合，沒有同意。

隔天，皇上又追問了三次，呂蒙正仍然用同一人名呈覆了三次。皇上生氣了，責怪他說：「你爲甚麼這樣固執呢？」

呂蒙正奏道：「我這不叫固執，是陛下你對這人不了解呀！」又一直強調：「這個人足可勝任使臣，別的人都及不上他。我身爲宰輔，不想阿諛敷衍，用媚道迎合聖意，壞了國家的大事。」

同朝的大臣，聽到呂蒙正說出這段直話，都定住不敢移動，呼吸也停止了。皇上久久沒有回答。退朝了，才對左右說：「蒙正的氣量，我都不如他。」終於還是准了所推薦的人。奉使歸來，果然稱職。

【原文附參】：呂蒙正初入朝堂，有朝士指之曰：此子亦參政耶？蒙正佯爲不聞而過之。同列不能平，詰其姓名，蒙正遽止之曰：若一知其姓名，則終身不能忘，不若毋知之爲愈也。時皆服其量。上嘗欲遣人使朔方，諭中書選才而可責以事者，蒙正退以名上。上不許。他日，三問，三以其人對。上曰：卿何執耶？蒙正曰：臣非執，蓋陛下未諒也。固稱：其人可使，餘人不及。臣不欲用媚道妄隨人主意，以害國事。同列悚息不敢動，上退謂左右曰：蒙正氣量，我不如。既而卒用蒙正所薦，果稱職。（見：《宋史》、卷二百六十五、列傳第二十四）

【另文錄參】：呂蒙正有器量，初參知政事，入朝，有朝士指之曰：此子亦參政耶？蒙正陽不聞。同列不能平，令詰其姓名，蒙正遽止之，曰：一知姓名，終身不能忘，不如弗知也。（見：宋、孔平仲：《續世說》、宋紀、眞宗）

【編者私語】：做宰相不容易。第一、做人要有度量，由於執行政務，不可能討好每個人。譽我者不必因而高興，謗我者不必與他計較，這就是不必跟著別人的音樂來跳舞。故孟子說：「爾爲爾，我爲我，爾焉能浼我哉（見《公孫丑》）？」第二、對事要守原則，凡有益於國、措置洽當的，除非另有更佳方案取代，就要堅持。否則一事無成，那就是愧對職守。故孔子說：「危而不持，顚而不扶，則將焉用彼相矣（見《論語季氏》）。」治國要有賢相，經營企業也要有能幹的掌舵人。本篇揭示的原則，豈不活生生的可作長遠廣泛的適用？又本篇後段，可與第四十三篇「三次薦舉同一人」互閱。該篇引自《續通鑑》，本篇則依據《宋史》，文雖略同，出處相異。

一四八　此官必不可得（嚴正）

唐朝裴垍（音器，《說文》：堅土也），字弘中，聞喜人（屬山西省）。舉進士，唐憲宗時，召爲翰林學士，累官中書侍郎，終於作了宰相。他輔佐憲宗，成「元和之治」（元和是憲宗年號，八〇六—八二〇），聲譽很隆。他處事嚴正，守法不阿，旁人都不敢用私情來煩他。

有一次，一位以前的好朋友，從老遠的地方到京城裡來看他。裴垍送給他豐厚的禮物，很熱情的款待他。這位友人覺得和裴垍相處歡洽，便趁機請求任命爲首都市的京兆判司之職（負責批判文牘之官）。料想裴垍看在老朋友的交情上，應該不難得到。

裴垍說：「這很抱歉，你的才幹，還不足以勝任這個職位。我不敢因爲老友的私誼，破壞了國家選材的公正。將來有朝一日，遇到個瞎眼宰相同情你的話，或者可以得到。但在我裴垍當宰相之日，你絕對不行！」

【原文附參】：裴垍作相，器局峻整，人不敢干以私。嘗有故人自遠詣之，垍資給優厚，從容款狎，其人從間求京兆判司。垍曰：公才不稱此官，不敢以故人之私，傷朝廷至公。他日有盲宰相憐公者，不妨得也。垍則必不可。（見：孔平仲：《續

世說》、卷三、方正）

【編者私語】：官職是國家之名器，不當隨便作人情。降至清朝，卻倡捐納制度，給錢就可買官。到今天，更多的是鑽關係以求官，施壓力以得官，於是奔競、賄賂、利益交換、挾故威脅，全都用上。緬懷古人，不禁歎空谷足音之難再。

一四九　此衫洗了三次　（識大）

唐文宗（公元八二七年即位）在便殿中與六位學士談話，話題轉到漢文帝（前二〇二—前一五七），都贊歎漢文帝的謙恭儉樸，確是好君。

唐文宗舉起手肘，指著衣袖說道：「這件內衫，已經洗過三次了，我仍舊在穿，捨不得丟掉。」學士們都稱美唐文宗儉素的盛德，只有柳公權（七七八—八六五。字誠懸，善書法。文宗時任太子太師）沉默不言。

文宗留下柳公權，問他為甚麼沒有說話？

柳公權答道：「君王的要務，在治理天下，應著重於進用賢能，罷斥不肖；採納四方諍言，嚴明升遷賞罰。至於穿一件洗了三次的內衫，這不過是生活中的小節而已，用不著特意誇耀的。」

學士周墀，也留下未走，聽了十分驚懼。直說皇上的壞話，是很嚴重的，腿股都抖戰起來。唯恐他頂撞了皇帝，惹來殺身之禍。但柳公權的詞鋒和氣勢，一點也不屈撓。

【原文附參】：文宗便殿對六學士，語及漢文恭儉。帝舉袖曰：此澣濯者三矣。學士皆贊詠帝之儉德，唯柳公權無言。帝留而問之。對曰：人主當進賢退不肖，納諫諍，明賞罰。服澣濯之衣，乃小節爾。時周墀同對，爲之股栗。公權詞氣不可奪。（見：《舊唐書》、卷一百六十五、列傳第一百十五。又見：孔平仲：《續世說》、直諫）

【另文錄參之一】：明成祖裏衣袖敝，納而復出，侍臣合贊聖德。上曰：朕雖日易十衣，何患無之？念當惜福，故每浣濯更進。昔皇妣躬親補緝，皇考喜曰：后居富貴，勤儉如此，正可爲子孫法也。（見：清、朱綱正：《朱氏淘沙》、卷二）

【另文錄參之二】：宋太祖常服之衣，澣濯至再。（見：《宋史》、本紀、卷第三、太祖三）

【編者私語】：柳公權字寫得好，前朝唐穆宗曾經問他以書道，他回答說：「心正則筆正。」藉寫字來規諫政務（見第五十七篇）。本篇又勸唐文宗對微末細事，不必自炫，要放眼天下，才是賢君。如此直士，惜乎太少。柳公權的書法，與顏眞卿齊名，世稱「顏筋柳骨」。有人說：「書法顯示個性」。柳字瘦挺剛勁，從字體就可看出他是個守正不阿的人。

一五〇　此晚能睡難得（忠烈）

明代史可法（一六〇一——一六四五），字憲之。明思宗崇禎年間，中了進士。明福王時，官拜南京兵部尚書。

清世祖順治二年（一六四五），仍爲明朝統治的淮南（淮河下游之地），受到清兵大舉進擊。史可法先一年便著手在揚州府（今江蘇江都縣）督師防守，抗拒清兵，宵旰勤勞，辛苦極了。他與士卒同甘苦，馬車沒有頂蓋，不避風雨。用餐只有一道菜，夏天不用扇子，冬天不穿羊毛袍子。睡覺也不脫衣服，因爲敵強我弱，隨時都保持著警戒狀態。

這年他已四十四歲了（次年四十五歲死），還沒有兒子接後。夫人要替他納妾，史可法歎道：「國家大事還忙不過來，哪有心爲後代打算？」

除夕到了，他晚上仍在軍中忙著草擬奏章，熬到半夜，十分疲憊，叫人拿酒來提神。廚司說：「本還剩了一些殽肉（揚州名菜，較湖南扣肉精細而不膩），但在今天除夕，都已分給了將士，沒有菜下酒了。」拿了一碟鹽豆豉（大豆加鹽煮熟晒乾），給他佐酒。這晚，他獨飲了十幾杯，想起先帝明思宗（在北京景山自縊），萬般感喟，淚流不已。倦極了，便伏在几案上睡著了。

不一會，天色已曉。將士們聚集在轅門外，等候朝會，但轅門未開。史可法身邊的人，告訴大家說：「相公熬到後半夜才睡，現還沒醒。」

揚州知府民育（共同守城的地方首長）說道：「史相公這晚能夠睡熟，眞還難得，就讓他多睡一下吧！」吩咐報更的人（昔日晚上敲鼓報時，一夜五次，初更天黑，五更天曉），仍然只打四更。告誡各人，不許驚動史相公。

過不久，史可法醒了，聽到仍打四更，怒問道：「爲何天亮還打四更，誰敢觸犯我的命令？」將士們說是知府的決定，才免予追究。

這年四月（一六四五），揚州終於被清軍大兵攻破了，大殺了十天（史稱「揚州十日」，城中百姓殺光了，慘甚）。史可法也死在抗敵被殺群中。城裡遺骸太多，事平後已無法辨認。第二年，家人收集他的袍笏衣冠，招魂安葬。墓地就擇在揚州廣儲門外的梅花嶺。後來清代又在鄰近建了梅花書院。

【原文附參】：史可法，字憲之。崇禎年進士。大清順治二年，清兵逼淮南，可法督師揚州拒敵。行不張蓋，食不重味，夏不箑，冬不裘，寢不解衣。年四十餘，無子。其妻欲置妾，太息曰：王事方殷，敢爲兒女計乎？歲除，遣文牒，至夜半，倦索酒。庖人報殽肉已分給將士，無可佐者，乃取鹽豉下之。是夕、進數十觥。思先帝，泫然淚下，憑几臥。比明，將士集轅門外，門不啓。左右遙語其故。知府民育曰：相公此夕臥，不易得也。命鼓人仍擊四鼓，戒左右毋驚相公。須臾，可法寤，聞鼓聲，大怒曰：誰犯吾令？將士述民育意，乃獲免。揚州城破，可法死。踰年，家人舉袍笏招魂，墳於揚州郭外之梅花嶺。（見：《明史》、卷二百七十四、列傳第一百六十二）

【編者私語】：我們若不接觸中國歷史，便不會知道先賢們的感人事蹟。錢穆先生在《國史大綱》首頁便說道：「一國之國民，對其本國歷史，應該略有所知。尤必附隨一種溫情與敬意。必待其國民備具上列條件者漸多，國家乃再有向前發展之希望。」如果未讀本國史，雖具本國籍，不是本國人，只算外國客。但史書浩瀚，從何下手？最好從「列傳」開始，可速收啓發之效。我們看史可法守揚州，國爾忘家，公爾忘身，最後殉命了。為甚麼？因為他官任兵部尚書，應有守土衛疆的責任。他是通博的進士，自有成仁取義的抱負。他又是大明的國民，當有為國盡忠的天職。具備了這三層志願，就絕對不會畏縮逃避。這是深受儒家學說的薰陶所致的，所以才義無反顧，視死如歸（這類事例很多）。可惜現在忠義觀念很少受重視了，大我重於小我的意識淡薄了，國事就愈加紛擾了。

一五一　百年只是一夕（曠達）

無能子（假託的名號。無古作旡。本篇即選自《旡能子》一書）很窮。他兄弟的兒子，也是衣單食乏，一同過著貧困的生活。

有一天，他姪兒對無能子說：「我這幾年來，白天常常感到饑餓，晚上卻常常夢見做了大官，擁有高車大馬，金銀財帛很多。夢裡十分快樂，醒來又愁吃愁穿。我可以將夢境與醒時兩者對換嗎？」

無能子問道：「白天憂愁，夜裡快樂，這不就扯平了嗎，何必對換呢？」

姪兒說：「晚上快樂，那只是作夢嘛。」

無能子問道：「你在夢裡騎著好馬，吃著美味，穿著華衣，和醒來時你所希望得到的有甚麼不同嗎？」

姪兒說：「那倒正是和我白天所希望的完全一樣，沒有不同。」

無能子說：「既然完全一樣，那你怎能斷定究竟睡著時的所作所爲是夢？還是醒來時的所作所爲是夢呢？況且，人生不過百歲。在這百年之中，晝夜各佔一半。你一半時間雖然愁苦，另一半時間卻很快樂，這又何必埋怨呢？要知道：從宇宙永恆的觀點來看，一百年不過是一個晚上而已。你想通了，心境就會坦然開朗了。」

【原文附參】：旡能子貧，其兄弟之子，寒而且饑。一日，兄子通謂旡能子曰：吾饑有年矣。夕則多夢祿仕，而豐乎車馬衣帛。夢則樂，寤則憂，其可易乎？旡能子曰：晝憂夕樂，均矣，何必易哉？通曰：夕樂、夢爾。旡能子曰：夫夢之乘肥馬，進美食，與夫寤而所欲者，有所異乎？曰：無所異。曰：無所異，則安知寐而爲之者夢耶？醒而爲之者夢耶？且人生百歲，其間晝夕相半。半憂半樂，又何怨乎？百年猶一夕也，汝其思之。（見：唐、《旡能子》、答通問）

【編者私語】：莊周作夢，變成蝴蝶，覺得很樂，不知道自己是莊周了。隔一會醒來，才知道是莊周，不是蝴蝶了。但他弄不清楚：究竟是莊周作夢變成了蝴蝶呢？還是蝴蝶作夢變成了莊周呢？他沒有說出答案（見《莊子：齊物論》）。蘇軾說：「寄蜉蝣於天地，渺滄海之一粟；自其變者觀之，則天地曾不能以一瞬。」這都含有精微妙諦，足供吾輩深思。

一五二　早救不若晚救　（利弊）

【一】

春秋時代，晉國強大，出兵攻伐邢國（春秋國名，周公之子封此，在今河北邢臺縣西南）。齊桓公（公元前？—前六四三，五霸之首）打算立刻去援救。

鮑叔（即鮑叔牙，齊國大夫）說：「太早了。邢國不可能一會兒就滅亡，晉國也不可能一會兒就疲敝。晉國若不疲敝，便顯不出我齊國的重要性了。而且，挽轉危勢的功勳小，拯救亡國的德澤大。大王你不如晚一步去救，沒有必要由我國首先替邢國去硬抗晉國的銳兵。不妨靜待邢晉雙方先互相拚殺，待晉國因久戰而疲弱了，對我齊國才有實質上的利益。我們可以等到邢國瀕臨滅亡時，再出兵去復興其國，使邢國續存，這樣才名實兼美啊。」

齊桓公覺得鮑叔有理，便不急於趕著去救了。

【二】

戰國時代，韓國和魏國（公元前三七六年，韓魏趙瓜分了晉國）互相攻打，一年都無法解決。有人對秦惠王（秦孝公之子，名駟，在位二十七年）說愈早去解救愈好，有人說愈遲愈好。秦惠王拿不定立意，便問陳軫（善游說，曾仕秦仕楚）該怎麼辦？陳軫說道：

「可曾有人將《卞莊子刺虎》的故事告訴過大王嗎？

「從前有個卞莊子（春秋魯國卞邑的大夫，有勇力，齊人懼之，不敢侵魯。《論語、憲問》說：「卞莊子之勇」），極爲勇武，力可刺虎。有一天，見到山坡下有兩隻老虎，就想去刺殺。

「旁邊有個童子勸住他說：『且慢！這兩隻老虎正在吃牛，都想搶食好肉，一定會起爭執。爭執不下，就會相鬥。鬥的結果，大的會受傷，小的會鬥死。到那時你再去刺殺那隻傷虎，一舉劍不就得了兩隻老虎嗎？』

「卞莊子認爲有理，站在山頭等著。一會兒，兩虎果然相鬥，強的鬥傷了，弱的鬥死了。卞莊子輕易的刺死傷虎，一舉竟獲兩虎之功。

「今韓魏兩國相攻，一年都不得解決，勢必大國傷殘，小國敗亡。這時再對傷破之國進兵，一役就可降服兩國，獲得卞莊子刺虎同樣的結果。」

這故事很妙，理由也清楚。秦惠王說：「好呀！等著瞧瞧再行動吧！」於是不急著去救，果然大國傷殘了，小國破亡了，這時秦國才起兵，一舉將兩國都剋服了。

【三】

魏國大將軍龐涓（是鬼谷先生的學生），領兵攻打韓國（戰國七雄之一）。韓國向齊國求救。齊威王召集大臣們共同商議。威王說：「早一點去救呢？還是晚一點去救呢？」

鄒忌（爲齊相，封成侯，是文人）說：「不如不去救。」

田忌（爲將軍，是武人）說：「假使不去救，韓國會併入魏國，對我齊國不利，不如趁早去救。」

孫臏（也是鬼谷先生弟子，長於兵法）說：「如果早救，那韓國的兵力未疲，而魏國的士氣正旺，讓我齊國替韓國去硬擋魏國的強兵，這不是最佳之策。而且魏國要攻破韓國的決心很強，韓國如見到有亡國之虞，必定會向我告急，我們就當深深的結交韓國這個親近的鄰邦，而稍晚去對付那將要疲敝的魏國。這才可以得到重大的利益，也建立了我國的威名。」

齊威王說：「這個決定最好了。」便暗地裡允諾韓國使者的請求。韓國因恃有齊國作後盾，就敢與魏國龐涓作戰。但交兵五次，都敗了，只好將國家的命運，寄望齊國救援。

齊國發兵，由田忌、田嬰（就是孟嘗君田文的父親）爲將，派孫臏爲軍師。採用孫臏的計策，趁魏軍遠征在韓，國內空虛，齊兵便直接進攻魏國首都大梁（此即戰史上有名的「圍魏救趙」之計）。龐涓知道了，趕忙丟下韓國（解危了），回頭來迎戰齊軍。他傍晚趕到馬陵道（在今河北大名縣東南），那是一處狹長的谷道，兩旁山高樹密，形勢很險。此時孫臏的伏兵，從兩旁山上，萬箭齊發，射向龐涓。龐涓智窮兵敗，只好自刎而死。臨終時歎道：「終於讓孫臏這小子成名了。」

【原文附參之一】：晉人伐邢，齊桓公將救之。鮑叔曰：太早。邢不亡，晉不敝。

晉不敝，齊不重。且夫持危之功，不如救亡之德大。君不如晚救之以敝晉，則齊實利。待邢亡而復存之，其名實美。桓公乃弗救。（見：《朱氏淘沙》、卷四）

【原文附參之二】：韓魏相攻，期年不解。或謂秦惠王早救便，或曰晚救便。秦惠王不能決，問於陳軫。軫曰：亦嘗有以夫卞莊子刺虎聞於王者乎？莊子欲刺虎，館豎子止之曰：兩虎方且食牛，食甘必爭，爭則必鬥。鬥則大者傷，小者死。從傷而刺之，一舉必有雙虎之名。卞莊子以爲然，立須之。有頃，兩虎果鬥，大者傷，小者死。莊子從傷而刺之，一舉果有兩虎之功。今韓魏相攻，期年不解。是必大國傷，小國亡，從傷而伐之，一舉必有兩實，此猶莊子刺虎之類也。惠王曰：善。卒弗救，大國果傷，小國亡，秦興兵而伐，大剋之。（見：《史記》、卷七十、張儀列傳第十）

【原文附參之三】：魏龐涓伐韓，韓請救於齊，齊威王召大臣而謀曰：蚤救孰與晚救？成侯曰：不如勿救。田忌曰：弗救則韓且折而入於魏，不如蚤救之。孫臏曰：夫韓魏之兵未弊而救之，是吾代韓受魏之兵也。且魏有破國之志，韓見亡，必東面而愬於齊矣。吾因深結韓之親而晚承魏之弊，則可受重利而得尊名也。王曰：善。乃陰許韓使而遣之。韓因恃齊，五戰不勝，而東委國於齊。齊因起兵，使田忌田嬰爲將，孫子爲師，以救韓。直走魏都。龐涓聞之，去韓而歸。龐涓至馬陵，萬弩俱發，射龐涓。涓知智窮兵敗，乃自剄曰：遂成豎子之名。（見：《資治通鑑》、周

紀二）

【編者私語】：國與國之間，只有利害關係。古今中外，如出一轍。英相邱吉爾說過：「國際間沒有永遠的朋友，也沒有永遠的敵人。」試看兩國相攻，必有勝負，第三者正可坐山觀虎鬥。所謂鷸蚌相爭，到後來難免一死一傷，或一疲一危，此時就讓漁翁得利了。至於要扶傾救危，也多從本國的益損來考慮。早救若對我有損，便不會早救。晚救若對我有益，自以晚救爲妙。用在人際關係上，也要記住這番道理。雙方相忌，會弄到兩敗俱傷，旁邊的人，正樂於等候這種結果。你衰他才盛，你弱他便強。他沒有趁機落井下石，就不錯了。錄此三篇，我們不妨借鑑。

一五三　西邊擴建不吉（釋疑）

春秋時代，魯哀公（西元前五四六年即位）想要把宮室的西面擴建增大，史官爭說不可以。因為凡在房屋西邊增建的，都會招來不吉的禍災（《論衡》書中說：習俗相信有大忌諱四種，西面加蓋房屋是不祥之一）。

哀公很不高興，就請問他的老師宰折睢說：「我想在屋西擴建房子，而史官認為不吉，你看對不對呢？」

宰折睢說：「天下有三種不吉的事，但西邊擴建宮室，不在這三種裡面。」

哀公聽了，大為歡喜，覺得老師是站在自己這一邊。過了一會兒，哀公又問道：「你說天下有三種不吉，究竟是哪三種呢？」

宰折睢說：「不照禮義行事，是第一種不吉。貪心沒有止境，是第二種不吉。不聽直言規勸，是第三種不吉。」

魯哀公不說話了，沉默良久，深思之後，頹然自省，打消了增建的念頭。

這位史官，以為正面抗爭可以阻止事件的進行，而不知不爭反而可以達到目的。

【原文附參】：魯哀公欲西益宅，史爭之，以為西益宅不祥。哀公怒，乃問其傅宰折睢曰：吾欲益宅，而史以爲不祥，子以爲何如？宰折睢曰：天下有三不祥，西益宅不與焉。哀公大悦而喜。頃復問曰：何謂三不祥？對曰：不行禮義，一不祥也。嗜慾無止，二不祥也。不聽強諫，三不祥也。哀公默然深念，憒然自反，遂不西益宅。夫史以爭爲可以止之，而不知不爭而反取之也。（見：《淮南子》、人間訓）

【編者私語】：古人在屋西擴建，認爲不吉。這種迷信，笑煞現代人。而現代人取個名字，卻都要算筆劃，不然也不吉。這種迷信，古人也會笑煞。有人質疑說：時代在進步；相隔兩千五百年了，我們進步了嗎？

一五四　四十里的動物園（獨樂）

戰國時代，齊宣王問孟子道：「聽說前代周文王建了一座大動物園，方圍有七十里，這事有嗎？」

孟子答道：「古書上是有此一說的。」

齊宣王問道：「竟有這樣大嗎？」

孟子答道：「老百姓還嫌它太小了呢。」

齊宣王說：「我也有一座動物園，方圍只有四十里。但老百姓卻都嫌它太大了，是甚麼緣故呢？」

孟子答道：「周文王的動物園，方七十里，那是開放式的。割牧草的和拾枯柴的都可進去，抓雉鷄的和打野兔的也可進去。文王與百姓共同享有此園，百姓認爲園區太小，不是當然的嗎？

「我初到貴國的邊境時，首先要問清楚齊國最大的禁令，然後才敢入境。我聽說了：那郊關內面，國君有一座皇帝專用的動物園，周圍方四十里，卻是封閉式的。凡是擅自進入園區，殺傷小鹿的，視同殺人之罪。這就是說四十里平方的這塊地，乃是齊國國內設立的一個最大的陷阱，老百姓認爲太大了，不也是當然的嗎？」

【原文附參】：齊宣王問曰：文王之囿，方七十里，有諸？孟子對曰：於傳有之。曰：若是其大乎？曰：民猶以爲小也。曰：寡人之囿，方四十里，民猶以爲大，何也？曰：文王之囿，方七十里，芻蕘者往焉，雉兔者往焉，與民同之，民以爲小，不亦宜乎。臣始至於境，問國之大禁，然後敢入。臣聞郊關之內，有囿方四十里，殺其麋鹿者，如殺人之罪。則是方四十里，爲阱於國中，民以爲大，不亦宜乎。

（見：《孟子》、梁惠王章句下）

【編者私語】：園囿方圍四十里，國君一載幾回遊？曷不思：獨樂豈如衆樂樂，不與民同起怨尤。

一五五 死生何福可求（達識）

唐太宗（五九八—六四九，李世民）貞觀八年（六三四），皇后長孫氏（長孫爲複姓）病情很重。太子承乾（唐太宗長子，當時是太子）進宮探病，對母親請求道：「御醫已經盡了全力，藥物也都用遍了，但母親的病，還未好轉，我想這是補修德惠的時候了。請准許釋放囚犯，以增好生之德；並度人信佛入道，以結慈悲之緣。兩增福澤，祈求天神保佑，也好使病體早日痊癒。」

長孫皇后道：「死生自有天命，不是人力可以妄求的。如果修福能夠延年，我一生沒有做過壞事，應該長命。如果行善無效，那有何福可求呢？你說要大赦犯人，那是國家的大政，要新帝登基才可施行。至於佛教道教，那是爲了保存中外的信仰，和增壽也無關係。怎麼可以爲了我一個婦人，而紊亂天下的大法呢？」承乾聽罷，不敢再求了。

病況久無起色，臨終時（長孫后卅六歲去世），她與唐太宗訣別說：「我在生前，對國家社會沒有助益；死後也不要大事耗費。所謂『葬』者，就是『藏』也，埋入土中不讓人看到就是了。自古以來的聖賢，都崇尚薄斂儉葬，只有無道之君，才大起山陵，侈修墳墓，勞役千伕，糜費天下，受到有識之士的訕笑，萬不可爲法。我死之後，只要依山形地勢入土爲安即可。用樸素省費的木料陶瓦安塋，這樣就不忘我今天的囑託了。」

長孫皇后曾經將以往婦女的善行懿節，可以作爲模範的，集撰成書，分爲十卷，名曰《女則》，自寫序言，傳之後世。

【原文附參】：貞觀八年，太宗后染疾危惙，太子承乾入侍，啓后曰：醫藥備盡，尊體不瘳，請奏赦囚徒，並度人入道，冀蒙福助。后曰：死生有命，非人力所加。若修福可延，吾素非爲惡。行善無效，何福可求？赦者、國之大事；佛道者，示存異方之教耳。豈以吾一婦人，而亂天下法？承乾不敢奏。將大漸，與太宗辭訣曰：妾生既無益於時，今死不可厚費。且葬者藏也，欲人之不見。自古聖賢，皆崇儉薄；唯無道之世，大起山陵，勞費天下，爲有識者笑。但請因山而葬，皆以木瓦儉薄送終，則是不忘妾也。后嘗撰古婦人善事，勒成十卷，名曰女則，自爲之序。

（見：《舊唐書》、卷五十一、列傳第一）

【編者私語】：我們要佩服長孫皇后對死亡和埋葬的正確看法。老實說：人死之後，再表孝思，死人已不知道了。這只是由於：第一、以往忽略了孝道，現在來補一補。第二、面子身分有關，借此來鋪張一下。這都是做給活人看的，也可謂給活人找麻煩。人死後，一了百了，肉身已無價值。即令未死，若是年老衰病，躺在床上，意識模糊，他的存在也沒有價值了。不但沒有價值，反因飲食排泄都靠別人伺候，這是長期找活人的麻煩，產生了負面作用（非唯對人無益，反倒害人不淺）。有鑑於此，若想要對別人略有助益，就要趁早把握時光，做點好事，留下一二鴻爪。然乎？否乎？

一五六 再回賊窩赴死（誠信）

宋朝承接唐末五代十國的亂局，武人胡虜互相攻伐，遼金夏不斷南侵。有一陣，兵連禍結，民不潦生，以致盜賊四起，田園荒蕪，甚至有人吃人的事發生。

劉方平不幸也生在這亂離時代。他因天下大亂，帶著老母親逃難，晚上母子兩人就躲在荒野的草澤之中過夜。第二天清早，劉方平跑出來，正找到了幾莖能塡飽肚子的野菜，忽然來了一群餓賊，抓住了他，要殺來煮著吃掉。

劉方平叩頭說：「我又累又餓，今天出來，是替老母找點吃的。可憐我老母疼我，就像她的命一樣。我如不回去，母親一定會餓死。我請求暫且放了我，等老母吃了野蔬，一定回來，任憑處置。」強盜們看他哭著哀求，孝心很誠，就把他放了。

劉方平回到老母身邊，等母親吃完了野蔬羹，就說：「剛才我和那批盜賊約好了，不願欺騙他們，還得回去。」

於是又回頭去見賊人，那群強盜見他眞的又來了，都很驚奇，大家說：「我們倒是聽說過前代有因爲實踐諾言不顧性命的忠誠烈士，想不到今天你也是其中的一個。你走吧，我們不忍心殺你這樣的好人。」終於沒事了。

【原文附參】：宋、劉方平，天下亂，與母俱匿野澤中。朝出求食，逢餓賊，欲烹平。平叩頭曰：今且爲老母求食，老母待平爲命，願先歸，食母畢，還就死。因涕泣。賊感其誠，遣之。平既還，食母迄。因白曰：屬與賊期，義不可欺。還詣賊，衆皆大驚，曰：嘗聞烈士，今乃見之。子去矣，吾不忍食子。于是得全。（見、宋、新安、吳箕：《常談》）

【編者私語】：老實人做老實事，每被譏爲大笨蛋。殊不知老實到極點，反而得福。至誠可以格天，篤信可以感賊。時至今日，大家多以虛僞相騙，騙過了還很得意。物以稀爲貴，現代眞夠老實的人很難找到了。

一五七　丟官得失不關心（寬量）

南宋林大中，字和叔，婺州人（即今浙江金華縣）。宋高宗紹興年間，考中進士。自奉澹泊，性情曠達。

宋光宗時，官任殿中侍御史（掌殿中糾察）。他向光宗上奏說：「朝廷進用人才，要察看他的趨向大目標在哪裡，而不必過於追究他行爲的小節。如果趨向的大目標很正，即令小節有可議之處，也還不失爲君子。如果趨向的大目標不正，即令小節很好，仍然是個小人。」光宗認爲他持論很對。

後來宋寧宗繼位，韓侂胄（？—一二〇七，字節夫）當權爲相，專權恣肆，誣指道學爲僞學（兇朱熹修撰之官）。林大中看不慣他排斥正人，大膽上疏舉發韓侂胄的奸邪，官職便被革掉了，貶爲平民。

大中罷了官，回到家鄉，閒居度日，如此過了十二年，從不以富貴得失關心，勞騷怨言都沒有。他在龜潭（地名）造了一座庭園，恬然隱居，自得其樂。如有客人來了，便採摘園內的杞菊（枸杞菊花都可食），網起溪裡的鮮魚，燒幾道菜，喝幾杯酒，賦幾首詩，十分寫意，絕口不談國事。

有的客人關心他，勸他寫封問候信給韓侂胄，便可復官。林大中說：「我當年做黃門侍郎（又稱夕郎），只要順著皇上的心意，多說一兩句奉承話，哪會丟官賦閒到今天呢？」

客人又說：「縱然你不想求官得福，寄封信去致意一下，也可以免禍呀！」

林大中道：「福嘛，不是你想求，就能到手的。至於禍嘛，你光是害怕，就能躲得過嗎？」

【原文附參】：林大中，字和叔，紹興進士。光宗時，遷殿中侍御史。奏言：進退人才，當觀其趣向之大體，不當責其行事之小節。趣向果正，雖小節可責，不失爲君子。趣向不正，雖小節可喜，不失爲小人。後因抗論韓侂胄，遂削職。大中罷歸，屛居十二年，未嘗以得喪關其心，作園龜潭之上。客至，擷杞菊，取溪魚，觴酒賦詩，時事一不掛口。客或勸大中通侂胄書，大中曰：吾爲夕郎時，一言承意，豈閑居至今日耶？客曰：縱不求福，盍亦免禍。大中曰：福不可求而得，禍可懼而免耶？（見：《宋史》、卷三百九十三、列傳第一百五十二）

【編者私語】：富貴榮華，如果看得開，便進入聖賢的境界了。世事紛紛擾擾，還不是爲了名利二字？相傳明代唐伯虎（唐寅）有個勸世歌，雖是俚俗之詞，不妨參閱一下，歌曰：「人生七十古來少，前除幼年後除老。中間光景沒多時，又有炎涼與煩惱。過了中秋月不明，過了清明花不好。花前月下且高歌，寬懷暫把金樽倒。世上錢多賺不完，朝裡官多做不了。官大錢多心轉憂，落得自家頭白早。請君試看眼前人，壽夭先後埋芳草。草裡高低多少墳，年年一半無人掃。」

一五八 伙夫交涉釋趙王（高智）

秦二世（胡亥繼秦始皇爲帝）在位三年，昏庸殘暴，六國遺民，紛紛起事，各自擁立故主的後裔，據地稱雄。有個叫武臣的（自號武信君），被立爲趙王。不幸爲燕國軍隊俘虜囚禁了，認爲他奇貨可居，聲稱要割讓趙國一半土地，才可贖回來。

趙國多次派使者前去交涉，都被燕軍殺了。傳言不得土地，就不放人。趙國的張耳（趙的宰相）陳餘（封爲代王），爲這事憂困不已。

有個擔任廝養職務的小兵卒（取柴薪的叫廝，燒飯的叫養，就是伙夫）對同伴說：「我有辦法可以替張陳兩公去說服燕軍，把趙王接回來！」

同伴聽了，大家都譏笑他，說道：「派了十多位能言善辯的使者去過了，都殺了。你憑甚麼能耐，可以釋回趙王呢？」

廝養卒不理會嘲笑，逕自獨身前往燕軍兵營，被帶到燕國主帥將軍面前。不待燕將開口，廝養卒就主動問道：「你知道我來的目的是爲甚麼嗎？」

燕將說：「你是爲了救趙王來送死的。」

廝養卒又另提問題：「你可知張耳陳餘是甚麼人嗎？」

燕將說：「他兩人倒稱得上是賢士，當初和陳涉（就是陳勝）首先起義抗秦，是國際間的知名人物。」

廝養卒再問道：「你可知他兩人的志向何在？」

燕將說：「想要我釋放趙王武臣回去吧。」

廝養卒面露微笑，說道：「你錯了，你還不懂得他兩人的大志呢。那武臣、張耳、陳餘三人起義，當初並沒有派遣大軍，也不曾施出全力，只憑著馬鞭子的揮動，就攻下了數十個城邑。他們還不是都想南面稱王，哪肯一輩子做個國卿宰相就算了嗎？大家也都知道：駕前爲臣與殿上稱君，哪能相比？但由於趙國國勢剛剛初定，不敢三分國土，各立爲王，只好按年齡的長幼，暫時先立武臣爲君，好收攬趙國的民心。現在趙國人民已經服從了，這張耳陳餘也想分地自立爲王了，只是時機沒有成熟，也缺少藉口而已。今天你囚禁了趙王武臣，張陳兩人，名義上說要救回趙王，實際上希望你早日殺掉他，使他兩人得以名正言順的登上國君之位。想想看，一個趙國，如要攻打燕國也是輕易的事，如果出現兩個賢主，聯合起來，討伐你囚王殺王的罪名，那時要滅掉燕國，也是容易之舉了。」

燕將一聽，這番分析確也有理，就放了趙王，由廝養卒駕車載著趙王武臣回來了。

【原文附參】：趙王武臣間出，爲燕軍所得。燕將囚之，欲分與趙地半，乃歸王。使者往，燕輒殺之，以求地，張耳陳餘患之。有廝養卒，謝其舍中曰：吾爲公說燕與趙王載歸。舍中皆笑曰：使者往，十餘輩，輒死，若何以能得王？乃走燕壁，燕將見之。問燕將曰：知臣何欲？燕將曰：若欲得趙王耳。曰：君知張耳陳餘何如人也？燕將曰：賢人也。曰：知其志何欲？曰：欲得其王耳。趙養卒乃笑曰：君未知此兩人所欲也。夫武臣張耳陳餘，杖馬垂，下趙數十城，此亦各欲南面而王，豈欲爲卿相終已耶？夫臣與主，豈可同日而道哉？顧其勢初定，未敢三分而王，且以少長，先立武臣爲王，以持趙心。今趙地已服，此兩人亦欲分趙而王，時未可耳。今君囚趙王，此兩人名爲救趙王，實欲燕殺之，此兩人分而自立。夫以一趙尚易燕，況以兩賢王左提右挈而責殺王之罪，滅燕易矣。燕將以爲然，乃歸趙王，廝養卒爲御而歸。（見：《史記》卷八十九、列傳第二十九）

【編者私語】：英雄莫論出身低，草野之間多奇士。漢代樊噲出身屠狗，衛青原是牧羊奴，後都立下大功，成爲名將。劉備原是賣草蓆的，朱元璋是乞丐，後來都做了皇帝。看此篇後，當更要拍案驚奇。燕軍視趙王爲寶，愈交涉愈堅其敲詐之心。猶之於現代強盜綁票，虜人勒贖一樣。我這邊如果視趙王如廢物，並且盼望早日被殺，以清除張耳陳餘自立爲王的障礙，燕軍的敲詐伎倆便落空了。況且張耳陳餘，乃燕國之所畏也。今趙無贖回之意，則囚扣趙王武臣，反而壞事，利害相衡之下，還是放他回去爲妙。想起那毛遂自薦，以兩言而促使楚趙的合縱成功，三寸舌強於百萬師，譽爲一言九鼎（請參本書第三篇）。這位廝養卒，絕不弱於毛遂，豈可不擊節欽贊，浮一大白也哉？

一五九　此錢助你成霸業　（忠誠）

殘唐五代，後唐有位張承業，字繼元，是位宦官（就是太監）。晉王李克用（八五六—九〇六）很喜歡他，也十分信任他。晉王病危時，將兒子莊宗李存勗（八八五—九二六，後來稱帝爲後唐莊宗）託付給張承業說：「小兒亞子（李存勗的小字）年幼，今後他的一切，都要煩累你了！」

莊宗年輕，就以兄長之禮，敬事承業。逢到年節時，還往張家的廳堂，叩拜張承業的老母親。

後來，莊宗帶著部隊，常駐北魏，與後梁太祖朱全忠交戰十多年。一切軍國大事，都付託給張承業，承業也盡力不懈，全心支助。莊宗得以創功立業，張承業的功勞最多。

有一次，莊宗自前線回首都省親，想要找錢賭博。但國庫由張承業管著，賭資無法到手。他想了個主意，在錢庫裏擺上酒席，喝得盡興時，叫兒子李繼岌爲張承業舞劍，目的在討賞錢。舞完了，張承業拿出寶帶一條，牽出肥馬一匹，作爲獎品。

莊宗說：「和哥（繼岌的乳名）缺的是錢，賞他一箱錢吧，這腰帶和馬匹，對他沒有用嘛！」

張承業告罪道：「國家的錢，不是我可以私下哪用的。」

莊宗見目的沒有達到，說話便不再客氣，言語之間，直衝張承業。承業也動了氣，怒道：「我愛惜國庫的錢，乃是幫你創建霸業用的。你如果現在要胡來亂花，錢是你的，隨便拿多少都可以，又何必問我？」

莊宗也不肯示弱，回頭對兒子說：「拿寶劍來給我！」打算要開殺戒了。

張承業站起身來，牽著莊宗的衣服，哭了，說道：「我是受先帝的付託，一心想照顧王業。今天爲了珍惜庫錢而被殺，死了也無愧於地下的先王了。」

這一番爭吵，讓太后（莊宗之母）聽到了，覺得莊宗太過分，命人召喚莊宗去問話。莊宗素來孝順，聽到召命，心知要受責罰，害怕了，便斟滿了一杯酒，向承業告罪說：「我錯了，又開罪了母親。希望你喝下這杯，表示願意分擔我的過失，好嗎？」張承業不肯接杯飲酒。

莊宗回到後宮見太后去了。一會兒，太后差人謝張承業說：「兒子不懂事，頂撞了你，我已經責打了他，請你不要介意。」第二天，太后又帶著莊宗，一同到張承業家中，當面道歉，頻頻用好話來安撫他。

【原文附參】：張承業，宦者也。晉王喜其爲人，晉王病革，以莊宗屬承業曰：以亞子累公矣。莊宗常兄事之，歲時升堂拜母。莊宗在魏，與梁戰十餘年，軍國之事，皆委承業，承業亦盡心不懈。成莊宗之業者，承業之功爲多。莊宗歸省親，須錢蒱博，而承業主藏，錢不可得。乃置酒庫中，酒酣，使子爲承業起舞。舞罷，承業出寶帶及馬爲贈。莊宗語曰：和哥乏錢，可與錢一積，何用帶馬爲？承業謝曰：國家錢，非臣所得私也。莊宗以語侵之，承業怒曰：臣惜此錢，佐王成霸業爾！若欲用之，何必問臣？莊宗旁顧曰：取劍來！承業起，持莊宗衣泣曰：臣受顧託之命，今日爲惜庫物而死，死不愧於先王矣。太后聞之，使召莊宗。莊宗性孝，聞召甚懼，乃酌卮謝曰：吾失，且得罪太后，願公飲此，爲吾分過。承業不肯飲。莊宗入內，太后使人謝承業曰：小兒忤公，已笞之矣。明日，太后與莊宗俱過承業第，慰勞之。（見：歐陽修：《新五代史》、卷三十八、宦者傳第二十六）

【編者私語】：張承業只是一太監，爲國家惜錢，不愧是一位忠士。李存勗身爲統帥，征戰南北，對此事乃能謝罪，也不愧是一位明主。莊宗母親，一女流也，知事明理，竟能笞責皇王，尤不愧是一位賢后。殘唐五代，本是亂世，穢事太多，此三人，共顯此一事，缺一人便不完全。如濁流中出現一股清泉，使我們欣賞之餘，十分快慰。

一六〇　多養魚羊好送禮　（諂媚）

唐代貞觀七年（六三三），唐太宗（五九八—六四九）到蒲州（舊府名，府治在今山西永濟縣）巡視。刺史（唐代刺史爲州府之長）趙元楷，想討唐太宗歡喜，下令凡是派往官道迎謁皇上的，都得穿上黃紗單衣，以求整齊劃一；又特別裝飾了行宮官署，修砌了城樓牆垛子；還偷偷養了百多頭肥羊，幾千尾大魚，準備送給隨皇上同來巡幸的高官貴戚。他籌劃這樁大事，費時費錢又費力，一般欠聰明的州府官員，設想哪會如此週到。

這些動作，不知爲何被唐太宗知道了，便把趙元楷找來，責備他道：「我這次巡察黃河洛水一帶，經過了許多州府，凡是隨行所需的，都由朝廷供給，不曾勞費地方政府。你養羊飼魚，送作私禮；雕樓漆署，只飾外表；限穿紗衣，苛擾百姓；這都是前朝隋代的壞風氣，所以隋祚不長，如今不可以再效尤了。你應當知道我整肅官常的心志，把以往不良的壞習慣改掉才是。」

由於唐太宗聞知趙元楷在隋代媚上取巧的行爲（元楷在隋，曾因呈獻異味而超遷江都郡丞），所以用這番話來告誡他。趙元楷挨了御罵，滿懷慚疚；皇上對他印象壞，假如追究起來，罪名難逃；心中驚怕，飯也吃不下，沒有多久，就過世了。

【原文附參】：貞觀七年，太宗幸蒲州。刺史趙元楷，課父老服黃紗單衣，迎謁道左；盛飾廨宇，修營樓雉，以求媚上。又潛飼羊百餘口，魚數千頭，將饋貴戚。太宗知之，召而數之曰：朕巡省河洛，經歷數州，凡有所需，皆資官物。卿爲飼羊養魚，雕飾院宇，此乃亡隋弊俗，今不可復行。當識朕心，改舊態也。以元楷在隋邪佞，故太宗發此言以戒之。元楷慚懼，數日不食而卒。（見：《貞觀政要》、卷之六、杜讒邪、第二十二）

【編者私語】：這位趙元楷，不該活在政治清明的唐太宗時代。如果早生在前代南北朝和隋朝，或是晚生在殘唐五代時期，他那獻媚送禮的功夫，就可施展無礙了。大凡勵精圖治時代，奸佞應無得售之日，若逢亂世，邪術才會大行其道。今天的中國，民族性正落入衰腐的低谷中，何日能振興昂揚，使這條下降的曲線上升，似還有待。海峽兩岸，好像都處在渾濁時期，均非郅治。彼岸來說：大家一律向錢看，說是「十億人民九億倒，還有一億正在找」。又說：「萬元不算富，十萬剛起步，幾十萬馬馬虎虎，百萬才能算大户。」說到此岸，則爭個人私利，損國以肥己，也成了風氣。有替高官代養小太太的。也有幫助上司貪污，專門替他辦理假報銷搞大錢的。至於高官子女在國外留學代爲接濟照顧的，兩岸都有。比趙元楷高明多了。

一六一 吉凶不在卜墓地（高識）

隋文帝楊堅（五四一—六〇四），是隋代開國之君。皇后獨孤氏死了（獨孤信的第七女），儀同三司（文官名，光祿大夫以上之職位）蕭吉（字文休，精陰陽之術）要去選擇一處墓地，好替皇后安葬。

蕭吉找到一處好地，又卜了卦。蕭吉說：「下葬在此，根據卜筮顯示說：『推算年代，可以享國兩千年（謂隋代國祚總年數）；推算世代，可以承傳兩百世（父傳子爲一世，謂可傳兩百代）。』風水是最好的了。」

隋文帝道：「吉凶是由人的作爲來決定的，不是由葬地來保佑的。你看那北齊的末帝高緯（即北齊後主，人稱無愁天子），他葬父親，難道沒有挑選佳地，卜卦不也很吉嗎？但不多久卻滅國了（北齊滅於北周）。這正如我家父祖的墓地一樣，也是選了又選的。如果說我家墓地不吉吧，那我就不該作天子；如果說我家墓地最吉吧，那我的弟弟就不該戰死嘛！」

【原文附參】：隋文帝后獨孤氏崩，儀同三司蕭吉爲亡后擇葬地，得吉處云：卜年二千，卜世二百。帝曰：吉凶由人，不在於地。高緯葬父，豈不卜乎？俄而亡國。

正如我家墓田，若云不吉，朕不當爲天子；若云不凶，我弟不當戰歿。（見：《資治通鑑》、卷一百七十九、隋紀三）

【編者私語】：有人謂葬得吉地，可使子孫發達，出生眞命天子。果眞如此，則卜地者的後代，人人都該是帝王將相了。如果卜者對自己也卜不靈，又何能替別人找到吉穴？但不知葬地風水的佳勝，爲甚麼會使後代昌盛？誰能解釋其必然性呢？想想看，隋文帝所說吉凶不在卜地，倒是一語破迷的了。

一六二 奴弒主人不可饒（懲逆）

隋唐之交，經過了一段短暫的混亂局面。那時有個竇建德（五七三—六二一），漳南人，有才智，也有勇力。年輕時候，就重然諾，答應的事，一定辦到。鄉里間有一家的親人死了，無錢埋葬。竇建德正在耕田，立即將耕牛送給喪家，賣得銀錢以供喪葬之費。義行傳開來，鄰里間都稱贊他。

有一夥強盜，深夜到他家打劫，竇建德驚醒了，他悄悄地藏身在空院前大門圍牆內側的暗處。一個強盜翻過高牆跳下來，竇建德即時揮刀將強盜殺了。如此連續殺了三個人，外面的強盜嚇得不敢再進來，請求把屍體送出。竇建德說：「丟根粗繩索進來好了，我綁起屍身，由你們吊出去。」

強盜把繩索丟進牆來，竇建德將自己綁好，讓強盜拖過圍牆，一著地，又手起刀落，殺掉好幾個人。由於這番智勇，他的名聲更大了。

隋朝大業七年（隋煬帝年號，公元六一一年），竇建德被人誣陷與叛賊私通，要滿門抄斬，他只好佔山為王。大業十三年（六一七）自立為長樂王，定都樂壽（今河北獻縣）。十四年（六一八）稱國號為夏。勢力日漸伸張，鄰近的郡縣也多歸附於他。

滑州（州治在今河南滑縣）刺史（刺謂刺舉不法，史者使也）王軌，那時仍是隋臣，被家奴所殺，家奴帶著首級，投奔竇建德請賞。竇建德說：「家奴弒主，這是大逆不道。我如接納，就不得不賞。大逆反而得賞，豈不違背了義理？怎麼可以服衆？」他把家奴斬了，又將刺史王軌的頭顱送回滑州。滑州人感激竇建德的義氣，就歸順他了。

【原文附參】：竇建德，少重然許。鄉人喪親，貧無以葬，建德方耕，遽解牛與給喪事，鄉黨稱之。盜夜劫其家，建德立戶下，盜入，建德擊三人死。餘不敢進，請其尸。建德曰：可投繩繫取之。盜投繩，建德乃自縛，使盜曳出，躍起捉刀，復殺數人，由是益知名。隋大業七年，入山爲盜。十三年，自立爲長樂王。十四年，國號夏。滑州刺史王軌爲奴所殺，奴以首奔建德。建德曰：奴殺主，大逆。納之則不可不賞，賞逆則廢教，將焉用爲？命斬奴而返軌首。滑人德之，遂降。（見：《新唐書》卷八十五、列傳第十）

【編者私語】：本篇記有三事。第一事：竇建德並非富有，卻能送牛濟貧，可見他有助人之仁心，已具有當領袖的基本條件（帶兵帶心。主動照顧部屬，部屬才會擁護）。第二件：強盜本以殺人爲務，今反被殺，顯示竇建德之沉著、機智和勇武三者俱勝，缺一不能辦到（此三者，在亂世中霸佔一方，稱王僭帝之所需者也）。第三事：奴弒主人，比部屬殺長官還壞，違背道義，理宜處斬。行此一事，滑州乃自動歸降（以德感人者，別人以義回報。可見不論爲王爲寇，行事都要遵守一套公認的軌範。）「盜亦有道」（參看第三六四篇），便是此意。

一六三　多請田宅安帝心（破疑）

秦始皇併呑六國，依序是韓趙燕魏楚齊。當他攻打楚國時，給了王翦六十萬大軍，還親自送行到灞上，以示此行的重要。灞上在秦國都城咸陽（今西安附近）之東，灞水流經此處，有一橋叫灞橋，送行者多到此爲別，因此有人又叫它爲銷魂橋。

那王翦是秦國名將，替秦始皇打下趙國燕國，立功不小。這次伐楚，原先王翦就說要兵六十萬，另有位李信則說二十萬就夠了，始皇認爲王翦口氣太大，便委派了李信。哪知李信果然兵少打敗了，始皇才轉而求王翦重行領兵，如數派給他六十萬大軍，後來終於攻下了楚國。

王翦出發的時候，請求始皇賜給他良田華屋林園池沼，而且索取很多。秦始皇說：「王將軍放心出發好了，你還耽心沒有財產，會過窮日子嗎？」

王翦說：「雖然做了大王的將軍，即使立了大功，也不見得會封侯。所以我在大王還看重我的時候，正好趁機請求一些田宅園池，好爲子孫留點產業呀。」始皇見他愛財心切，也一勁爲他後人打算，不覺哈哈大笑。

王翦一路開拔到國境邊的關隘上，還先後派了五次使者回京，促請始皇要記得撥給他肥田美宅。有人就對王翦說：「王將軍你這樣多次的求討田宅，是不是太過於頻繁了呢？」

王翦說：「不是的。你們有所不知。這位始皇帝的猜忌心和疑惑心都很重，他不相信任何人。今天他把秦國的甲冑之士都派了出來，國內的兵力都抽空了，六十萬大軍完全交付我來指揮；我如今多請田宅打算留給子孫作產業，表示我一定會老老實實的回來過日子，不會在外面起異心。不然的話，豈不是等著他疑心我兵權在握，隨時可以叛國，成天累月的來懷疑我嗎？」

【原文附參】：始皇伐荆（就是楚國），使王翦將兵六十萬，始皇自送至灞上。王翦行，請美田良宅園池甚衆。始皇曰：將軍行矣，何憂貧乎？王翦曰：爲大王將，有功終不得封侯。故及大王之嚮臣，臣亦及時以請園池爲子孫業耳。始皇大笑。王翦既至關，使使還請善田者五輩（五次）。或曰：將軍之乞貸，亦已甚矣。王翦曰：不然。夫秦王怚中而不信人。今空秦國甲士，而專委於我。我不多請田宅爲子孫業以自堅，顧令秦王坐而疑我耶？（見：《史記》、卷七十三、列傳第十三。又見：《經世奇謀》、一卷、備患類。又見：《資治通鑑》、卷七、秦紀二）

【編者私語】：頻頻問舍求田，故示胸無大志；既已留產置業，自然不起叛心。王翦一介武夫，竟也粗中有細；好叫始皇釋念，確是保命妙方。

一六四　守信使原國投降（誠信）

晉文公（公元前六九七—前六二八）爲五霸之一，他帶兵去攻打原國。那原國是周天子畿內的一個小國家，見《左傳》僖公二十四年，在今河南省濟源縣境。

原國地小民寡，晉文公祇準備了十天糧食，和大軍的官士們約定，十天就該攻下。哪知十天到期了，原國沒有打垮，晉文公打算班師回去了。

有個剛從原國出來的人說：「原國城內疲弱的實況，我知道得很清楚。晉軍再打三天，就滅掉他了。」

晉文公左右的人，也都建議說：「原國糧食缺乏，力量已經耗盡，只要繼續留三天，就會投降。大王你不妨暫且等候一下。」

晉文公道：「我和戰士們約定十天，十天到了還不收兵，是喪失我的信用。即使得了原國，卻失了我的信用，我是不會這樣做的。」仍然傳令，收兵回國去了。

原國的人都說：「有位這樣遵守信約的君王，豈可不歸順他嗎？」就舉國自願歸附於晉文公了。

【原文附參】：晉文公攻原，裹十日糧，與大夫期十日。至原十日，而原不下，乃罷兵而去。士有從原中出者曰：原三日即下矣。群臣左右諫曰：夫原之食竭力盡矣，君姑待之。公曰：吾與士期十日。不去，是亡吾信也。得原失信，吾不爲也。遂罷兵而去。原人聞曰：有君如彼其信也，可無歸乎？乃降公。（見：《韓非子》、外儲說左上。又見：《國語》、卷十、晉語四。又見：《淮南子》、卷十二。又見：《新序》、卷四、雜事第四）

【編者私語】：春秋戰國時代，小國夾在大國之間，左右爲難；故滕文公問孟子說：「事齊乎？事楚乎（見《梁惠王下章》）？」要延續國祚，恐衹好擇仁信之君而附之吧。

一六五　帆破的就是官船　（敝政）

有個隱士，託名爲瓠里子（明代劉基，晚年看破世事，撰《郁離子》以諷世。本書摘此一篇。燒餅歌亦他所作），要從江蘇回廣東。宰相很敬重他，指派一位官員，屆時伴送他到河邊碼頭乘船。宰相對他說：「請你自己挑選一艘官船坐上吧。」那位隨從的官員遲遲未來，瓠里子獨自走到河邊，舉目一看，停在水邊的船船幾乎有千來艘。瓠里子想要挑選，卻分不出哪些是官船，哪些不是官船。伴送的官員終於趕來了，瓠里子問道：「這麼多船，怎樣來分辨？怎樣來挑選呢？」那位官員很輕鬆地說：「這很容易。只要看那船篷壞了的、櫓槳斷了的、布帆破了的，那就是官家的船呀！」果然照這個標準，輕易的找到了官船。

瓠里子仰天長歎道：「今天治理國家的，是不是也把老百姓視同官船一樣，不理會人民的死活呢？倘若眞是如此，那愛護人民的官員便太少了，無怪乎老百姓都困窮無助了。」

【原文附參】：瓠里子自吳歸粵，相國使人送之。曰：使自擇官舟以渡。使者未至，舟泊於滸者以千數。瓠里子欲擇之而不能識。送者至，問之曰：舟若是其多也，惡乎擇？對曰：甚易也。但視其敝蓬折櫓破帆者，即官舟也。從而得之。匏里子仰天歎曰：今之治政，其亦以民爲官舟歟？則愛之者鮮矣，宜其敝也。（見：明、劉基：《郁離子》）

【編者私語】：本篇摘自郁離子，著者劉基，佐明太祖朱元璋取得天下，功高勳顯。歸隱後卻能寫出這類文章，道破官場敝習，令人欽慕。諺曰：「官不修衙，客不修店。」此語由來久矣。公家事，少做少錯，不做不錯。爲官之道，既專伺長官喜怒，哪顧百姓生死？只要年資熬夠，便可晉升高位。有幾人記得美總統甘迺迪說：「我能爲國家做些甚麼？」

一六六　早知我會滅亡嗎　（昏庸）

古時候，有個虢國（周文王封給他弟弟的小國，有說在陝西，有說在河南，只傳了幾代就滅了）。國君驕傲自大，親附他的人他就喜歡，說直話的人他就驅逐出境或是殺掉。強大的晉國來攻打他，虢君匆忙乘車逃亡出走。到了荒郊水邊上，虢君說：「我口渴了，有甚麼可以喝的嗎？」替他駕車的人，便奉上清酒。

喝了酒，虢君又說：「我肚子餓了，有甚麼可以吃的嗎？」駕車的人又奉上牛肉乾。

酒肉都備，虢君很高興，問道：「酒美肉香，這時際你是怎樣弄到的呢？」

駕車的說：「我老早就準備好了，事先儲存在車內的。」

虢君問：「爲甚麼早就準備了呢？」

駕車的說：「就是爲了你在逃亡之時，半路上口渴肚餓而準備的呀。」

虢君追問道：「你早就料到我會逃亡嗎？」

駕車的說：「早就知道。」

虢君問：「既然知道，爲甚麼早不諫勸於我呢？」

駕車的說：「你喜歡聽奉承話，不喜歡聽直話。我如果說眞話，早就被殺掉了。」

虢君發了火，臉上一股怒氣，很不高興。駕車的連忙請罪，說道：「適才我的話說得過分了，請大王恕諒。」虢君正在逃亡中，不可能殺掉他，就忍住了。

隔了一陣，虢君又問道：「我的國家亡了，到底是甚麼緣故呢？」

駕車的人這時變得聰明了，便回答說：「你之所以亡國，是因爲你太賢良了。」

虢君追問道：「賢良還會亡國，這是甚麼緣故呢？」

駕車的說：「天下的國君都不賢良，大家痛恨你一人單獨賢良，所以就亡國了。」

虢君聽了很高興，歎了一口氣，說道：「唉呀！我這樣賢良的人，竟還遭到如此的結果嗎？」

這時天色已晚，兩人只好在山裡找個地方暫且安頓休息。虢君勞累疲倦，就睡熟了。那駕車的人，見虢君事到如今，還只願聽好話，不願聽直話。剛才後段所答的，都是假話，他卻高興。這個君王，實在不能相處，就趁夜逃走了。

虢君獨自無法求生，終於餓死了。

【原文附參】：昔者、虢君驕恣自伐，諂諛親貴，諫臣誅逐。晉師伐之，虢君出走。至於澤中。曰：吾渴而欲飲。其御乃進清酒。曰：吾饑而欲食。御進乾脯。虢君喜曰：何給也？御曰：儲之久矣。曰：何故儲之？對曰：爲君出亡而道饑渴也。君曰：知寡人亡耶？對曰：知之。曰：知之何以不諫？對曰：君好諂諛，而惡至言，臣如諫之，必先亡。虢君作色而怒。御謝曰：臣之言過也。有間，君曰：吾之亡者誠何也？其御曰：君之所以亡者，以大賢也。虢君曰：賢而亡，何也？對曰：天下之君皆不肖，共疾君之獨賢，故亡。虢君喜而歎曰：嗟乎、賢固若是耶？遂於山中居，饑倦而臥，御逃而去之。君乃餓死。（見：西漢、陸賈：《新語》、卷七、先醒）

【編者私語】：祇願聽好話，不願聽壞話；臨死信假話，眞是大笑話。

一六七　朱子何以知其然

（勵學）

清代戴震（一七二三—一七七七），休寧人（今安徽休寧縣），字東原。乾隆舉人，讀書一過目就背得出來，是清代的名儒，著作很多，又是《四庫全書》（分經史子集四部，共八萬卷，耗時十八年）的纂修官。

小時候他進入私塾，老師教他讀《大學》（是《四書》的第一本）。《大學》第一章的後面有一段「釋詞」（前人讀書，連這些解釋的句子也要熟背），是朱熹（字元晦，號晦翁，集理學之大成，世稱朱子）這樣寫的：

「右經一章，蓋孔子之言，而曾子述之。其傳十章，則曾子之意，而門人記之也。舊本頗有錯簡，今因程子所定，而更考經文，別爲次序如左。」

戴震問道：「這一段話，怎麼知道是孔子說的？怎麼知道是曾子轉述的？又怎麼知道是曾子的意思而由他的學生記下來的呢？」

老師答：「這是朱夫子熹這樣說的。」

又問：「朱子是甚麼時代的人？」

老師答：「南宋時人。」（按朱熹生卒爲公元一一三〇—一二〇〇）

又問：「曾子是甚麼時代的人？」

老師答：「東周時人。」（按曾子生卒爲公元前五〇五—前四三六）

又問：「東周相隔南宋多久？」

老師答：「幾乎將近兩千年吧。」

戴震再問：「既然相隔這麼久，那朱子怎麼會知道得如此肯定呢？」

老師也解答不了。

【原文附參】：戴震，字東原，讀書過目成誦。塾師授以大學章句右經一章，問其師曰：此何以知爲孔子之言而曾子述之？又何以知爲曾子之意而門人記之？師曰：此朱子云爾。又問：朱子何時人？曰：南宋。又問：曾子何時人？曰：東周。又問：周去宋幾何時？曰：幾二千年。曰：然則朱子何以知其然？師不能答。（見：清、江藩：《國朝漢學師承記》、卷五、記之五）

【編者私語】：《漢學師承記》中，又記載了另一位大儒閻若璩（淸代太原人，公元一六三六—一七〇四）的事蹟：「年二十，讀《尚書》（就是《書經》），至古文，即疑二十五篇之僞。沉潛二十餘年，作《古文尚書疏證》八卷」。足見古人讀書，要尋根究柢，精思熟辨，一處也不放過。故能發明古學，卓然成爲大師。不像現代的我們，囫圇吞棗，即使每堂考試，也只記些應付考試的皮毛罷了。何曾爲求眞知而讀？這距離學問二字太遠了。蓋學無思辨，則人云亦云，記誦雖博，也只是一架書櫃而已，或者只是一個字紙簍而已。《中庸》說：「博學之，審問之，愼思之，明辨之，篤行之。」博學審問，必須繼以愼思明辨，行之才可有得，這才叫眞正的讀書，也才叫眞實的學問。

一六八　年輕人竟敢頂嘴（敦品）

宋代王質，字子野。少時尊楊億（字大年，文章雄健）爲師，勤奮力學，聰明有識。楊億贊他文章英妙，是位人才。

後來他出任蘇州（今江蘇吳縣）通判（襄理州務之官）。府尹黃宗旦（字叔才，有神童之稱，咸平進士）是他的直屬長官，但並未看重王質，王質也不以爲意。

有一次，因討論公務，兩人起了爭執。黃宗旦責問他說：「看你年紀輕輕，竟然敢對年高位尊的我頂嘴（和尊長爭辯是非叫頂嘴）！」

王質答道：「這是爲了公務。凡是措施不對的，我認爲理由正當的，自然可以爭個曲直。這也是我的職責所應做的呀。」始終沒有屈從。

蘇州有一批私自鑄造錢幣、擾亂金融的集團，被黃宗旦抓到了，主犯和從犯總共有一百多人，關在牢裡究辦。不久，黃宗旦對王質說：「我用詐誘之法，騙得他們都招認了。我就要用重刑來辦他們。」說時滿臉露著喜色，表示他套取口供的手段確有一套。

王質道：「大人用騙術誘人認罪，又打算用重刑將他們處死，而你還十分得意。仁人君子處理政事，難道是這樣做的嗎？」

黃宗旦聽了，心有愧意，也高興不起來了。終於將他們從輕發落結案。

那時范仲淹（九八九—一〇五二，字希文）得罪了宰相呂夷簡（字坦夫），貶官降調饒州（今江西鄱陽縣）。凡是與范仲淹交好的人，都羅織定罪爲朋黨，正當雷厲風行之際，獨有王質載了美酒，前往餞行。有人勸責他說：這樣做對自己會招來不利。王質道：「范文正公是一代賢良，我去爲他餞行，是發自內心的敬仰。如果招來罪名，說我是范公的朋黨，這個罪名是我非常樂意承擔的呀！」世人聽了這番話，反而更稱贊他了。

【原文附參】：王質，師事楊億，億歎以爲英妙。後通判蘇州，州守黃宗旦少質。嘗因爭事，宗旦曰：少年乃與丈人抗耶？質曰：事有當爭，職也。卒不爲屈。宗旦得盜鑄錢者百餘人，下獄治，退告質曰：吾以術勾致得之。喜見於色。質曰：以術勾人，致之死，而又喜，仁者之政，固如是乎？宗旦慚沮，爲薄其罪。范仲淹貶饒州，治朋黨方急。質獨載酒往餞。或以誚質，質曰：范公賢者，得爲之黨，幸矣。世以此益賢之。（見：《宋史》、卷二百六十九、列傳第二十八）

【編者私語】：本篇有兩點討論：

第一點：年輕年老，難於劃分。年齡可能有三種標準：一種是「法理」上的年齡，就是户籍登載的年齡。另一種是「生理」上的年齡，是看體能的強弱，有的人八十歲了，身強體壯，猶如四五十歲。還有一種是「心理」上的年齡，雖然七十歲了，但不斷吸收新知，思想不亞於年輕人。因爲有這種三種狀況，以致很難界定。

第二點：由黃宗旦看王質，這是個頂撞鬥嘴的部屬；由老百姓看王質，這是個負責認眞的好官。須知事理只有對錯之分，扯不上年齡大小之別。老實說：部屬能幹，主管反而輕鬆。無如今天作首長的，多希望部屬唯命是從，不要有意見。因爲庸才不會調皮，易於控制也。由此而致有睿識、不苟同的人難得出頭，埋沒了多少英傑，殊可憫也。王質因公務而與上官相抗，不怕考績打成丁等。因詐術套供而指上官之失，不怕對方私仇公報。因敬仰范仲淹而特去送行，不怕定罪爲朋黨而入獄，都顯示他是個獨立特行之士，不是唯唯諾諾的好好先生。但願這種人多多出現，則是國家之福，萬民之慶了。

一六九　曲突徙薪無恩澤

（遠識）

西漢霍光（？—六八，字子孟），是霍去病之弟。漢武帝時爲奉常都尉，受遺詔輔幼主漢昭帝，拜大司馬。昭帝崩，立昌邑王爲帝（名劉賀）。不久又廢了他，迎立漢宣帝。連仕三朝二十多年，權傾內外，威震人主，使宣帝有如芒刺在背，非常怕他。

霍光生活豪奢，有位茂陵人（古地名，武帝葬此，故名茂陵，在今陝西）徐福說：「霍家必會敗亡。由於奢侈，便少謙德；由於少謙，便會侮慢皇上；由於侮上，便是逆臣。他位在百官之先，必會有人加害。」於是上書宣帝，說霍氏驕泰滿盛，應該適時善予抑制，免至敗亡。奏疏上了三回，卻都未蒙理睬。

霍光一死，有不少人舉發他謀反，以致霍家宗族全誅，這些人都因檢舉有功而封了官，卻全然忘記了徐福。

另外有人爲徐福叫屈，上書給漢宣帝說：

「有一則傳聞的故事：有位客人，見主人家灶上的煙囪（昔時大多燒柴）是直的，而灶口前堆了許多木柴。客人奉勸他應當改砌爲轉折的煙囪，柴堆則要搬離灶口。否則火星餘燼會從煙囪裡直落下來，散迸在灶口之外，引燃柴火，便釀成火災了。主人雖然聽到，但並沒有在意。

「未久，果然失火了。鄰居們奮力搶救，幸而人多，終於救熄了。主人十分感激，連忙宰牛備酒，慰謝救災的人，被火灼傷的都坐首席，其餘也全部入座。卻忘記了那位說要曲突移薪（煙囪要曲砌，柴堆要移開）的客人。

「有人提醒主人說：『從前你如信了那位客人的話，就不必破費牛酒，根本不會有火災發生。如今按恩德來酬謝賓客，是不是曲突徙薪的人無恩可言，而只有焦頭爛額的人該坐首席呢？』主人這才想起，趕忙將那位客人請來了。

「如今請論霍案：徐福幾次上奏，早就料到霍光之敗。那時如果採納了他的建議，便不會有謀反滅族的慘劇發生。過往的錯失已經無法挽回了，多人都已封官，獨有徐福無人理會，唯請皇上賜鑒俯察。」

漢宣帝看了奏疏後，乃賜徐福帛緞十匹，後又封他為郎。

【原文附參】：初，霍光奢侈。茂陵徐生曰：霍氏必亡。夫奢則不遜，不遜必侮上，侮上者逆道也。在人之右，眾必害之。乃上疏言霍氏泰盛，宜以時抑制，無使至亡。書三上。其後霍氏誅滅，而告霍氏者皆封。人為徐生上書曰：臣聞：客有過主人者，見其灶直突，傍有積薪。客謂主人更為曲突，遠徙其薪，不者且有火患。主人嘿然不應。俄而家果失火，鄰里共救之，幸而得熄。於是殺牛置酒，謝其鄰人。灼爛者在於上行，餘各以功次坐，而不錄言曲突者。人謂主人曰：鄉使聽客之言，不費牛酒，終亡火患。今論功而請賓，曲突徙薪無恩澤，焦頭爛額爲上客耶？主人乃寤而請之。今茂陵徐福，數上書言變，鄉使福說得行，則無逆亂誅滅之敗。往事既已，而福獨不蒙其功，唯陛下察之。上迺賜福帛十匹，後以爲郎。（見：《前漢書》、卷六十八、霍光傳第三十八）

【編者私語】：「君子消患於未萌。」這是極高的境界。有遠見的人，要能弭禍於將起之時。事先預防費力小，事後補救費力多。衣服綻線了，今天不縫一針，以後要縫十針。堤壩上有個螞蟻窩，如果有人去堵塞它，這是小事一樁，沒有甚麼值得一提的。假如不做，可能那十仞高堤，潰於蟻穴。一旦堤垮了，洪水沖沒村莊，釀成巨禍，這時千百人去搶救，人人都立了大功。爲何當初那舉手之勞，竟然想不到？《春秋》說：「防微杜漸之意，其爲萬世慮，深遠矣。」旨哉斯言。

一七〇　羊肉漏分打敗仗（不均）

春秋時代，宋國和鄭國相鄰，都是小國，也都在黃河之南。魯宣公二年（即周匡王六年，甲寅，公元前六〇七年），宋鄭兩國起了紛爭，鄭公子歸生（又叫子家，見《左傳》宣公四年），受命攻打宋國，宋國派華元（大夫）率兵抵抗。

將要開戰之前，宋國主帥華元，殺羊犒賞士卒。分羊肉時，駕駛華元兵車的御者叫羊斟的，沒有分到，可能是華元忘記了，疏忽了。

及至與鄭軍作戰了，羊斟駕車出陣，他對自己說：「昨日殺羊分肉，是你華元作主；今天作戰駕車，就由我作主了。」他將兵車一逕衝到鄭國的軍營裡，華元被擒，戰爭打敗了。

【原文附參】：鄭公子歸生，受命伐宋。將戰，華元殺羊食士，其御羊斟不與。及戰，曰：疇昔之羊，子爲政；今日之事，我爲政。與入鄭師，故敗。（見：《左傳》、宣公二年。又見：《說苑》、卷五、貴德篇）

【編者私語】：羊肉漏分，只是個小疏忽，竟然自身受囚，處事可得要小心了。有人說：這類事情，現代不會發生了。因爲分配犒賞，武職有特務長、補給官負責，文職有總務長、事務員掌管，不必勞動主帥。吾人須知：處理團體中的任何事，都要謹守「不患寡而患不均」的原則，必須做到人人有份，就會公平。我們參閱本篇，不要侷限於羊肉，時代不同，不要以詞害意，其他事物，也當如是。

（人名合計一千〇六十五人）

十八劃

十九劃

二十劃以上

十七劃

十六劃

十五劃

十四劃

十三劃

十二劃

十一劃

十　劃

九劃

八劃

七劃

六　劃

五　劃

人名索引（依筆劃順序，數字代表篇章）

——上冊1～170，中冊171～340，下冊341～502——

二～三劃

四　劃

人 名 索 引

（依筆劃順序，數字代表篇章）

上冊1～170

中冊171～340

下冊341～502